Fortlage, C

Acht psychologische Vortraege

Fortlage, Carl

Acht psychologische Vortraege

Inktank publishing, 2018

www.inktank-publishing.com

ISBN/EAN: 9783747785478

Acht
Psychologische Vorträge

von

Dr. C. Fortlage,
Professor an der Universität Jena.

Zweite Auflage.

Jena,
Mauke's Verlag
(Hermann Dufft).
1872.

Vorwort.

Die folgenden Vorträge, welche zu verschiedenen Zeiten vor einem gemischten Zuhörerkreise gehalten wurden, möchten das Interesse, welches sie im engeren Kreise fanden, in dieser neuen Zusammenstellung in weiteren Kreisen ebenfalls rege machen.

Ihr Inhalt ist ein psychologischer, ihre Hauptabsicht aber eine Erregung des philosophischen Interesses überhaupt und für Jedermann. Denn sowohl in der Schule und ihrer Wissenschaft, als auch im Leben und seiner Thatkraft besitzt die Philosophie am meisten die Mittel, eine von unseligen Lasten befreiende und erlösende Wirkung auszuüben, indem sie dort das dunkle Gewirre vergänglicher Thatsachen und Erfahrungen mit ewigen Ideen durchleuchtet, hier dem Gemüthe eines Jeden, welcher sich ihr mit aufrichtiger Liebe und ernstem Streben zuwendet, eine Befriedigung und ein dauerhaftes Lebensglück bereitet. Denn was Jemand auch für anderweitige vermeintliche Ersatzmittel zu Hülfe nehmen mag: sie können und werden ihm niemals die Sicherheit gewähren, welche allein durch ein Schöpfen aus den Quellen des Geistes selbst zu gewinnen ist.

Ich fürchte hierbei keinen Einwand von Seiten der wahrhaft religiös Gesinnten. Denn sie ja eben sind, wenn sie es auf die rechte und vollständige Art sind, zugleich auch die richtig Philosophirenden. Huldigen sie hingegen einer Religion, welche das Philosophiren scheut, so ist dieselbe unmöglich von der rechten Art, eben darum, weil sie nicht eine philosophirende ist.

Eben so wenig fürchte ich einen Einwand von Seiten der Wissenschaftlichen. Hat die Philosophie auch ohne Zweifel eine bestimmte Seite, von welcher sie beständig und nothwendig bloße Schulsache bleiben muß und bleiben wird, so hat sie doch auch außerdem eine andere Seite, von welcher sie allgemeine Menschheitssache für Jedermann, unentbehrliche Seelenspeise jedes denkfähigen Geistes, höchste aufklärende und durch Aufklärung beglückende Macht werden kann und werden soll. Denn sie ist das hauptsächlichste und höchste Bildungsmittel, und die Bildung durch sie ist der beste und geschickteste Schlüssel zu jeder anderen Bildung.

Wer die Philosophie für trocken und unfruchtbar hält, kennt sie nicht. Wer sie für entbehrlich hält, geht auf einem gefährlichen Irrwege.

Daher sollte sie Niemandem gänzlich fremd bleiben; daher sollte Jedermann irgend eine Beschäftigung in ihr suchen. Sie dient zur Gesundheit der Seele und des Leibes. Es sind reinmenschliche und durch nichts Anderes ersetzbare Aufklärungen, Stärkungen und Erheiterungen mit ihr verbunden, welche dem Nichtphilosophirenden entgehen.

Neben ihnen allerdings auch eine Gefahr, auf welche ein Jeder, welcher zu philosophiren beschließt, gefaßt sein muß. Sie besteht darin, daß das philosophische Studium Zeit kostet. Die beiden Hauptgegner der Philosophie, der blinde Glaube und der blinde Materialismus, sind ihr in diesem Punkte unbedingt überlegen, daß sie gar keine Zeit kosten, sondern durch einen schleunigen und gewagten Entschluß sofort zu ihren Zielen gelangen. Für Menschen, welche in ihrer Zeit pressirt sind, empfehlen sich daher diese kürzeren und rascheren Wege natürlich am meisten. Hiernach muß Jedermann im Leben seinen Entschluß fassen. Denn ohne Selbstbesinnung giebt es keine Philosophie, und ohne Ruhe der Seele giebt es keine Selbstbesinnung. Daher die Glücklichen, welche Muße haben zum Nachdenken, vorzugsweise diejenigen sind, auf welche die Philosophie rechnet.

Freilich wird die meiste Muße in der Welt nur vergeudet, und alle Muße hilft dem zu nichts, welcher sie nicht richtig anzuwenden oder welcher nicht zu philosophiren versteht. Dagegen hat aber auch der härteste Knechtsdienst in der Mühle des Lebens keine Ketten, welche stark genug wären, den zu binden, der Charakter genug besitzt, um, obgleich umringt von Sturm und Gefahr, sich die Ruhe der Selbstbesinnung zu retten, und der, obgleich eingesenkt in Geschäfte und Unternehmungen, trotz ihrer zu philosophirén, d. h. den Geist auf das ewig Eine, was Ist, unverrückbar gerichtet zu halten versteht. Alle solche, welche dieses vermögen und ausüben, dürfen als Ermunterung auf ihren manchmal harten und dornigen Wegen die feste Versicherung empfangen, daß auf ihnen vorzugsweise, befinden sie sich in welcher Lebenslage sie mögen, die Sehnsucht und Hoffnung des Jahrhunderts ruhet.

Inhalt.

Erster Vortrag.

Ueber die Natur der Seele.

Gott schuf den Menschen ihm zum Bilde, zum Bilde Gottes schuf er ihn.

Moses.

Ἐκ σοῦ γὰρ γένος ἔσμεν, ἰῆς μίμημα λαχόντες
Μοῦνοι, ὅσα ζωεῖ τε καὶ ἕρπει θνήτ' ἐπὶ γαῖαν.

Denn wir sind ein Geschlecht aus Dir, Dein Gleichniß besitzend
In der Sprache vor Allem allein, was lebet auf Erden.

Kleanth.

Es giebt keinen Gegenstand von allgemeinerem Interesse und allgemeinerer Wichtigkeit, als die Natur der Seele. Jedermann wird zum Nachdenken über sie getrieben, er mag wollen oder nicht, und nimmt er sich vor, gar keine Gedanken darüber zu haben, so wird dies nur die Folge haben, daß er desto schlechteren und unausgebildeteren Gedanken darüber zum Raube wird. Sich seine eigenen Gedanken machen über diesen Gegenstand, und zwar recht ernste, muß er früher oder später, und bilde sich Niemand ein, denselben auf die Dauer entfliehen zu können. Hier bleibt nur ein einziger Weg. Gebrauchen wir den von Gott uns verliehenen Verstand, uns in den Wegen seiner Schöpfung und unserer Bestimmung zu orientiren, und werden wir nicht muthlos, wenn wir auch in diesem ehrenvollen Kampfe tausend uns zur Rechten und tausend uns zur Linken straucheln und sinken sehen. Denn es sind ja nicht wir, die den Sieg davon tragen sollen, sondern es ist die Vernunft der ganzen Menschheit, die ihn gewinnen soll und gewinnen wird. Welches Geheimniß könnte wohl einem ernsten Forschen des Menschengeistes, der nicht nur über Jahre, sondern über Jahrhunderte und Jahrtausende zu gebieten hat, auf die Dauer Widerstand leisten? So lange wir aber noch in unenthüllten Geheimnissen stehen, wie zum Beispiel im Geheimniß der Seele, hilft es uns nichts, mit affektirter Vornehmheit uns vom ungelösten Räthsel hinwegzuwenden als von etwas, das uns nicht angehe. Bescheidene und ehrliche Menschenkinder sind wir nur dann, wenn wir aus den geringen und bleichen Wahrheitsstrahlen, welche aus dem ungelösten Räthsel in unser Dunkel hineinscheinen, mit sehnsüchtigem Eifer uns eine Brücke zu besserer und vollerer Erkenntniß, welche die Lebensluft unseres höheren Menschen ist, zu bauen suchen, mit bescheidener aber dennoch muthvoller Zuversicht, eingedenk des Spruches unseres Dichters:

Irrthum verläßt uns nie, doch führt ein höher Bedürfniß
Immer den strebenden Geist leise zur Wahrheit hinan.

Wir haben eine Seele! damit wollen wir sagen: wir sind göttlichen Geschlechts, wir fühlen uns einem anderen Dasein verwandter, als dem des Staubes und der Verwesung. Wir merken diese Bedeutung des Begriffes Seele besonders, wenn wir ihn in einen ihm nahe verwandten übersetzen, in den der Person. Personen, worunter immer beseelte Wesen verstanden werden, haben einen höheren Werth in sich, als Sachen. Blumen, Fruchtbäume, die Vögel des Himmels, das Wild des Feldes gelten uns nicht für persönliche Wesen, d. h. nicht für Wesen mit einer moralischen Selbstbestimmung, und wir schweben deshalb auch in Zweifel, ob wir diesen Dingen eine Seele beilegen sollen oder nicht, woraus hervorgeht, daß wir, um den Begriff der Seele in seiner Vollständigkeit anzuwenden, immer die moralische Persönlichkeit voraussetzen. Daher denn auch die Alten, denen die Natur für beseelt galt, die Wesen derselben personificirten, und damit aus ihrem physikalischen Dasein in ein moralisches Dasein erhoben. Und umgekehrt galt dem Alterthum die unglückliche Klasse von Personen, welche als Sachen behandelt wurden, nämlich die Sklaven, für eine Menschenklasse von geringeren Seelenanlagen, als die Klasse der freigeborenen Männer.

Der Mensch steht als moralisches und persönliches Wesen von freier Selbstbestimmung zwischen Gut und Böse hoch über der thierischen Existenz erhaben [1]). Er regelt seine Handlungsweise durch selbstbestimmte Gesetze, schränkt das Eigenthum in bestimmte Grenzen ein, und giebt sich seine Gedanken über alles dies durch Sprache kund. Er hält über das Thunliche Rath, und wählt unter dem Ausführbaren das Beste. Er bewahrt durch die Schrift und den Druck seine Gedanken zukünftigen Geschlechtern auf, und überläßt ihnen so die Vollendung der angefangenen Werke. Er giebt durch immer neue Erfindungen seinem Leben eine andere und andere Gestalt, und ordnet sich so als ein dienendes Glied ein in die große Kette weltgeschichtlicher Existenz, in welcher das Menschengeschlecht als eine einzige große von Stufe zu Stufe der Vollkommenheit fortschreitende moralische Person erscheint. Von allem diesem hat das thierische Leben entweder gar nichts, oder doch nur die allerersten rohesten Anfänge. Man wird daher insofern nicht irren, wenn man im Menschen ein ganz neues über dem Thierleben erhabenes Seelenleben sich aufthun sieht, das majestätische Reich der Persönlichkeit und der Vernunft.

Das Wort Seele ist der Ausdruck für eine erhöhte Thätigkeit des Daseins sowohl in Beziehung auf's Vorstellen, als auch auf's Wollen, sowohl in Beziehung auf das Aufnehmen von Eindrücken, als auch in Beziehung auf das Gegenwirken gegen Eindrücke. Für diese erhöhte Thätigkeit hat die neue Zeit mit guter Auswahl einen Ausdruck hingestellt, welcher dem Alterthum mangelte, und daher schon allein hin-

1) Nach der hier gebrauchten Redeweise haben die Thiere keine Seele im strengen Sinne des Worts. Daraus darf jedoch nicht voreilig geschlossen werden, daß wir den Thieren mit Cartesius nun auch jegliche Beseelung überhaupt abzusprechen gedächten. Es folgt nur daraus, daß dann, wenn von Beseelung der Thiere geredet wird, das Wort Seele immer in einer weiteren Bedeutung und nicht in der hier definirten engsten zu verstehen ist.

reicht, um ein bedeutendes Vorgeschrittensein der Wissenschaft in dieser Hinsicht zu bezeichnen. Dieser ist der Ausdruck des Bewußtseins. Er bezeichnet auf eine höchst treffende Weise die natürliche Wurzel, auf welcher die moralische Person mit ihrem selbstgewollten Thun und das wissenschaftliche Nachdenken mit seiner selbstgewollten Reflexion fußt. Bewußtsein bezeichnet die moralische Persönlichkeit von ihrer natürlichen Seite als eine Gehirnthätigkeit [1]) aufgefaßt, und damit den Mittelpunkt, den Grund und die Wurzel der Seele. Bewußtsein bezeichnet denjenigen Punkt in der Seele, welcher durch und durch nichts anderes ist als Thätigkeit, aus welcher die Wirkungen des reflektirenden Nachdenkens, des selbstthätigen Willens, der moralischen Persönlichkeit hervorgehen.

So lange der Mensch sich seiner selbst klar bewußt ist, urtheilen wir, daß er bei sich selbst ist, und daß seine Handlungen von ihm selbst ausgehen, ihm selbst zugeschrieben werden müssen. Sobald aber das klare Bewußtsein des Menschen weicht, und der Mensch nicht mehr weiß, was er thut, wie z. E. in der Schlaftrunkenheit, in der blinden Leidenschaft, in der Trunkenheit und im Irrwahn, urtheilen wir,

---

1) Es läßt sich zwar gegen die Formel, daß das Bewußtsein eine Gehirnthätigkeit sei, sehr Vieles einwenden, und ich selbst habe in meinem System der Psychologie I. §. 13 die Gründe aus einander gesetzt, welche verbieten, das Gehirn in demselben Sinne ein Organ des Bewußtseins zu nennen, wie z. B. der Magen ein Verdauungsorgan oder die Lunge ein Athmungsorgan ist. Allein es bleibt dabei doch kein Zweifel, daß das Gehirn als Centraltheil des ganzen Nervensystems eine direktere Beziehung auf den (an sich selbst von ihm ganz unabhängigen) Prozeß der Bewußtseins-Erzeugung hat, als irgend ein anderer Theil desselben, oder daß das Bewußtsein eine Thätigkeit ist, welche sich in direkter Beziehung auf das Gehirn und nur in indirekter auf die übrigen Theile des Nervensystems erzeugt. Dieses ist die Bedeutung, in welcher auch ich hier das Bewußtsein eine Gehirnthätigkeit zu nennen nicht anstehe.

daß der Mensch **von sich selbst** gekommen ist, und daß nun seine Handlungen nicht mehr ihm selbst zugeschrieben werden können. Denn der Mensch erscheint nun wie ein Getriebener, welcher nicht mehr handeln kann, wie er **will**, sondern nur noch, wie er **muß**, welcher in seinem Thun nicht mehr eine thätige, sondern nur noch eine leidende Person darstellt. Und warum dies? Das Bewußtsein, die Klarheit des Wissens um sich und die Welt, ist von ihm gewichen, in welchem demnach der Grund jener erhöhten Thätigkeit liegen muß, aus welcher die Handlungen hervorgehen, welche dem Menschen selbst zugeschrieben werden.

Hier ist demnach **der Mittelpunkt der Seele**, und der Ort, wo der Erdbohrer angelegt werden muß, wenn ein wissenschaftlicher Schacht in ihr Inneres gegraben werden soll. Hier ist aber auch die Warte, wo ein Jeder still stehen und um sich blicken muß, der von seiner inneren Welt etwas näheres erfahren will.

Bewußtsein! wie entschleiert sich uns dieses Räthsel? Was würde dann wohl sein, wenn Bewußtsein überhaupt nicht wäre? Ewige Nacht. Ohne Freude, ohne Schmerz. Erst durch Bewußtsein erhält das Dasein irgend einen Werth. Es ist die Sonne des Lebens. Außer ihm ist gleichgültige Finsterniß. Wir können hier nicht wohl ohne die Gleichnisse von Hell und Dunkel reden. Wie ein mächtiger Sonnenaufgang, so ist das Erwachen des Bewußtseins in der Natur.

Was war früher, das Bewußte oder das Bewußtlose? Was versteht sich von selbst, dieses oder jenes? Der Augenschein lehrt uns, daß das Unbewußte das erste sei und das Bewußtsein das zweite, das Unbewußte die ewige Weltmutter und das Bewußtsein ihr Sohn. Aber der Augenschein ist oft trüglich. Derselbe lehrt uns auch, daß die Sonne sich um die Erde bewege, obgleich das Gegentheil der Fall ist.

Bewußtsein ist die Möglichkeit der Freude und des Schmerzes. In dieser Möglichkeit liegt der ganze Werth des Daseins eingeschlossen. Es ist uns bei erhöhtem Bewußtsein, als geht uns ein Raum auf; wir fühlen uns weit und groß, unser Dasein scheint sich unendlich über die enge Schranke unseres Leibes auszudehnen, das Athmen wird leichter, die Bewegungen freier, die ätherische Luft einer höheren Thatkraft weht uns an, und wir fühlen uns wie auf hohen Bergen, wo reinere Lüfte uns umgeben und ein höherer Himmel sich über uns spannt. Und bei dieser Ausdehnung unseres ganzen Wesens fühlen wir es licht werden in uns, und wer uns anblickt, sieht einen Schimmer dieses erhöhten Lichts aus unserem Auge leuchten. Daher kann der Glaube sich vom höchsten Wesen unmöglich eine andere Vorstellung machen, als die, daß es in lauterem Lichte wohne, daß es, so wie es Licht spendend sei, selbst von der Natur des Lichtes sei, nämlich desjenigen Lichtes, welches wir bei sich erhöhendem Bewußtsein in uns steigend empfinden gleich einer aufgehenden Sonne. In uns erscheint diese Sonne aufgehend und untergehend; im höchsten Wesen geht sie so wenig auf und unter, wie die Sonne, welche unser Auge am Himmel erblickt, für sich selbst auf- und untergeht.

Umgekehrt ist uns bei Niederdrückung des Bewußtseins, wie im Gram oder bei der Ermüdung, als würden wir in die Schranken unseres engen Körpers zurückgepreßt. Besonders tief sinket diese Niederdrückung im Schuldbewußtsein und in der Reue. Wir fühlen uns dann wie in uns selbst und an die finstere Erde gebannt. Wir fühlen uns dann wie in den Staub gezogen, wie in den Koth getreten; eine Lahmheit und Ermüdung, eine Unaufgelegtheit zu allen Geschäften kommt über uns; es ist, als ob die Sonne der Gottheit von unserm geistigen Horizonte hinwegsänke. Je mehr hingegen der Tag des Bewußtseins wiederum in uns aufgeht, desto mehr fühlen wir unsere Willenskraft sich erhöhen zu allem freien und besonnenen Thun. Wir fühlen uns zu allem aufgelegt. Geschäfte, welche uns im niedergedrückten Zustande beschwerlich sein würden, vollziehen wir mit Leichtigkeit; Umstände, welche uns im niedergedrückten Zustande als Verlegenheiten und Schwierigkeiten erscheinen würden, reizen uns nun eben zum Handeln, und Vieles, was im niedergedrückten Zustande Schmerz ist, wird nun zur höheren Lust, während manche dumpfe Unterhaltungen und Zerstreuungen, an denen der niedergedrückte Zustand sich tröstete, uns nun unerträglich sein würden, in eben der Art, wie es einem erwachsenen Menschen unerträglich sein würde, etwa mit einer Puppe zu spielen oder auf einem Steckenpferde zu reiten. Und je mehr wir uns durch angespanntes Streben nach einer Befreiung von allem Seelenschlaf den inneren Tag aufhellen, und die Sonne am inneren Horizonte immer höhere Bögen beschreiben lassen, desto mehr kommen wir zur Ahnung eines Zustandes und zum Glauben an einen Zustand, in welchem selbst der größte Schmerz, welcher uns jetzt Betäubung und Dunkel erregt, vom Bewußtsein mit Klarheit und Herrschaft würde ertragen werden; wir steigen empor zur Ahnung des unwandelbaren und ewigen Bewußtseins, desjenigen Bewußtseins, welches stark genug in sich selbst sein muß, die Schmerzen einer ganzen Welt, welche nothwendig auch die seinigen sind, in sich ertragen zu können.

Wir selbst haben von diesem absoluten und ewigen Lichte, welches in sich selbst lauter Thätigkeit sein muß ohne alles Bedürfniß, nur einen kleinen Funken zur Erhellung des irdischen Lebenspfades voller Leiden und Bedürfnisse. Die Lampe, in welcher dieser Funke glimmt, ist die Kugel des Gehirns, das Licht, welches von dem Flämmchen ausgeht, heißt die Erkenntniß.

Durch die Beschreibung des ausstrahlenden Lichts erkennst du zwar wohl die Wirkungen der Flamme, aber nicht ihre eigene Natur. Durch die Beschreibung der Lampe erkennst du zwar wohl das Gehäuse der Flamme nebst dem Docht und dem Oel, wovon sie sich nährt, aber nicht sie selbst. In die Natur der Flamme selbst eindringen, ist daher etwas anderes, als blos ihren Apparat und ihre Wirkungen beschreiben. Was ist demnach die Natur dieser Flamme? was ist die Natur der Seele?

Die Seele erscheint in sich selbst als die höchste Thätigkeit von allen Thätigkeiten der Natur, eine Thätigkeit, gegen deren Beweglichkeit alle übrigen Naturthätigkeiten nicht mehr als Thätigkeit, vielmehr als Leiden und Zwang erscheinen. Was ist die Natur dieser Thätigkeit?

Ein einziges Wörtlein spricht es aus, und geht der Sache mit einem Mal auf ihren tiefsten Grund. Dieses Wörtlein heißt die Frage. Ein fragendes Wesen sein, heißt ein beseeltes Wesen sein, und wer die Natur der Frage kennt, der kennt die Natur der Seele.

Warum entschuldigen wir eine Gewaltthat eher, welche im Zustande der Trunkenheit oder der leidenschaftlichen Wuth geschah, als eine andere ähnliche, welche bei nüchternem Muth und vorsätzlich verübt wurde? Weil im ersteren Fall der Mensch blind handeln mußte, während er im letzteren Fall sich fragen konnte, ob er die That begehen wolle oder nicht. Einen Willen, welcher sich selbst fragen kann, ob er handeln wolle oder nicht, nennen wir einen freien Willen, ein freier Wille aber ist eine Seele. Was der Mensch mit getrübtem Bewußtsein thut, wie im Irrsinn oder in der Schlaftrunkenheit, das thut er, ohne daß er Spielraum im Innern hat, sich zu fragen, ob er so oder anders handeln wolle. Dieser Spielraum der an sich selbst gerichteten Frage heißt das Bewußtsein und die in ihm spielende Thätigkeit des Fragens die Ueberlegung. Was ich unüberlegt thue, das thue ich ohne mich selbst um das zu fragen, was ich thun will, wovon die Folge ist, daß die in mir gerade vorhandenen Beweggründe und Anreizungen, Begierden, Triebe, Leidenschaften, Aufwallungen von Lust oder Furcht mich blindlings d. h. ungefragt fortreißen. Die Frage an mich selbst, ob ich dies thun wollte, kommt dann gewöhnlich hintennach, und nun zu spät. Ich gerathe dann zu mir selbst in das Verhältniß von einem Herrn, dem seine Dienerschaft ungehorsam ist, d. h. dessen Diener allerlei thun, ohne ihn darum zu fragen, ob sie es auch thun sollen, wovon dann die Folge ist, daß manches von dem, was geschieht, dem Herrn, der nun blos das Zusehen hat, höchst unangenehm und gegen seinen Willen ist. Der besonnene Mann hat vor dem unbesonnenen das voraus, daß sich ihm bei allen Gelegenheiten eine größere und reichere Auswahl seines möglichen Thuns, und dadurch ein weiterer Spielraum seiner Thätigkeit eröffnet, als dem unbesonnenen. Denn während der letztere nur blindlings so handelt, als ob sich Alles von selbst verstünde, bieten sich dem Besonnenen und Ueberlegenden jedesmal viele Möglichkeiten des Thuns, welche bei ihm in Frage treten, und welche er, an sich selbst Frage um Frage stellend, d. h. vergleichend und nachdenkend gegen einander abwägt. Ob er dann im Schwanken zwischen diesen vielen sich ihm bietenden Möglichkeiten leichter oder schwerer zum Entschluß komme, das hängt von dem Grade ab, in welchem der Mensch aus der Thätigkeit des Fragens selbst ein Ja oder Nein herauszuwerfen im Stande ist, wodurch sich die Frage von innen heraus entscheide. Hierin ist der höchste Gipfel des Fragens als Anstrengung des moralischen Thuns. Einem Wesen, das mit sich im moralischen Kampfe steht, ist sein innerstes Leben und dessen Principien in Frage gestellt vor sich selbst durch sich selbst, das lebt sehend bis in's innerste Herz hinein, das bewegt durch die Grund- und Lebensfragen, die es in seinem Inneren wälzt, sein Leben im tiefsten Angelpunkt, und stellt so das beweglichste Wesen, die empfindlichste Agilität, die selbstthätigste Schnellkraft dar, zu welcher die Natur es bringen kann.

Und wen nennen wir einen gescheidten Mann? Den, in dessen Gehirn sich hundert Fragen durchkreuzen, während der beschränkte Kopf es kaum zu einigen wenigen bringt. Die Antworten, welche diese Fragen hervorlocken, heißen Einfälle, ihre Zahl wird mit der Zahl der Fragen wachsen. Im Kopfe des klugen Mannes tönt es beständig: warum? wie so? wann? wo? wie? wer? durch wen? wie, wenn anders? warum nicht umgekehrt? während im Kopfe des Beschränkten Todtenstille herrscht. Jene Fragen aber ziehen rastlos und unerschöpflich das Wasser der Einfälle wie Schöpfräder, durch welches der alte Gedankenschatz in einer fortwährenden Bewegung erhalten, zu fortwährenden Verwandlungen und Umformungen angeregt wird. Daher kommt aus dem Gehirn des Denkers nicht leicht ein Gedanke so wieder heraus, wie er hinein kam, keiner kann sich dem ewig regen und gewaltigen Frageleben da innen entziehen, daß er nicht geordnet, gemodelt, bereichert, verglichen, kritisirt, vielleicht zersetzt und vernichtet werde, während im Gehirn des gedankenlosen oder denkträgen Mannes die hineingelangenden Gedanken nichts zu befürchten haben. Sie conserviren sich dort wie in Spiritus.

Auf diese Art conservirt sich auch im Gehirn der Thiere Alles, was da hineinkommt. Die Thiere handeln daher alle nach gänzlich rohen und unverdauten Eindrücken. Denn es mangelt ihnen die höhere Fragethätigkeit, oder der geistige Verdauungsprozeß des gesteigerten Fragens. Der Affe z. B. hat in seinem Nachahmungstriebe eine große Lebendigkeit des Vorstellens. Aber diese Lebendigkeit hilft ihm darum zu nichts, weil er dabei nach nichts weiterem fragt, sondern eine jede mit Begierde aufgefaßte neue Vorstellung unverändert und unverdaut, wie er sie empfangen, auch wieder von sich giebt. Er ist bei diesem Thun nicht mehr, als wie ein Spiegel, welcher in seinen eigenen Geberden und Gesten das Bild getreu und genau von sich strahlt, das er von außen empfangen. Warum vermochten Affen ein von Menschenhand angelegtes Feuer im Walde, an welchem sie sich bei kalter Witterung gern und in großer Anzahl wärmten, doch nicht weiter zu unterhalten und vor dem Erlöschen zu sichern? Blos darum nicht, weil sie sich nicht selbst zu fragen vermochten, was es denn sei, das da brenne. Für die, welche zu dieser einfachen Frage nicht gelangen konnten, war alles Brennmaterial des Waldes vergebens vorhanden.

Dieses Mangeln von Fragen an sich selbst ist auch der Grund, warum minder begabte Kinder so übermäßig viele Fragen an Andere zu richten pflegen, und zwar Fragen von überlästiger und alberner Art, d. h. Fragen, welche sie sich selbst beantworten könnten, wenn sie nicht zu träge dazu wären. Ein gescheidtes Kind pflegt daher Andere weniger um etwas zu fragen, weil es mehr sich selbst fragt. Es zeigt immer einen Grad von Schwäche der Fragethätigkeit an, wenn dieselbe sich als eine Krankheit auf die Haut wirft, so daß der Mensch alle Fragen, die er an sich selbst richten sollte, an Andere richtet.

Nachdenken heißt mit sich selbst in Frage stehen um irgend eine Erkenntniß. Durch Nachdenken erzeugen sich Begriffe und Urtheile, vermöge deren wir uns in den Dingen orientiren. Mit Recht halten wir daher die Bildung abstracter Begriffe und Urtheile für den auszeichnenden Vorzug des selbstbewußten und persönlichen Wesens. Aber diese Erzeugnisse würden nicht entstehen, wenn die producirende Thätigkeit des Nachdenkens nicht voranginge. Diese ist eine reine Fragethätigkeit. Denn über etwas nachdenken, heißt an sich selbst die Frage stellen, ob eine Sache sich so oder so verhalte, ob aus einem Umstande dies oder jenes folgen werde. Ohne Frage existirt kein Nachdenken. Wo wir nicht fragen, begehren wir nichts zu erfahren, und wo wir nichts zu erfahren begehren, denken wir nicht nach. Der große Denker ist kein anderer, als der große Frager. Ein Mensch, der nach nichts fragt, ist stupid und kommt nicht zum Nachdenken.

Wir bezeichnen einen vorzüglich hohen Grad der Fragethätigkeit mit dem Namen der Kritik. Der Kritiker erhebt Frage um die Aechtheit einer Schrift, um die Zuverlässigkeit einer historischen Ueberlieferung und ähnliche Gegenstände, über die sich der gemeine Verstand in der Regel beruhigt zeigt, entweder weil ihm die Mittel des Antwortens fehlen, oder weil ihm das Interesse, d. h. weil ihm die Frage selbst fehlt. Denn Interesse an etwas haben, heißt nach etwas fragen. Wir haben kein Interesse an der Sache, heißt: wir fragen nicht nach ihr und kümmern uns nicht um sie.

Aber nicht allein die Kritik, welche das von den Meisten nicht Bezweifelte in Frage stellt und in Zweifel zieht, sondern auch die geniale Erfindungsgabe, welche das, was von den Meisten als unmöglich bezweifelt wird, herstellt und leistet, beruht auf einer erhöhten Thätigkeit des Fragens. Denn wo der gemeine Verstand sich in seiner Grenze wähnt, da stellt der erfinderische Kopf sich noch unermüdet und muthvoll die Frage, auf was es denn hier ankomme. Johann Guttenberg stellte sich die Frage, wie ein Druck von Incunabeln auf leichtere und wohlfeilere Weise könne hergestellt werden. Und da ihm sein Nachdenken antwortete, durch bewegliche Lettern, so erweckte ihm dies die zweite Frage, aus welchem Stoff dieselben sein müßten, um nach der Abnutzung möglichst leicht ersetzt werden zu können? Und da ihm sein Nachdenken antwortete, aus einem in eine gegebene Form leicht umgießbaren Metall, so erweckte dies die dritte Frage nach der Composition dieses Metalls und der Schwärze, wodurch dasselbe auf's Papier wirken solle. Diese Frage trieb zu Versuchen, die

Versuche gelangen, und die Buchdruckerkunst war vorhanden. Der Erfinder der Pendel-Uhren stellte sich die Frage, auf welche Art ein schwingender Pendel als Maß für die Zählung der Augenblicke der Zeit könne in stetiger Bewegung erhalten werden ohne Ermattung und ohne Abnahme. Und da ihm sein Nachdenken hierauf antwortete, dies müsse möglich sein durch eine Ueberwindung der Kraft, welche in seine Bewegungen hemmend eingreift, nämlich der Schwerkraft, so entsprang hieraus die zweite Frage, wodurch man der hemmenden Schwere am einfachsten entgegenwirken könne. Und da das Nachdenken erwiederte, das einfachste sei, die Schwere durch eine entgegengesetzte Schwere, die Last des Pendels durch die Gegenlast eines Bleigewichts zu überwinden, so entstand hieraus die dritte Frage, auf welche der verschiedenen möglichen Arten man das Bleigewicht solle auf die Bewegungen des Pendels einwirken lassen. Diese Frage trieb zu Versuchen, die Versuche gelangen und die erste Pendeluhr war construirt.

Jede Frage begehrt eine Antwort, die entweder durch Nachdenken, oder durch Anschauung, oder durch eine antwortende Person gegeben wird. Im letzteren Fall entsteht das Gespräch. Im Gespräch nehmen zwei Personen an derselben Frage Theil, indem die eine die Frage der andern in sich aufnimmt und zur ihrigen macht. Das Gespräch ist eine rein personelle Berührung der Wesen, eine Berührung der Geister, die höchste Gemeinschaft des Lebens, die es giebt. . Im Gespräch berühren sich die Seelen in dem, welches in jeder einzelnen für sich selbst genommen das höchste ist. Ein Gespräch um allgemeine Interessen, besonders wenn dasselbe noch dazu die höchsten Fragen des Lebens betrifft, hat daher etwas von göttlicher Natur an sich.

Hieraus ist die wohlthuende Wärme und das heitere Licht zu erklären, womit eine lebhafte gesellige Unterhaltung uns durchströmt und wie ein höherer belebender Frühling auf uns zu wirken im Stande ist. Sokrates hielt dafür, im philosophischen Gespräch sei die Geburtshelferkunst großer Gedanken verborgen, und Plato fand für den göttlichen Inhalt seiner Ideenlehre keine göttlichere Form, als das Gespräch. Die Lebhaftigkeit, Gewandtheit und Ueberlegenheit des europäischen Geistes über den orientalischen hat ihr äußeres Unterscheidungsmerkmal in der europäischen Gesprächigkeit, wogegen der Orientale seine Würde in einem tiefen Schweigen genießt, weil er niemals sein Alter, sein Geschlecht und seinen Stand vergessen mag. Denn Menschen, welche im eifrigen Gespräch über wichtige Lebensinteressen befangen sind, vergessen diese drei Stücke mehr oder weniger, und verhalten sich nur noch gegen einander wie Mensch gegen den Menschen, während sie am Göttertische des Gedankens schwelgen. Je mehr der Mensch aber den Muth hat, diesen reinen Menschen in sich zu zeigen, welcher weder jung ist noch alt, weder Mann noch Weib, weder reich noch arm, desto mehr ist er Europäer, Mensch des Gesprächs, Mensch des Gedankens und der Thatkraft.

Das Bewußtsein, worin das antike Griechenland seine hohe Ueberlegenheit gegen die Welt des Orients fühlte, war kein anderes, als das Bewußtsein dieser erhöhten Activität der Fragethätigkeit und des Willens, vermöge dessen es keine Form des Lebens und keine Art des Daseins in sich aufnahm, ohne dieselbe durch seinen eigenen Geist eine neue Wiedergeburt erleben zu lassen. Die selbstbewußte Frage immer herrschend oben zu erhalten über den wilden oder schmeichlerischen Wogen der bloßen sinnlichen Anreizungen und der auf sie gegründeten Triebe, dies war die Seele Griechenlands. Durch diese Anlage und durch die wetteifernde Energie, womit dieselbe ausgebildet wurde, erstieg Griechenland seine Höhe, die Hoheit der genialen Produktion. Während die Nationen des Orients träumten und phantasirten, begannen die Griechen zu philosophiren, selbst nach den Gründen der Dinge zu fragen. Während die Nationen des Orients in den angestammten Sitten und Verfassungen leblos verharrten, stellt die griechische Geschichte eine fortdauernde und gesetzmäßige Stufenfolge von Reformen dar, als Erzeugnissen einer steten in Frage Stellung dessen, was sich nur durch sein bloßes Dasein, nicht durch seine Vernünftigkeit empfahl. Die Hellenen waren ein Volk von fragenden Männern, darum ein lebendiges, ein fortschreitendes Volk, ein Volk, dem es unerträglich war, irgend einen Gegenstand von Wichtigkeit über seinen eigenen Horizont zu achten, irgend ein menschliches Loos mit blos dumpfer Passivität über sich ergehen zu lassen. Sondern dieser Geist fühlte sich allem Menschlichen gewachsen, und für zu hoch galt ihm nichts. Er kannte nicht die heuchlerische Resignation in hohen Dingen, welche ihre Trägheit in's Gewand einer heiligen Scheu und ihre Verachtung und ihren Hohn in's Gewand eines Nichtverstehens hüllt. Sondern der Grieche verstand Alles. Denn es unterlag Alles seinem praktischen Urtheil und seiner Kritik. Der Frager ist der Kritiker. Wenn unsere Zeit den Titel einer kritischen, den sie sich so gern anmaßt, wirklich mit Recht führt, d. h. in Beziehung auf scharf durchschauende Entscheidung großer Fragen, so ist es dadurch gewiß, daß unsere Zeit der griechischen wiederum bedeutend nahe gerückt ist. Denn ein höheres Zeugniß können wir auch uns nicht geben, als daß wir einsichtige Frager seien, welche überall bis zu Ende fragen und in ihrem Frage- und Forschungstriebe keine Grenzen anerkennen, immer eingedenk ihrer unbeschränkten göttlichen Natur.

Die Griechen haben den göttlichen Funken der Fragethätigkeit, durch welchen sie alles waren, was sie waren, selbst zu einer Göttin erhoben, zur Göttin des moralischen Muths und des erfinderischen Nachdenkens Athene, der Beschützerin des listenreichen Odysseus. So oft dieser erhabene Dulder in eine Verlegenheit geräth, erscheint ihm die erwachende göttliche Besonnenheit in seinem Geist in Gestalt dieser lieben Beschützerin, deren

2

Rath ihn aus den Abgründen des Verderbens erlöset. Auch Achill wollte, so erzählt Homer, schon dem Agamemnon im Grimm das Schwert in die Brust stoßen, da erwachte in ihm die Besinnung als eine Frage, die er an sich richtete, und die Homer in folgenden Worten beschreibt [1]):

— und das Herz ihm
Unter der zottigen Brust rathschlagete, wankenden Sinnes,
Ob er, das schneidende Schwert alsbald von der Hüfte sich reißend,
Trennen sie sollt' aus einander, und niederhau'n den Atreiden,
Oder stillen den Zorn, und die muthige Seele beherrschen.

Da er so mit sich in Frage und Rathschlagung stand, erschien ihm Athenäa vom Himmel, oder vielmehr sie war schon bei ihm, denn die rathschlagende Frage des Helden an sich selbst war eben selbst Athenäa, die Stimme der Gottheit in seinem sterblichen Gehirn:

Hinter ihn trat sie, und faßte das bräunliche Haar des Peleiden,
Ihm allein sich enthüllend, der Anderen schaute sie keiner.
Staunend zuckte der Held, und wandte sich: plötzlich erkannt' er
Pallas Athene's Gestalt, und schrecklich strahlt' ihm ihr Auge.

Schaue jenes edle und seelenvolle Antlitz, jenes leuchtende Auge, womit die europäische Jungfrau dir entgegentritt, und vergleiche es mit den zwar reizenden und üppigen, aber flachen Zügen und verschwommenen Blicken, welche von Malern an Ort und Stelle den Asiatinnen beständig geliehen worden sind, worin besteht der Unterschied? In dem asiatischen Antlitz trägt die anmuthige Persönlichkeit blos nur sich selbst zur Schau, während das europäische Antlitz es zu erkennen giebt, daß es außerdem noch offen sei für hundert Fragen allgemeineren Inhalts, die sich um Freundschaft und Geselligkeit, um Religion und Staat, um Freiheit und Vaterland, um Ruhmesglanz und Tugendstolz drehen, und wir werden inne, was für ein Unterschied sei zwischen

1) Ilias I, 188 ff.

einem fragenden Menschen und einem frageleeren, zwischen einem Wacher und einem Träumer. Nicht die Erwerbung der Kenntnisse, nicht die Uebungen und Geschicklichkeiten sind es, was den Menschen adelt, sondern es ist der Umfang der Fragethätigkeit, die wir das Interesse des Menschen nennen, und die wie ein lebender Quell eine Seele, worin sie wach ist, mit nie stockendem Jugendflusse befruchtet, und nimmermehr alt werden läßt.

Fragen ist Wachsein. Der Träumende fragt nach nichts, sondern läßt alles über sich ergehen. Sobald du im Traum zum Fragen kommst, z. B. über eine Stelle des Buches, in welchem du zu lesen träumst, erwachst du. Der Schlafwandler tritt herein. Du feuerst ein Pistol ab, er hört es nicht. Du flüsterst ihm seinen Namen in's Ohr, und er erwacht. Denn der Name erweckt die Frage, was man wohl von ihm wollen könne. Fragen aber ist Wachsein. Wen Fragen quälen, der schläft nicht ein, seien es Fragen des Lebens oder der Nachforschung. Willst du wissen, ob irgend ein Thier wirklich wache, oder ein bloßer Schlafwandler bei offenen Augen sei, so sieh zu, ob du das Thier in irgend eine Fragethätigkeit versetzen kannst, daß es z. B. aufpasse, ob du ihm Futter vorwerfen wollest, oder daß es eine Probe mache, ob es sicher und ungehindert bei dir bleiben könne. Wo du dies findest, ist das Thier wach. In einem hohen Grade findet dieser wache Zustand z. B. beim Hunde statt, wo er sich als Beobachtungsgabe und Spürsinn zu erkennen giebt. Wenn er apportiren soll, so faßt er den Stein, den sein Herr emporhält und den er werfen wird, in's Auge. Wohin wird er fliegen? Wenn der Herr einen andern Rock anzieht, Hut und Stock nimmt, so springt er erwartungsvoll hinzu, und beobachtet des Herrn Mienen und Worte. Darf ich mit? Ist er vorausgesprungen, steht er oft still und schaut sich um, ob der Herr ihm nachkomme oder einen andern Weg einschlage. Der Hund steht hier überall in Frage, ob er das eine

2*

oder das andere thun solle. Er ist gleich bereit zu Beidem, wobei ihm ein Zeichen, ein Wink den Ausschlag giebt. Sein Sinn ist daher fragend in die Zukunft, nicht blos begehrend in die Gegenwart gerichtet. Bei keinem hirnlosen Thier, Insekt, Mollusk u. s. w. findest du dies. Daher darfst du den Schluß machen, daß diese hirnlosen Thiere noch nicht entschieden wachen, sondern bloße unbewußte Schlafwandler sind, woraus folgt, daß der Unterschied von Wachen und Schlaf, welcher auch bei diesen niedrigstorganisirten Thieren (so wie sogar bei den Pflanzen) nicht fehlt, bei ihnen eine andere Bedeutung hat, als bei den bewußtseinsfähigen Wesen. Er ist bei ihnen nicht der Unterschied von Bewußtsein und Unbewußtsein, sondern ihr Wachen ist die Unruhe des Schlafwandlers, welcher umhergeht, seine Geschäfte zu verrichten; ihr Schlaf ist die Ruhe des Schlafwandlers, welcher wieder zu seiner Schlafstelle zurückgekehrt ist.

Weil die gehirnlosen Thiere gar nicht wachen, und die Thiere mit Gehirn auf eine unvollkommene Weise im wachen Zustande sind, so geht der Wechsel von Schlaf und Wachen auch im Thierreiche meistens nicht mit der Regelmäßigkeit und Nothwendigkeit vor sich, wie im menschlichen Dasein. Man hat Fische sieben Tage lang ein schnelles Schiff verfolgen sehen. Raupen fressen rastlos Tag und Nacht. Bei den Schlangen fällt die Schlafzeit mit der Zeit der Verdauung zusammen. Nach jedem genossenen reichlichen Mahl fallen sie in einen Zustand der trägen Ruhe und des Schlafs. Bei anderen Thieren richtet sich der Schlaf mehr nach den Jahreszeiten, als nach den Tageszeiten, ist ein sogenannter Winterschlaf. So bei dem Bären, dem Dachs, den Fledermäusen, dem Igel, einigen Arten von Colibri's, so wie bei den indianischen Schwalben mit eßbarem Nest. Dagegen hat der Igel von Madagascar einen dreimonatlichen Sommerschlaf vor Hitze, und eben so sieht man die Schlangen der Tropen und die

Crocodile während der Zeit großer Dürre tage- und wochenlang starr im ausgetrockneten Schlamm der Sümpfe liegen [1]).

Eine untergeordnete Art der Fragethätigkeit ist die Aufmerksamkeit. Aufmerksam sein heißt fragen, was da ist, oder fragen, was da kommen will. Dieser Art des Fragens sind auch die begabteren Thiere fähig, aber nicht auf eigene Anregung aus sich selbst heraus, sondern auf äußere Anregung, wenn sich dem Thiere etwas Angenehmes zeigt, oder ihm eine Gefahr droht. Dann späht und lauscht es, ob es sich nähern dürfe oder fliehen müsse, und während es späht und lauscht, steht es in der Frage um das, was es thun soll. Aber es stellt diese Frage nie an sich selbst, sondern immer nur an die Außenwelt, und darum bleiben die höheren Grade der Fragethätigkeit ihm verschlossen. So ist auch eine noch untergeordnetere Art des Fragens das Suchen [2]) des Thieres nach dem Futter, das Suchen

1) Vergl. Schubert's Gesch. der Seele §. 20 und Burdach's Physiologie III, §. 610—615. Burdach sagt (III, S. 478): „Die meisten Thiere brauchen weniger Schlaf als der Mensch; das Pferd z. B. braucht nur vier Stunden, und wenn es den Tag über angestrengt worden und die Nacht auf die Weide gegangen ist, hat es wieder seine vollen Kräfte", und ferner (III, S. 477): „Was da wacht, muß auch schlafen; aber die niedrigeren Thiere kommen nicht zu vollem Wachen, haben daher auch keinen vollständigen Schlaf; sie ruhen zwar alle von Zeit zu Zeit und ziehen sich von der Außenwelt zurück, aber sie haben noch keine beweglichen Augenlider, durch welche diese Scheidung völlig ausgeführt wird. Erst bei den Vögeln und Mammalien findet sich wahrer Schlaf, und beim Menschen ist er am vollkommensten."

2) Am meisten untergeordnet oder unvollkommen ist die im einfachen Suchen vorkommende Fragethätigkeit darum, weil beim Suchen des blinden Triebes nach dem begehrten Gegenstande der Trieb vom Bilde des Gegenstandes, sobald derselbe sich ihm zeigt, blindlings und ohne alles weitere Fragen angezogen wird, und folglich hier die Frage des suchenden Triebes im ersten Finden sogleich erlischt. Die höheren Grade des Fragens oder der Aufmerksamkeit entstehen erst dann, wenn mit dem Erscheinen des Gegenstandes die Frage nicht erlischt, sondern nun der Trieb am gefundenen

der umherirrenden Ameise nach den Eingängen ihres Baues, das Suchen des Vogels nach einem gelegenen Ort zum Neste und dem Material zur Erbauung desselben. In allen thierischen Trieben sind Fragereize von dieser niedrigsten Art enthalten. Der Hunger fragt nach seiner Speise, die Beklemmung fragt nach frischer Luft, der Geselligkeitstrieb fragt nach seines Gleichen, der Muth fragt nach einer zu bestehenden Gefahr. Die Sinnwerkzeuge sind die Fragorgane, durch welche das Thier seine Fragen zur Beantwortung an die Außenwelt richtet, damit die Gliederbewegungen des Thiers durch sie die Antworten empfangen, welche ihre Motive sind. Ein Thier ist ein Frage- und Antwortspiel, welches durch den äußerlichen Zufall der sinnlichen Eindrücke gespielt wird, so wie der Mensch ein Frage- und Antwortspiel ist, das sich selber spielt. Darum sind dem Thiere die Sinnorgane die letzten entscheidenden Beweggründe seines Thuns, welche beim Menschen aus denselben heraus- und in die Fragethätigkeit selbst hinein rücken. Das Thier ist eine blind herumgetriebene, der Mensch ist eine sich selbst regulirende Fragethätigkeit.

Ein gewisser Grad von fragender Aufmerksamkeit bekundet sich auch in dem Zielen der Thiere nach einem Gegenstande, wie wenn der Tiger den Sprung auf seine Beute, die Katze den Satz auf die Maus genau abmißt, und in der Schätzung der Entfernung keinen Fehler begeht. Wenn die Sprungspinne eine Fliege an der Wand bemerkt, kriecht sie sacht darauf zu, bis zu einer gewissen Entfernung, und dann macht sie plötzlich einen Satz wie ein Tiger; sie springt zwei Fuß weit, um eine Biene zu haschen [1]). Am auffallendsten zeigt sich diese Eigenschaft in

Gegenstande erst recht weiter fragt, z. B. ob er auch der rechte sei oder nicht; was an ihm noch mangele oder zu viel sei; durch welche Mittel man sich seiner bemächtigen könne u. dergl.

1) Das Lauern (die abwartende Hungerfrage) verbunden mit dem plötzlichen Schuß oder Sprung auf die Beute ist die Weise aller Raubthiere.

gewissen Arten von Fischen, welche die Insekten, von denen sie leben, durch gespritzte Wassertropfen betäuben und überfallen. Der Chaetodon rostratus, ein solcher Fisch, lebt in den ostindischen Flüssen, und nährt sich von den kleinen Wasserfliegen. Sieht er eine auf einem Zweige sitzen oder auf ihn zufliegen, so schießt er auf sie einen Tropfen mit solcher Sicherheit, daß er sie immer auf das Wasser niederbringt, wo sie eine leichte Beute für ihn wird. Diese Fische hält man in Indien zur Unterhaltung in weiten Gefäßen, und läßt sie nach Insekten schießen. Im Naturzustande trifft der Fisch eine Fliege auf drei Fuß weit [1]). Mit einer ähnlichen Thätigkeit des aufmerksamen Zielens mißt die Gemse der Schweizeralpen die Kraft, welche zum Sprunge nöthig ist, ab an der Weite der Kluft, welche übersprungen werden soll. Und wenn vollends der apportirende Hund mit aufmerksamem Blick auf die erhobene Hand des Herrn und alle seine Geberden achtet, und mit Spannung aufpaßt; wenn der fliehende Fuchs auf Umwegen seine Höhle sucht, um seine Verfolger irre zu leiten, so ist von einer solchen Lebendigkeit des aufmerksamen Thuns bis zur Thätigkeit des wirklichen Ueberlegens nur noch ein Schritt [2]).

So machen es sowohl Schlangen, Eidechsen und Krokodile, als die Mantis religiosa und andere Heuschrecken, wenn sie nach Mücken zielen. Auch der Laubfrosch lauert wie eine Katze, und springt dann bei einem Schuh hoch, auf die Fliege. Der Wasserfrosch springt nach Mäusen und Vögeln. Vergl. Scheitlin's „Thierseelenkunde" I, 475 ff.

1) „Eine Fliege, an einer Nadel, in die Seite eines Fasses gesteckt, brachte alle Spritzfische im Fasse dahin, auf sie zu schießen. Es war ein ordentliches Scheibenschießen. Beinahe alle trafen immer sicher. Oder man ließ sie auf Käfer auf einem in die Mitte des Fasses gestellten Pfahl schießen. Fiel einer herunter, so war er sogleich verschluckt. Hatte ein Schütze nicht getroffen, so schwamm er um den Pfahl herum. Einer schoß dreimal vergeblich." Scheitlin's „Thierseelenkunde" I, 459.

2) Uebrigens wird die Aufmerksamkeit und die durch dieselbe bedingte Auffassungsgabe in den höheren Thierspecies bei verschiedenen Individuen

Es liegt in der Natur des fragenden Wesens, daß dasselbe dem Irrthum ausgesetzt ist. Das Thier, welches umherspäht und wittert nach irgend etwas Eßbarem, kann durch ähnliche Gerüche irre geleitet werden, der furchtsame Sperling flieht vor der Vogelscheuche, die er irrthümlich für einen gefährlichen Gegenstand hält, die Motte irrt sich an dem sonnenähnlichen Glanze der Kerze, und verbrennt daran die Flügel. Die Schmeißfliege läßt sich verblenden durch den Geruch der Aasblume, und legt auf sie ihre Eier, wo sie umkommen [1]. Wo demnach eine Frage ist, da ist Gelegenheit zum Irrthum. Ein Wesen, das nicht irren kann, bei dem steht alles fest und gewiß, bei dem tritt nichts in Frage, weder um das, was ist, noch um das, was geschehen soll. Von dieser Art ist das Dasein der Grundvesten der Natur in Physik und Chemie. Im Bereiche dieser Grundvesten ist kein Irrthum möglich, sondern alles Dasein steht fest in eiserner Entschiedenheit. Zwar kann der Magnet, angezogen nach entgegengesetzten Richtungen, zittern und schwanken, aber daß der Magnet sich zwischen ihnen irgend wann geirrt habe, ist noch nicht vorgekommen. Ebensowenig ist es gelungen, den Pflanzenkeim irre zu machen, daß er nicht die Wurzel nach unten, die Blätter aber nach oben treibe Ferner hat man wohl chemische Stoffe in der Schwebe zwischen mehreren Wahlanziehungen schwanken, niemals aber sich irren

---

in ähnlicher Weise verschieden gefunden, wie dasselbe bei den Menschen der Fall ist. So z. B. wird öfters unter zwölf Staaren von demselben Alter und derselben äußeren Beschaffenheit nur einer gefunden, an welchem die auf alle gleichmäßig gewendete Mühe und Belehrung nicht verloren ist, und der vielleicht in wenig Tagen die vorgesagten Worte besser und vernehmlicher nachsprechen lernt, als ein anderer in mehreren Monaten. So lernt auch unter mehreren Gimpeln aus demselben Neste der eine leichter und richtiger die gehörten Melodieen nachpfeifen, als die anderen. Vergl. Schubert's Gesch. der Seele. S. 559.

1) Scheitlin's „Thierseelenkunde" I, 398.

gesehen. Wo daher das Fragen und mit dem Fragen der Irrthum in die Natur eintritt, da tritt ein Punkt in's Dasein, welcher nicht fest und sicher gestellt ist, welcher die Grundvesten des Naturdaseins unterhöhlt. Mit dem Irrthum mischt sich der hohle Schein zum ersten Mal in den Bereich der soliden und realen Stoffe ein, wie die Poesie in die Prosa. Denn der Irrthum ist eine Dichtung, ein Nichtvorhandenes, Nichtgegebenes. Diese Dichtung, dieses Nichtvorhandene, Nichtgegebene beginnt nun dazusein, und auf die Welt der stofflichen Realitäten einzuwirken. Das Nichtvorhandene gewinnt eine Gewalt über das Vorhandene, der Schein beginnt auf den Stoff Wirkungen auszuüben. Und dieses sind nicht etwa bildliche Redensarten, sondern es ist der allereigentlichste Ausdruck der Sache selbst, die sich gar nicht genauer ausdrücken läßt, als so.

Das Wesen, welches in die Sphäre tritt, wo es Irrthum giebt, tritt damit in die Sphäre des Vorstellens ein. In der Frage wird geschwankt, welches unter zwei Vorstellungen der Irrthum und welches die Wahrheit sei. Die Fragethätigkeit versetzt auf allen ihren Stufen in die Vorstellungswelt. Vorstellungen aber als solche sind allesammt aus demselben Stoffe, woraus die leeren Einbildungen und der Irrthum bestehen, aus dem Stoffe des Scheins. Vorstellung ist dasjenige wirksame Wesen, welches sowohl der Nichtübereinstimmung mit der Wirklichkeit (des Irrthums), als der Uebereinstimmung mit derselben (der Wahrheit) fähig ist. Dasselbe ist nicht mit der Fragethätigkeit zu verwechseln, sondern bildet die Grundlage, auf welcher Fragethätigkeit allererst möglich wird. Daher ist Fragethätigkeit ohne Vorstellung nicht denkbar, obgleich Vorstellung ohne Fragethätigkeit nicht nur denkbar ist, sondern sich auch in der Erfahrung dem Psychologen bei gänzlichem Schlummer der Fragethätigkeit noch wirksam zeigt. Die Vorstellung bildet folglich das Verbindungsglied zwischen der Fragethätigkeit und dem physikalischen Dasein.

Die Zustände des Irrthums bei Thieren geben einen vorzüglich guten Maßstab an die Hand zur Schätzung der Grade der Aufmerksamkeit als des Auffassungs- oder Wahrnehmungsvermögens, durch dessen Zuhülfenahme ein begangener Irrthum in Zukunft vermieden werden kann. Nicht alle Thiere vermögen dies, und wir nennen sie in dem Grade, als sie es nicht vermögen, dumm, d. h. unfähig zur Beobachtung oder Aufmerksamkeit. So z. B. lernen die Fliegen nie die Schädlichkeit des Arsenik kennen, sondern müssen ihn immer mit dem Zucker verwechseln, ohne jemals hinter den Irrthum zu kommen. Hat sich in dieser Süßigkeit auch eine Anzahl den Tod geholt, so irrt es die übrigen nie. Sie klettern ruhig über die todten hin in denselben Tod hinein. Die Grasraupen, welche immer gerade vor sich hin ziehen in unzähligen Heeren, wie die Heuschrecken, lernen nie die Gefahr eines gezogenen Wassergrabens kennen, sondern ziehen, wenn er auf ihrem Wege liegt, alle in ihn hinab, um alle in ihm den Tod zu finden. Mehr ist man verwundert, auch noch in höheren Thierarten Proben ähnlicher Dummheit zu finden, wie z. B. bei den Schildkröten, welche, so oft man sie auf dem Tische kriechen läßt, unaufhörlich auf's neue über den Rand marschiren und auf die Erde fallen, oder beim Syren (einem Molch) welcher sein Herausplumpen aus dem Wasserkübel, worein man ihn gethan hat (weil er im Wasser lebt) unaufhörlich wiederholt, ohne jemals durch Schaden klug zu werden. Gescheidter, d. h. wahrnehmender, benehmen sich selbst schon die Ameisen in gewissen Fällen. Will man z. B. dieselben von Bäumen abhalten, so macht man wohl mit Kreide oder Röthel einen breiten Strich rund um den Stamm. Will nun eine eben herunter, so stutzt sie beim Strich und stürzt sich über ihn hinab in's Gras; will eine herauf, so stutzt auch sie, bis endlich eine hindurchschreitet und nun alle darüber hinwegmarschiren [1]).

---

1) Vergl. Scheitlins „Thierseelenkunde" I, 415. 449. 469.

Steht aber das Naturwesen erst in dem Zustande der sinnlichen Frage oder der spähenden Aufmerksamkeit, so steht es schon an der untersten Sprosse der Leiter, welche zur Menschheit hinaufführt. Zwar ist der Schritt, welcher hier noch zu machen ist, ein großer und gewaltiger, nichtsdestoweniger aber ein ausmeßbarer. Denn er ist der Schritt aus einer Fragethätigkeit, welche ihre Antworten nur einzig und allein von außen her, aus der bloßen Erfahrung empfängt, zu einer Fragethätigkeit, welche ihre Antworten in sich selbst sucht und aus sich selbst empfängt, es ist der Schritt aus der Erfahrung in die Speculation, aus der sinnlichen Anschauung ins Nachdenken, aus dem sinnlichen Verlangen in den freien überlegenden Willen, der sich sein eigenes Gesetz ist.

So steht der Mensch da, froh und frei, als der Schlußstein der Schöpfung, als der bestgebaute Heerd für die göttlichste aller Naturqualitäten, für die reine Fragethätigkeit. Auf ihm brennt diese Flamme möglichst rein, unvermischt, auf sich selbst gerichtet, in sich selbst zurückgebogen, mit sich selbst geeinigt, von sich selbst beherrscht und erregt, durch sich selbst bewegt und bestimmt. Damit richten sich die Glieder empor, und das Haupt, der Heerd der Fragethätigkeit, beginnt über der Wirbelsäule zu schweben und dieselbe in seine eigene stolze Stellung emporzuziehen. Die ganze Stellung des Leibes wird dadurch schwieriger, stützenentblößter, fraglicher. Der Körper steht in keiner Stellung ganz von selbst, und ist daher beständig von der instincthaften Frage, wie gestanden werden solle, durchbebt. Die Finger der Hände, welche den Erdboden unter sich verloren haben, fragen, was sie fassen und tasten, welchen imaginären Boden sie betreten sollen. Während dem arbeitet das Fragen im Gehirn, und dehnt den Schädel aus und weitet die Stirn, und strebt nach immer neuen und größeren Mitteln und Listen zur Unterjochung der äußeren Erfahrungswelt im Interesse der Welt der Vorstellungen. Die Folge davon ist ein beständiges Fortschreiten des Geistes auf den Bahnen des Gedankens und der Erfindung, wodurch sich die Kluft zwischen der stehen bleibenden Thierwelt und dem fortschreitenden menschlichen Dasein von Jahrhundert zu Jahrhundert nothwendig vergrößert. Wohin dieser Flug des Menschengeistes noch am Ende strebt, wer will es ermessen? Wohin kann er aber am Ende wohl anders streben, als zu einer Nachahmung der absoluten Fragethätigkeit selbst, wo Alles in Frage steht, und dem allbeherrschenden Geist sich keinerlei Art von Existenz mehr hindernd und unberufen aufdrängt?

Diese absolute Fragethätigkeit wird uns zum Bilde des Höchsten, was wir zu nennen wissen, zum Bilde der Gottheit. Bei ihr steht Alles in Frage. Sie ist an keinen Erfahrungskreis gebunden, sondern erzeugt alle Kreise aus sich selbst, und sich wiederum aus allen Kreisen, mit freier Wahl. Ihr Zustand ist daher geistige Vollkommenheit, Annäherung an ihren Zustand heißeste Sehnsucht des Menschengeschlechtes.

Aber, höre ich hier den Naturalisten mir einwenden, wohin führen dich deine Gedanken? Du träumst von einer Gottähnlichkeit, und wähnst dich der Gottheit nahe im Bewußtsein deiner Fragethätigkeit. Du bedenkst aber nicht, daß diese Fragethätigkeit, von ihrer Naturseite angesehen, nichts ist als ein Flämmchen, getränkt vom Oele deines leiblichen, hinfälligen und sterblichen Organismus, eine Thätigkeit seines Gehirns, welche zu stören schon ein kleiner Druck auf dasselbe hinreicht [1]. Seltsame Gott-

[1] Von dieser bekannten Thatsache hat nach dem Berichte von Hennings (Von den Träumen und Nachtwandlern. Weimar, 1784 S. 32) der berühmte Boerhaave ein besonders merkwürdiges Beispiel mitgetheilt von einem Menschen, der sich zu Paris aufgehalten und keinen Hirnschädel gehabt habe. Dieser habe für ein Trinkgeld sehr oft mit sich das Experiment machen und das Gehirn zusammendrücken lassen. Sobald dieses geschehen sei, hätten ihm alle Sachen roth ausgesehen. Hierauf sei es ihm vorgekommen, als wenn Funken aus den Augen führen, bis er endlich in einen tiefen Schlaf gefallen sei.

heit, welche in dem kleinen Gehäuse, in welchem sie eingeschlossen ist, schon durch den geringsten Druck, durch einen vermehrten oder verminderten Andrang des Blutes in Gefahr gesetzt wird, oder gar aufhört zu sein! Ist dem wirklich so? Wir wollen sehen.

Das Bewußtsein gehört zu denjenigen Naturprocessen, welche die Kraft, wodurch sie existiren, durch ihre Existenz aufzehren. Wie die Flamme von ihrem Stoff, wie z. E. die Flamme der Kerze vom Wachs, die Flamme der Lampe vom Oel, so lebt die Flamme des Bewußtseins von den Kräften des Gehirns. Denn wenn man die Lampe in eins fort brennen läßt, ohne neues Oel zuzugießen, so wird am Ende alles Oel aus dem Dochte verschwunden, und der Docht zum Leuchten nicht mehr tauglich sein. Aehnlich sehen wir die Lebenskräfte aus dem Gehirn entweichen, und das Gehirn selbst zur Unterhaltung des Bewußtseins unfähig werden, sobald man die Lampe des Bewußeseins in eins fort brennen läßt, ohne durch dazwischen tretenden Schlaf neues Lebensöl auf den Docht des Gehirns zu gießen. So lehrt es die Erfahrung. Uebermäßig anhaltendes Wachen führt durch eine Entkräftung des Gehirns zur völligen Dumpfheit und Unempfindlichkeit der Sinne, zur Erlahmung der willkürlichen Bewegungen, in andern Fällen zum Wahnsinn, und zuletzt zum Tode. Bei Menschen, welche in Folge von übermäßig anhaltendem Wachen starben, fand man nach Haller's Zeugniß [1]) das Gehirn zum Theil verzehrt, oder es war ganz weich, wie aufgelöst, und voll Wasser. Das Gehirn ist der Mittelpunkt und Quell aller Lebenskräfte des Leibes. Von ihm aus werden sie beständig erneuert und erfrischt, von ihm aus werden die übrigen Nerven des Leibes mit erneuerten Lebenskräften immerfort gleichsam geladen. Versiecht der

1) Haller, Elementa physiologiae corp. hum. L. XVII. S. III. §. 10. Vergl. Schubert's Gesch. der Seele S. 236.

Quell, so müssen auch seine Bäche allmälig austrocknen. Der Quell aber versiecht, wenn nicht immer der Zustand des Schlafs dazwischen tritt, ihn mit neuen Lebenskräften zu versorgen.

Wenn man daher Gefangene auf die Weise folterte, wie man Falken zähmt, nämlich daß man sie stets aufweckte, so bald sie eben eingeschlafen waren, so war dies so viel, als daß man ihnen das Bangen des Todes zu kosten gab, ohne sie doch sterben zu lassen. Denn es war so viel, als ob man dem, welcher zu einer zu erlöschen drohenden Lampe neues Oel gießt, beständig in den Arm fällt, so daß immer nur eben so viel hinzufließt, daß die Lampe kümmerlich vor dem völligen Erlöschen gesichert bleibt.

Jedes angespannte Wachen, jedes angestrengte Nachdenken greift das Gehirn an, zehrt an seiner Lebenskraft, macht müde, fordert den Schlaf, und wirkt daher auf's Gehirn mehr oder weniger entkräftend. Daher ist auch ein zu anhaltendes Verharren in angestrengten geistigen Beschäftigungen dem Körper und seinen Lebenskräften schädlich. Eine übertriebene wache Anstrengung fordert daher zur Wiederherstellung der Kräfte auch häufig einen übertrieben langen Schlaf. Der Holländer Haafner, welcher in den furchtbaren Wildnissen von Ceylon einsam irrte, nachdem ihm sein Wandergefährte durch ein Raubthier war von der Seite gerissen worden, verfiel, da er nach Strapazen, Hunger und Schrecknissen wieder zu Menschen kam, in einen 36stündigen Schlaf. Langes Wachen in Folge des Kummers, so wie auch die Martern der Tortur und andere heftige Schmerzen bringen leicht einen ungewöhnlich langen und tiefen Schlaf hervor.

Der ursprüngliche und erste Zustand unseres Organismus ist nicht das Wachen, sondern der Schlaf. Denn vor der Geburt, wo die Lebenskräfte erst den Leib noch zu bilden haben, schläft der Mensch fortwährend, und das neugeborene Kind schläft ebenfalls den größten Theil seiner

Zeit [1]). Auch die Genesung von Wunden und Krankheit, wobei es gilt, die Lebenskräfte neu zu sammeln und zu stärken, sie wird am besten und zumeist im schlafenden Zustande vollbracht. Denn der Schlaf ernährt und stärkt das Lebenscentrum, das Gehirn, während umgekehrt das Bewußtsein nichts thut, als daß es seine Lebenskräfte aufzehrt. In diesem Sinn erscheint das Bewußtsein als eine Art von besonderem Aufwand, eine Art von Luxus, den das Gehirn mit seinen Lebenskräften treibt, und der nur in den Zeiten möglich ist, wo diese Kräfte nicht zu nothwendigeren Arbeiten, nämlich zur Ausbildung und zum Wachsthum des Organismus selbst gänzlich in Anspruch genommen werden. Daher ist das Bewußtsein für das Leben des Organismus unmittelbar nichts weiter als eine Last. Eine Hülfe wird es ihm nur mittelbarer Weise dadurch, daß es ihm für die Herbeischaffung der Nahrung und übrigen Lebensbedürfnisse mit behülflich ist. Wäre dieses nicht, würde dem Organismus seine Speise und sein zuträglicher Platz in der Welt von selbst gereicht, so würde das Bewußtsein dem Organismus nichts weiter, als eine überflüssige Last sein, die ihm zu gar nichts taugte, in eben dem Sinne, worin dem ölgetränkten Docht die Flamme, die an ihm zehrt, eine überflüssige Last ist, indem er sich weit besser ohne sie conserviren würde, die als eine bloße Verschwendung seines Wesens gar nichts thut, als an ihm zehren.

Nur ist hierbei doch noch ein höchst merkwürdiger Unterschied zu beobachten. Die Flamme der Lampe erlischt nicht, während man ihren Docht mit neuem Lebensöle tränkt, aber das Selbst-

---

1) Vergl. Burdach, Physiologie III, S. 509. „Die schlichte Bemerkung, daß der Mensch erst nach der Geburt erwacht und nur allmälig immer mehr wach wird, muß uns darauf leiten, daß der Schlaf der ursprüngliche Zustand ist ... so wurde der Schlaf auch von Grimand als der ursprüngliche Zustand, und von Brandis als eine Versetzung in das Embryonenleben betrachtet, so wie auch Fessel dieser Ansicht gemäß das Wachen für eine Scheidung der Seele vom leiblichen Leben erklärte.“

bewußtsein und die moralische Persönlichkeit erlischt im Schlaf. Hier tritt, man kann es nicht läugnen, eine seltsame Anomalie in unserem Leben hervor. Der Zutritt neuer Speise in den Magen stört denselben nicht in seiner Thätigkeit; alle Gefäße des Ernährungssystems arbeiten rastlos und ununterbrochen fort, im Wachen wie im Schlaf, und werden zugleich während ihrer Arbeit selbst aus dem Blute ernährt und immer aufs neue gekräftigt. Nur allein das Gehirnleben mit seinen Thätigkeiten des Bewußtseins, der Sinnwahrnehmung und der willkührlichen Gliederbewegung macht eine Ausnahme. Denn so lange der Prozeß der vermehrten Stärkung und Erfrischung des Gehirns im Schlaf dauert, so lange müssen die Thätigkeiten des Bewußtseins, welche von seinen Kräften leben und sie aufzehren, einhalten. Zwar ernährt sich das Gehirn nicht nur im Schlaf, sondern eben sowohl auch im Wachen aus dem Blut, das ihm in immer gleichmäßigen Wellen durch die Kopfschlagadern zugeführt wird. Aber das Wachen würde das Gehirn nicht erschöpfen, wenn darin nicht die Ausgabe der Lebenskräfte ihre Einnahme überstiege, und der Schlaf würde das Gehirn nicht erquicken, wenn darin nicht das im Wachen zu viel Verzehrte wieder erstattet würde.

Das Gefäß, welchem von einer Seite das Wasser entquillt, hört darum nicht auf zu fließen, daß ihm von der andern Seite immer neues hinzugeschüttet wird; der Fluß, welcher ins Meer strömt, hört darum nicht auf zu strömen, daß ihm aus Quellen und Bächen immer neue Wellen hinzugetrieben werden. Aber der Verbrauch der Lebenskräfte des Gehirns, welcher Bewußtsein und Persönlichkeit heißt, hört dadurch auf, daß der Zustrom der Kräfte sich mit ihrem Verbrauch wiederum ins Gleichgewicht setzt. Und so hat der Zustand des Bewußtseins nicht allein die Eigenschaft, daß er von den Kräften des Gehirns zehrt, sondern auch die, daß er das Gehirn an der hinreichenden Erwerbung neuer Kräfte, und somit an seiner

Ernährung hindert, indem er diese stets vor sich gehende Ernährung durch eine ungleich überwiegende Verzehrung beständig vereitelt. Hierdurch wird es nun überaus begreiflich, warum ein lebendiges Wesen im steten Schlafzustande sehr wohl denkbar ist, wie denn auch unser eigenes Nahrungsleben sich in einem steten Schlafzustande befindet, dagegen ein lebendiges Wesen im steten Zustande des Wachens einer baldigen Erschöpfung und damit einem sicheren Tode entgegen geht. Denn das Bewußtsein ist das zerstörende Princip des Lebens, der Ueberschuß der Verzehrung über die Ernährung und folglich ein gerader Weg zum Tode. Es verbraucht die Kräfte seines Organs so übermäßig, daß es dadurch ihre hinreichende Wiederersetzung verhindert. Der Schlaf hingegen ist das erhaltende Princip des Lebens. Denn er ersetzt nicht allein beständig die Kräfte, welche er durch seine eigenen Functionen verbraucht, sondern sorgt auch zugleich mit für die Wiedererstattung der Kräfte, welche durch das wache Leben und sein Bewußtsein zu viel verbraucht werden, und besteht daher in einem Ueberschuß der Ernährung über die Verzehrung[1].

---

[1]) Bemerkenswerth über diesen Punkt sind auch die Worte Schopenhauers in „Die Welt als Wille und Vorstellung" II, 245: „In Hinsicht auf das Gehirn selbst erkläre ich mir die Nothwendigkeit des Schlafs näher durch eine eigene Hypothese, daß nämlich dessen Nutrition, also die Erneuerung seiner Substanz aus dem Blute, während des Wachens nicht vor sich gehen kann; indem die so höchst eminente, organische Funktion des Erkennens und Denkens von der so niedrigen und materiellen der Nutrition gestört oder aufgehoben werden würde. Hieraus erklärt sich, daß der Schlaf nicht ein rein negativer Zustand, bloßes Pausiren der Gehirnthätigkeit, ist, sondern zugleich einen positiven Charakter zeigt, nämlich nicht ohne eine gewisse Kraftäußerung besteht und daher durch große Schwäche, bisweilen selbst durch große Ermüdung, verhindert wird: denn der Nutritionsproceß muß eingeleitet werden, wenn Schlaf eintreten soll: das Gehirn muß gleichsam anbeißen." Im Ganzen kann man mit dieser Erklärung

3

Jetzt wird es sicher noch weniger als vorher paradox erscheinen, wenn ich behaupte, daß der Schlaf der eigentliche Naturzustand des Lebens sei, das Wachen aber ein Zustand, der am Leben zehrt, und nur dadurch auf des Lebens Kosten ärmlich und spärlich existirt, daß er sich zu bescheiden weiß, nicht beständig vorhanden sein zu wollen, sondern allnächtlich in seinen Untergang zu gehen, um alle Morgen aus demselben wiederum hervorzutauchen.

Wenn wir uns lebendige Wesen nennen, und so uns eine Eigenschaft beilegen, die wir mit Thieren und Pflanzen theilen, so verstehen wir unter dem lebendigen Zustand nothwendig etwas, das uns nie verläßt, und sowohl im Schlaf als im Wachen stets in uns fortdauert. Dies ist das vegetative Leben der Ernährung unseres Organismus, ein unbewußtes Leben, ein Leben des Schlafs. Das Gehirn macht hier dadurch eine Ausnahme, daß dieses Leben der Ernährung, dieses Schlafleben bei ihm in den Pausen des Wachens überwogen wird von dem Leben der Verzehrung. In diesen Pausen steht das Gehirn einer überwiegenden Verzehrung Preis gegeben, und geräth folglich in einen Zustand, welcher, wenn er sich auf die übrigen Organe mit erstreckte, die absolute Entkräftung des Leibes oder den Tod zu Wege bringen würde. Der Zustand des Bewußtseins und der Persönlichkeit kommt demnach nur dann zu Stande, wenn das Centrum und der Urquell unserer Nervenkraft, das Gehirn, an der Gefahr des Todes leidet. Jedoch wird auf diesem Wege der Lebensgefahr nur immer so weit vorgeschritten, als sich mit der Erhaltung des Gesammtorganismus verträgt, so daß die vom

---

wohl übereinstimmen, nur daß nicht einzusehen ist, warum der Nutritionsmangel des Gehirns im wachen Zustande ein absoluter sein soll. Die Annahme eines relativen ist an sich viel wahrscheinlicher und reicht zur Erklärung vollkommen aus. Auch Oken bemerkte in seiner barocken Manier über diesen Gegenstand bereits ganz richtig, daß das Denken in einem Gehirnhunger bestehe.

Leben zum Tode eingeschlagene Richtung nur immer bloße Richtung, bloße Versuchung zum Sterben bleibt, niemals ins wirkliche Sterben übergeht. Damit dies nicht geschehe, tritt ein Zustand ein, worin wir ganz und gar nur leben, d. h. ganz und gar nur das thun, was auch im Wachen der ganze Leib außer dem Gehirn thut, nämlich schlafen.

Nur insofern wir schlafen also, leben wir; sofern wir wachen, beginnen wir zu sterben, indem wir mehr Lebenskraft ausgeben, als einnehmen. Und dennoch gilt uns nur diese Verschwendung unseres Lebens als das wahre Leben, und ein bloßer gar nicht zum Bewußtsein kommender Schlaf als nichts und elend. Das bloße Leben, welches nichts weiter hat, als nur sich selbst, verachten wir. Denn der Anfang unseres Sterbens und nur dieser allein ist uns das wahre Leben. So paradox dies auch klingen mag, so ist es doch nichts weiter, als eine einfache Thatsache der Psychologie.

„Dies ist der Weg des Todes, den wir treten," sagt Orest zu Pylades in Goethe's Iphigenia. So kann jeder Erwachende sagen: von neuem beginnt mein Gehirn zu sterben, und dadurch die dem Leben entgegenstrebende Richtung eines höheren Daseins einzuschlagen, das den Namen eines positiven Todes verdient. Denn dieser positive Tod, in welchem die Fragethätigkeit ihre Behausung hat, ist nicht eine bloße Negation des Lebens, nicht bloß eine das Leben negirende Schranke, sondern eine dasselbe verzehrende Macht. Er zwingt es, sich selbst ihm zum Opfer zu bringen, aber nicht zu einem bald verrauchenden durch schnellen einmaligen Untergang, sondern zum beständigen unaufhörlichen Opfer durch eine immer erneuerte Anschaffung der besten Lebenskräfte, welche immer aufs neue mit großartiger Verschwendung einem höheren Dasein als Nahrungsquelle zugeführt, in ein höheres Dasein hineinsublimirt, und dadurch dem niederen entzogen werden.

Nur dieser stete Aufopferungsprozeß des Niederen für das Höhere, des Lebens für den Tod, diese stete Selbstverzehrung des Niederen um des Höheren willen oder Sublimation des niederen Zustandes in den höheren hinein, Ersterben des niederen Zustandes im höheren ist Leben im höheren Sinne, werthvolles Leben. Wir schätzen das Leben nur, sofern es in stetiger langsamer Selbstverflüchtigung die Geheimnisse des Todes offenbart und ins Leben setzt. Das Geheimniß des Todes aber ist die Seele, die moralische Person.

Das Bewußtsein oder die Fragethätigkeit erscheint demnach als ein steter Verflüchtigungsprozeß der Lebenskraft, während der Erwerbungsprozeß der Lebenskräfte sich uns in dem vegetativen Leben oder Schlafleben des Organismus kund giebt. Der Schlaf erzeugt diese Kräfte im Uebermaß, das Bewußtsein verbraucht sie im Uebermaß, und in ihrem übermäßigen Verbrauch wohnt die Fragethätigkeit. Sie wohnt nicht in ihrem Verbrauch überhaupt, welcher auch im Schlaf stattfindet, sondern sie wohnt im Uebermaß des Verbrauchs, im Ueberschuß der Verzehrung. Dagegen ist der Schlaf oder das vegetative Leben die Sammlung und Erwerbung der Lebenskräfte, welche also eine gewisse Verwandtschaft haben müssen mit dem Zustande, in welchen sie sich durch verschwenderische Selbstverzehrung hineinzusublimiren vermögen. Wir kennen aber einen Zustand, welcher mit dem Schlaf einen noch reineren Gegensatz bildet, als das Wachen, indem die Lebensentkräftung oder das Uebermaß der Verzehrung über die Ernährung darin aus einem theilweisen in ein gänzliches übergeht. Da dieser Zustand sich zum Wachen verhält wie ein gänzliches Verflüchtigen zu einem theilweisen, so giebt er sich hierin kund als einen Zustand des Ueberwachens, einen Zustand, worin die ganze Lebenskraft sich absorbirt in jene Region, wohin sie sich jedesmal absorbiren muß, sobald wir uns unser bewußt werden und dadurch aus der physiologischen Function in die moralische treten sollen.

Sich zu opfern für die geistigen Interessen, das ist das Gesetz der Geisterwelt, das moralische Gebot, welches eine jede Person als solche in sich trägt. Die physiologische Natur geht hier schon voran, indem sie für die Thätigkeit des Bewußtseins ihre vegetative Lebenskraft verschwendet. Von einer solchen Verschwendung weiß die Pflanze noch nicht das mindeste. Alle sich neu anhäufenden Lebenskräfte schießen bei ihr in's Laub, werden verbraucht zur Ansetzung neuer Blätter, Blüthen und Früchte, verkörpern sich sogleich aufs neue und vergrößern den Organismus, während beim Thiere die überschüssigen Lebenskräfte im Gehirn sich ohne Verkörperung verzehren um einer neuen höheren Existenz willen. Die Pflanze ist daher das wahre und consequente Geschöpf des Diesseits, das alle seine Kräfte auf die Vermehrung seiner selbst richtet, und nichts weiter will, als den Schlafzustand, der sein eigenes Dasein ist. Aber das Thier und vorzüglich der Mensch ist das Geschöpf des Jenseits, das seine Kräfte nur sammelt, um sie einem Höhern, als es selbst ist, zu opfern, und sie nur erwirbt, um sie zu verschwenden. Die Pflanze ist ein Rentier, der seine überschüssigen Zinsen immer wieder zu Capital schlägt, das Thier ist ein solcher, welcher alles, was er überschüssig hat, auf höhere Zwecke verwendet. Daher ist beim Thier die Lebenskraft ihren Organen immer conform, indem aller Ueberschuß sogleich im wachen Zustande einen Abzugscanal findet, während die Pflanze beständig das Schauspiel bietet, daß überschüssige Lebenstriebe sich neue Organe in wuchernder Fülle zu bilden streben, daß demnach die Organe von den Lebenskräften beständig übersprudelt werden.

So gewinnt denn das sterbliche Leben dadurch, daß es lernt an den Regionen des unsterblichen Todes theilzunehmen, und das Schicksal, das ihm am Ende bevorsteht, in seine eigene Mitte hineinzunehmen, zuerst die Möglichkeit des Irrthums, die Möglichkeit, etwas in sein Leben zu fassen, das nicht vorhanden ist, sondern bloß vorgestellt wird. Dieser leere Schein, dieses Wesen der Vorstellung, ist der aus dem anticipirten Tode in das Leben eindringende Stoff einer höheren Daseinssphäre, die sich zum vegetabilen Stoffwechsel verhält, wie Tod zum Leben, wie Wachen zum Schlaf, wie Lebensvergeudung zu Lebenssammlung, wie Lebensopferung zu Lebenssparung. Und so sind das Wachen und der Tod zwei Begriffe, welche sich gegenseitig Licht zustrahlen. Das Bewußtsein ist ein kleiner und partieller Tod, der Tod ist ein großes und totales Bewußtsein, ein Erwachen des ganzen Wesens in seinen innersten Tiefen[1].

Von diesem Standpunkt aus wird alles, was Anfangs gegen den Glauben an die Göttlichkeit und Ursprünglichkeit unseres inneren Lichts Bedenken erregen konnte, nur zu größerer Bestätigung dieses Glaubens. Wir wundern uns nun nicht mehr, daß ein Andrang des Blutes nach dem Kopf, ein Druck auf das Gehirn uns das Bewußtsein zu rauben vermag. Denn dieses sind schlaferregende Mittel, welche dem Gehirn schmeicheln, daß es von der übermäßigen Verschwendung seiner Kraft, von der Bahn seines Todes abstehe. Ebenso wenig wird es uns Wunder nehmen, daß im Alter das Bewußtsein abzunehmen pflegt. Denn der alte Körper ist weniger befähigt, neue Lebenskräfte in sich zu sammeln, besonders deswegen, weil ihm der Schlaf mehr entschwindet. Wo also wenig gesammelt wird,

1) Der hier gemeinte Sinn ist vortrefflich getroffen von Jean Paul durch folgende im Titan vorkommende Allegorie: „So wie wir schlafend unter herüberfallenden Bergen zu ersticken glauben, wenn das Deckbett sich auf unsere Lippen überschlägt, oder über klebendes Gluth-Blech zu schreiten, wenn es mit zu dicken Federn die Füße drückt, oder als nackte Bettler zu frieren, wenn es sich kühlend verschiebt: so wirft diese Erde, dieser Leib in den siebenzigjährigen Schlaf des Unsterblichen Lichter und Klänge und Kälte, und er bildet sich daraus die vergrößerte Geschichte seiner Leiden und Freuden; und wenn er einmal erwacht ist, ist sehr wenig wahr gewesen.“

da giebt es auch wenig zu verschwenden, wenn nicht sogleich der Schatz selbst angegriffen werden soll, dessen Verschwendung die Verwesung des ganzen Leibes herbeiführt. Weil also im Alter so wenig geschlafen wird, deshalb muß das Wachen des Greises ähnlicher dem Schlaf werden, als das Wachen des Jünglings. Von einem gewissen Thomas Parre, welcher 152 Jahre alt wurde, wird erzählt, daß er in der letzten Periode seines Lebens fast beständig schlief. Häufig stellt sich in der Altersschwäche ein Zustand von wachem Halbschlummer ein, welcher daher rührt, daß der Körper zu einem wirklichen kräftigenden Schlaf keine Kraft mehr besitzt. Auch die traumähnliche Verdüsterung des Bewußtseins bei Wahnsinnigen hängt genau mit dem Umstande zusammen, daß sie in der Regel wenig, manchmal so gut wie gar keinen Schlaf genießen. Man hat beobachtet, daß Melancholische sechs Wochen lang ohne Schlaf zubrachten, daß in Folge von Hysterie der Schlaf monatelang aussetzte. Die Engländer, welche das Fort St. Philipp Tage und Nächte gegen den Feind unausgesetzt vertheidigen mußten, wurden aus Schlafmangel wie gelähmt, die Glieder weigerten sich, ihre Dienste zu thun [1]). Wenn bei wacher Beschäftigung der Schlaf anhaltend und gewaltsam abgewehrt wird, so wird die Beschäftigung nach und nach wie im Schlafe verrichtet, und der Handelnde erscheint einem Schlafwandler gleich. So lernt der ermüdete Soldat sich im Marschiren, der ermüdete Bediente sich im Aufwarten einem Halbschlaf hingeben. Aus Schlafmangel wird immer das Wachen zum Halbschlaf, denn dies ist die einzige Art, wie die Natur sich dann vor der gänzlichen Erschöpfung ihrer Kraft, dem gänzlichen Erwachen im Tode, noch schützen kann. Aehnlich ist ein jeder Todeskampf, als eine vergebliche Anstrengung der Natur gegen den Verlust der Lebenskräfte, ein Schlafenwollen und nicht Können, ein Zustand des Wachens, welcher aus

---

1) Schuberts Gesch. der Seele. S. 236.

Kraftmangel schlafähnlich wird, bis er sich ein Herz faßt, und auf Kosten des ganzen Organismus den Weg des gänzlichen Erwachens einschlägt.

Wenn daher die unmittelbare Betrachtung des Bewußtseins uns schon in ihm einen Schatz von göttlicher Natur und Abkunft zu erblicken giebt, so lehrt die physiologische Betrachtung, wenn sie auf die richtige Weise mit jener verbunden wird, daß dieser unser Schatz in Wirklichkeit ein noch viel größerer ist, als der bloße Augenschein zu erkennen giebt. So sehr, daß ein Verlust an Bewußtsein durch Nervenschwäche oder Krankheit oder Alter uns eben nicht so sehr zu ängstigen braucht, als hätten wir nun das Beste, was wir besitzen, damit schon eingebüßt. Denn alle derartigen Verluste, die wir im Leben machen können, beziehen sich nur auf die Renten vom Capital unserer Lebenskräfte, welche unter verschiedenen Umständen freilich ein sehr verschiedenes Maß von Verschwendung erlauben, unter Umständen unsere Ausgaben wohl gar auf null reduciren können. Nur muß man nicht vergessen, daß dabei immer das Capital zeitlebens unangegriffen bleibt, indem sein Angriff auf der Stelle einen Zustand herbeiführen würde, welcher den bloßen Rentenaufwand als eine Armseligkeit hinter sich läßt, und welchen jedermann beständig als den wahren noch unaufgedeckten Schatz seiner eigenen Zukunft mit sich herumträgt.

Zweiter Vortrag.

Ueber das Gedächtniß.

Liber scriptus proferetur,
In quo totum continetur,
Unde mundus judicetur.

Einst wird sich ein Buch entfalten,
Dessen inhaltschwere Spalten
Das Gericht der Welt enthalten.

Thomas von Celano.

Wenn Menschen darüber klagen, daß sie ein schlechtes Gedächtniß haben, oder andere ihres besseren Gedächtnisses wegen beneiden, so pflegen sie häufig die Sache in dem Sinne zu verstehen, als handle es sich hier von dem schadhaften Zustande eines einfachen Organs, wie z. E. einer entzündeten Lunge, eines schwachen Magens u. dgl.

Dieses ist ein Irrthum, und es ist daher sehr der Mühe werth, den wahren Quellen und Wurzeln eines so edlen und kostbaren Vermögens, als das Gedächtniß ist, in uns näher nachzuspüren.

Gegen Gedächtnißschwäche giebt es keine solche Specifica, wie gegen Magen- oder Hautleiden. Auf der andern Seite reisen mnemotechnische Künstler umher, welche uns Mittel an die Hand zu geben versprechen, ein jedes Gedächtniß von gesunder natürlicher Kraft zu den ungeheuersten Wirkungen zu steigern, und, was mehr ist, dieses Versprechen wirklich erfüllen.

Wie sonderbar! Einestheils ist zur Abwendung des Uebels eines schlechten Gedächtnisses noch kein Kraut gewachsen, anderentheils haben wir es in der Gewalt, uns durch Kunst ein besseres Gedächtniß zu fabriciren, wenn wir nur wollen. Sollte es damit vielleicht gehen, wie mit fehlenden Beinen, die man sich künstlich durch hölzerne ersetzt? Oder lieber wie mit den einfachen Gartenblumen, welche man durch besseres Erdreich, Düngung und Pflege in gefüllte umwandelt? Dann bleibt aber immer noch das Auffallende, daß der dem Gedächtniß zugegebene Dünger keine Mixtur und kein Medicament ist, sondern eine bloße Methode in Verknüpfung gegebener Vorstellungen.

Das Reich der Vorstellungen mit seinen Gesetzen ist ein eigenthümliches Reich. Man gewinnt da nichts, wenn man auf Vergleichungen und Analogieen mit Vorgängen der leiblichen Sphäre, mit Pflanzenwachsthum, Krystallisation, Electricität u. dgl. ausgeht; man gewinnt Alles, wenn man die Sache einfach nimmt, wie sie sich giebt, und aus nichts anderem zu erklären sucht, als aus sich selbst.

Zunächst handelt es sich darum, einzusehen, daß das Gedächtniß nicht eine einfache Kraft, sondern ein Resultat aus verschiedenen Vorgängen des Seelenlebens sei, und sodann, diese verschiedenen Vorgänge näher zu bestimmen, und in ihrem Zusammenwirken vor den Augen unseres Geistes spielen zu lassen.

Daß es mehrere verschiedene Vorgänge sind, welche zusammenwirken, um das Phänomen des Gedächtnisses hervorzubringen, geht hervor aus den verschiedenen Bedeutungen, in denen wir einem Menschen ein gutes oder schlechtes Gedächtniß zuschreiben.

Es kann jemand z. E. den Kopf voll Kenntnisse haben, sie fallen ihm aber nie zur rechten Zeit ein. Umgekehrt wird der, welcher von dem Schatze seines Erlernten immer alles bei der Hand hat und geschickt anzuwenden weiß, viel mehr zu wissen scheinen, als er wirklich weiß. Dem einen fällt alles recht wohl und zur gelegenen Zeit ein, aber er weiß alles unvollkommen, weil er es zu wenig genau aufgefaßt hat, dem anderen wird das Bestaufgefaßte darum unnütz, weil die Spannung, worin ihn die Anfrage oder das Nachdenken bringt, ihn in eine Art von Betäubung versetzt, worin die aufgesammelten Erfahrungen nicht vor das Fenster seiner Aufmerksamkeit gelangen.

Rousseau klagt in seinen Confessions, daß ihm seine guten Einfälle immer zu spät kämen. Ein guter Einfall aber ist nichts weiter, als ein in eine gegebene Gedankenreihe passend eingreifendes Gedächtnißbild. „Ich hätte jemanden schicklich und passend nach etwas fragen sollen. Es fällt mir ein, nachdem ich schon wieder von ihm gegangen bin. Ach daß ich doch daran nicht dachte! Ich habe ein schlechtes Gedächtniß!" Hier ist das Einfallen der schicklichen Vorstellung gemeint, welche ich recht gut weiß und in mir habe, welche aber nur nicht zur rechten Zeit sich im Spiegel meiner Aufmerksamkeit präsentirt. Der Fehler liegt hier nicht in der Vorstellung, welche sich sicher und wohlaufbewahrt in mir befindet, sondern in der Aufmerksamkeit, welche ihrer nicht zu rechter Zeit habhaft werden kann.

Es wird jemand aufgefordert, über gesehene Gegenstände, eine Antikensammlung, ein Mineralienkabinet, zu berichten. Er entschuldigt sich mit seinem schlechten Gedächtniß für diese Art Gegenstände. Worin besteht es? Er hat kein Interesse für sie und faßt sie daher gar nicht oder unvollkommen auf, gewinnt gar keine oder nur undeutliche Vorstellungen überhaupt von ihnen. Dagegen wird ein solcher für die ihn interessirenden Gegenstände, vielleicht Pferde und Hunde, ein gutes Gedächtniß haben, d. h. er wird sich deutliche Vorstellungen von ihnen erwerben. Jener Rechenkünstler, welchen man in London ins Theater führte, als Garrik spielte, wußte, als man ihn fragte, wie ihm das Stück gefallen habe, gar nichts von dessen Inhalt, weil er sich mit nichts anderem beschäftigt hatte, als die gesprochenen Wörter zu zählen, deren Summe er von jedem der Schauspieler genau im Gedächtniß hatte. Er legte also ein starkes Gedächtniß für Zahlen, ein schwaches für den Inhalt des Schauspiels an den Tag. Hier ist Gedächtniß so viel als Auffassung oder Interesse.

Der eine Knabe muß sich mit einer Rede, einem Gedicht, einer Geschichtstabelle, die er auswendig lernen soll, mühsam plagen und wieder plagen, bis er sie ins Gedächtniß bekommt, während sie bei einem andern von schnellerer Fassungskraft sogleich und wie von selbst sitzt. Der erste hat das schlechte, der zweite das gute Gedächtniß. Aber siehe da! Dem Lehrer fällt nach einem halben Jahre ein, die Probe zu machen, wieviel des Gelernten noch bei den Schülern hafte; da findet er dann, daß bei dem schwer Lernenden noch alles wie in Marmor gegraben sitzt, während bei dem gar zu leicht Fassenden in einer Fülle neuer Eindrücke die alten Vorstellungen wie in einer Sündfluth untergegangen sind. Nun dreht sich der Spieß um. Der schwer Fassende hat das gute, der leicht Fassende hat das schlechte Gedächtniß.

Was ist nun das für ein seltsames Ding, was nach Umständen das Entgegengesetzte bedeuten kann? was jetzt zur Bezeichnung dient für die Dauer der Vorstellungen in meinem Innern, den Augenblick darauf für das Interesse, mit welchem Vorstellungen aufgefaßt werden, und zuletzt für das Fenster der Aufmerksamkeit, vor welchem aufgefaßte und dauernde Vorstellungen entweder bereitwilliger oder träger ihre Aufwartung machen?

Dringen wir näher in diesen Mechanismus ein, so finden wir, daß es drei wesentlich von einander unterschiedene Vorgänge in der Vorstellungswelt sind, aus denen sich das Phänomen des Gedächtnisses zusammensetzt. Der erste ist das Auffassen einer Vorstellung durch die Aufmerksamkeit. Gedächtniß ist hier so viel als Fassungskraft. Der zweite ist das Fortwirken aufgefaßter Eindrücke in der Seele. Hier ist Gedächtniß so viel als Gewohnheit. Die Gewohnheit besteht in einer Fähigkeit, gehabte Eindrücke zu wiederholen. Diese Wiederholung ist noch nicht Erinnerung, sondern wird erst dann zu einer solchen, wenn die Aufmerksamkeit mit den in der Seele fortwirkenden Gedächtnißspuren in neue Verbindungen eintritt. Hieraus entspringt dann die dritte Bedeutung des Wortes Gedächtniß, wonach es so viel ist, als Erinnerungskraft.

Daher sind es drei Themata, welche wir im Folgenden näher zu besprechen haben: 1) das Auffassen neuer Eindrücke durch die Aufmerksamkeit, 2) das Fortwirken aufgefaßter Eindrücke in der Seele ohne die Beihülfe der Aufmerksamkeit, 3) das

Erinnern an gehabte Eindrücke, und zwar wiederum vermittelst der Aufmerksamkeit.

Beim Gedächtniß, wenn es im Sinne von Auffassung genommen wird, kommt es zuerst an auf eine dreifache Naturanlage des Menschen, welche man mit Beneke passend als eine Kräftigkeit, Lebendigkeit und Reizempfänglichkeit des auffassenden Vermögens oder der Aufmerksamkeit charakterisiren kann.

Eine kräftige Aufmerksamkeit bildet voll und stark, eine lebendige schnell und ohne Hemmung, eine reizempfängliche gern und mit Begierde. Wenn man die Seele mit einem Pianoforte vergleicht, welches die Eindrücke der Tasten, die der Spieler ihm beibringt, mit Klängen beantwortet, so würde die Kräftigkeit des Pianoforte im starken Saitenbezuge bestehen, wodurch es die Eindrücke mit starken und vollen Tönen beantwortet, die Reizempfänglichkeit hingegen in dem leichten Anschlag als der Eigenschaft, daß schon der leiseste Druck der Taste genügt, um einen Ton hervorzubringen, und endlich die Lebendigkeit in der Fähigkeit, den größtmöglichen Tonwechsel in Rouladen und Passagen auszuführen, ohne daß dadurch die einzelnen Töne an Deutlichkeit verlieren.

Am kräftigsten faßt die Aufmerksamkeit des ausgebildeten Mannes. Seine Auffassung gebiert starke, feste, gediegene, lückenlose Gebilde, sehr verschieden von den lückenhaften Auffassungen des Kindes und den abgestumpfteren des Greisenalters. Denn im Kindesalter ist die ganze Kraft erst im Wachsen begriffen, und kann daher überhaupt noch nicht viel zwingen, obgleich sie dort noch ganz nach außen gewandt ist. Im Greisenalter ist zwar die innere Entwickelung und Ausbildung der Seele die reichste, die Seele hat sich bereits in eine Schatzkammer des Wissens und der Erfahrung umgewandelt, aber mit dem Bedürfniß und Verlangen nach neuen Eindrücken nimmt auch die Auffassungskraft des Neuen ab.

Die Lebendigkeit der Aufmerksamkeit gebiert Beweglichkeit und hierdurch Vielseitigkeit der Auffassung. Ein solcher betrachtet alle Sachen auch von der entgegengesetzten Seite, und während ein anderer noch immer auf dem ersten Eindruck weilt, hat er den Gegenstand sich schon dreimal in der Hand herum gedreht. Umgekehrt giebt es schwerfällige Geister, welche, oft bei großer Kräftigkeit und Reizbarkeit des Aufmerkens, nicht gut von einer Vorstellung, die sie gefesselt hält, zur anderen hinwegkommen, sich daher überall gern vergraben und vergrübeln. Von solchen pflegt man zu sagen, daß sie nicht um die Ecke können. Dieses ist Mangel an Lebendigkeit der Aufmerksamkeit.

Wo ein Mangel an Reizempfänglichkeit waltet, da macht das Auffassen und Lernen große Mühe. Die Tasten schlagen nicht gut an. Es giebt träumerische, in sich versenkte Naturen, welche die Gewohnheit haben, sich vorwiegend mit ihrer inneren Gedankenwelt zu beschäftigen, und darüber unempfänglicher werden für äußere Reize. Daher man denn auch von anstrengenden Kopfarbeiten sagt, daß das Dinge seien, wobei einem Hören und Sehen vergehe, weil sie den Geist abziehen. Die Tasten der äußeren Sinne werden angeschlagen, aber es erfolgen keine Töne.

Wir nennen diesen Zustand auch Zerstreutheit. Der Zerstreute ist, während seine Aufmerksamkeit ganz nach innen gezogen ist, fortwährenden Verwechselungen der mangelhaft aufgefaßten Gegenstände mit ähnlichen ihres gleichen ausgesetzt. Er vertauscht seinen Hut, Rock, Regenschirm, er geht statt in seine Wohnung in eine andere, wo er ehemals einmal gewohnt hat, und macht sich's dort bequem. Die Zerstreutheit, diese Modekrankheit der Gelehrten des vorigen Jahrhunderts, war besonders bei dem Gothaischen Kapellmeister und Componisten Benda auf einen hohen Grad gestiegen. Er kam einst zur Musik bei Hofe an mit der Kleiderbürste statt des platten Huts unter dem Arm. Während seines Arbeitens pflegte er oft einzelne Musiksätze beim

Clavier singend zu versuchen. Vor dem Clavier stand ein alter breiter Lehnsessel mit niedriger Lehne. Einst läuft er im Eifer von der verkehrten Seite dahin, setzt sich auf's Clavier, und hämmert mit beiden Händen zu seinem Gesange auf der Lehne des Stuhls. Alle häuslichen Geschäfte überließ er seiner Frau. Fiel ihm bei der Arbeit etwas ein, oder kam sonst etwas Häusliches vor, so rief er es seiner Frau durch die Thür zu. Diese ihm so unentbehrliche Frau starb. Er war untröstlich, kam aber den zweiten Tag schon ganz wieder in seine gewöhnliche Arbeit hinein. Es fällt ihm ein, ob der Tod seiner Frau auch wohl seinen Freunden angesagt sein möchte; nach seiner Gewohnheit öffnet er die Zwischenthür, und will eben der todten Frau zurufen, sie solle ihren Tod ansagen lassen [1]).

Eine schnelle und reizempfängliche Auffassung begründet das, was man insgemein einen guten Kopf, auch wohl ein Genie nennt. „Das Bewußtsein, fassen zu können, was man will", sagt Hippel [2]), „thut bei einem Genie oft größere Dinge, als wenn es schon ein gerüttelt, geschüttelt und überflüssiges Maß im Kopf hätte. Ich habe noch keinen Dichter gekannt, der nicht schnell gefaßt hätte, was er gelesen. Fassen und Behalten wird im gemeinen Leben für eins genommen; allein ganz unrichtig. Ein jeder Originalkopf muß schnell fassen und schnell vergessen. Etwas bleibt zurück, und nur eben so viel als nöthig ist, um nicht bloß Abschreiber, Copist zu sein. Ein Poët kann nichts lesen und hören, was er nicht sogleich mit dem Seinigen bereichert. Er verzinset oft einen Gedanken mit 50 Procent, oft mit mehr. Er weiß beständig viel, nur nicht immer, was andere wissen."

Die Phrenologie hat der schnellen und reizempfänglichen Auffassung unter dem Namen des Sachgedächtnisses ein besonderes Organ gewidmet. Dieses Sachgedächtniß, welches als eine

1) Schlichtegroll's „Nekrolog auf das Jahr 1795." Bd. 2. S. 313—315. Vgl. Beneke's „pragmatische Psychologie" I, S. 237.

2) Hippel's „Lebensläufe in aufsteigender Linie". S. 34—36.

4

allgemeine Bildungs- und Erziehungsfähigkeit bezeichnet wird, und unter welchem nur die allgemeine Fassungskraft als natürliche Anlage verstanden werden kann, soll in dem untersten Theile des vordersten Gehirnlappens ihren Sitz haben, und sich durch eine Erhöhung des unteren und mittleren Stirntheils zwischen den Augenbrauen kund geben. Die hiermit verbundene Bildungsfähigkeit soll sich dann in einem besonders erhöheten Grade zeigen, wenn ihr ein ausgezeichnetes Inductionsvermögen, für dessen Kennzeichen eine Erhöhung des Mitteltheils der oberen Stirn gehalten wird, zu Hülfe kommt, so daß es nach Gall für die künftige Bildungsfähigkeit eines Kindes das allerbeste Zeichen ist, wenn bei der Entwickelung der Stirn vom dritten Lebensmonate an sich eine erhöhete Line von der Nasenwurzel an bis über die Mitte der Stirn hinaus gleichwie eine Art von Sattel über die Stirn ausbildet. „Bei meinen Vorlesungen“, schreibt Gall in seiner Organologie, „zeige ich gewöhnlich den Kopf eines Arztes, der in den Gesellschaften vermöge seiner mannichfaltigen Kenntnisse eine große Rolle spielte. Er wußte alles, nahm aber ohne alle Einschränkung jede neue Lehre an. Zu Zeiten des unsterblichen Professor Stoll war er der eifrigste Stollianer, als Frank auftrat, hing er dessen Lehre eben so an, und als Brown mit seiner mörderischen Lehre erschien, verordnete er nur Opium, Wein, Schlangenwurz und Moschus. Alle neuen Arzneimittel wurden seine Panaceen, und er ermangelte nicht, in den medicinischen Zeitungen die wunderbaren Wirkungen seiner Lieblingsmittel zu preisen. Er faßte neue Ansichten so schnell, daß es ihm niemals einfiel, daran zu denken, daß sie durch Erfahrung geprüft werden müßten. Der mittlere vordere untere Theil der Stirn war sehr entwickelt, während der obere Theil der Stirn zurückwich. Bei allen so gebauten Personen habe ich bemerkt, daß sie mehr Bienen für die Erzeugnisse der anderen, als Erfinder sind“ [1]. So weit der Dr. Gall. Ich lasse dies dahin gestellt sein.

---

1) Vollständige Geisteskunde nach Gall. Nürnb. 1833. S. 296.

Eben so wichtig aber als die natürliche Anlage einer reizempfänglichen Aufmerksamkeit sind für die Auffassung des Neuen die bereits fertigen Vorstellungsgebilde, welche als die Erzeugnisse vergangener Auffassungen die zukünftigen vorbereiten und regeln. Beneke hat sie unter dem Namen der Spuren und Angelegtheiten zu einem höchst wichtigen psychologischen Erklärungsprincip erhoben.

Da nämlich eine jede neue Vorstellung um so leichter und um so begieriger gebildet wird, je mehr solcher Spuren und Angelegtheiten ähnlicher vergangener Auffassungen sie in der Seele vorfindet, so werden diese Spuren als eben so viele Magnete der Auffassung wirken, und die Masse ihrer Anhäufung wird den Grad bestimmen, in welchem sich die Aufmerksamkeit zu irgend einer besonderen Art der Auffassung mit Lust aufgelegt findet. Wer Goethe und Schiller gelesen hat, und dadurch von dem Geist und Wesen dieser Männer bereits ein Bild in sich trägt, wird sich interessiren, auch vom Leben dieser Männer Genaueres zu erfahren. Wer die Verhältnisse unseres Planetensystems kennt, wird an der Entdeckung eines neuen Planeten ein Interesse nehmen. Und so wird überhaupt mit der Fülle der Kenntnisse in irgend einer Art das Interesse und die Leichtigkeit der Auffassung steigen. Linné hatte das glücklichste Gedächtniß für die Merkmale der Pflanzen nebst der ausgedehnten von ihm selbst für diese geschaffenen Kunstsprache. Dagegen lernte er weder die englische, noch die französische, noch die lappländische Sprache, obgleich er alle diese Länder bereisete, ja nicht einmal die holländische, obgleich er sich ganze drei Jahre in Holland aufhielt [1]).

Der Anfang ist das Schwerste in allen Wissenschaften. Je größer der Schatz der angesammelten Kenntnisse ist, mit desto größerer Leichtigkeit werden die übrigen hinzu erworben. Die Stärke und der Reichthum der angesammelten Gebilde erleichtert

1) Beneke's pragm. Psych. I, 191.

die Auffassung, macht sie zur Lust, und eben dadurch zu einem Triebe, immer mehr zu lernen, welchen wir, sobald er eine merkliche Höhe ersteigt, ein Talent für irgend etwas nennen. So entstehen Talente für Erlernung fremder Sprachen, für Reit- und Tanzkunst, für Garten- und Feldbau, für Botanik und Wetterbeobachtung u. dgl. mehr. Jedermann kann, wenn er nur den festen Willen dazu mitbringt, irgend eines dieser Talente nach beliebiger Auswahl bis zu einem gewissen und zwar hohen Grade in sich ausbilden durch Uebung und Ausdauer, so daß ihn nach und nach Dinge aufs höchste zu interessiren anfangen, an denen er anfangs durchaus keinen Theil nahm. Denn interessant sind alle diejenigen Vorstellungen, welche auf bereits geläufige Vorstellungen vervollständigend wirken. Um für unbekannte und wildfremde Eindrücke zu interessiren, muß man verstehen, dieselben mit höchstbekannten in einer engen Verbindung zu zeigen, so daß sie als Vervollständigung des bereits Bekannten erscheinen. Heine sprach zu Stahr bei dessen Besuche in Paris[1]: „Es fehlt Ihrem Buche über Italien ein gewisser Charlatanismus der Kunst, den sie für das große Publikum bedarf. Man wirkt nur, indem man die Begriffe benutzt, die der Menge bekannt sind. Sie aber haben Ihre eigenen extendirten Begriffe bei solchen Schilderungen zu sehr vorausgesetzt."

Weil dem Gesagten zufolge unser Lieblingsstudium und unsere Stärke des Gedächtnisses gleichbedeutende Begriffe sind, so giebt Hippel (a. a. O.) den Rath: „Inoculir' alles auf dein Lieblingsstudium, und es ist dir auch im späteren Alter, als hättest du es vor dem dreißigsten Jahr, bis zu welcher Zeit beim Menschen Alles in der Blüthe steht, gelernt."

Wer daher gut faßt im Gebiet historischer Thatsachen, faßt botanische, zoologische, astronomische Dinge vielleicht sehr schlecht auf und umgekehrt. Ein gutes Ortsgedächtniß schließt noch keines-

1) A. Stahr „Zwei Monate in Paris" II, 345.

wegs ein gutes Zahlengedächtniß, dieses ebensowenig ein gutes Namen- und Wortgedächtniß in sich. Bei einer alten Wasserträgerin in Hamburg hatte sich ein ganz spezielles Gedächtniß für Bibelverse ausgebildet, so daß sie zuletzt einen großen Theil der heiligen Schrift im Gedächtniß hatte. Sie sah dieses an für eine eigenthümliche Beschaffenheit von Gottes Wort, daß dieses immer bei ihr hängen bleibe, während sie alles übrige leicht vergaß. Von der Predigt behielt sie nichts, von den darin angeführten Bibelstellen ging ihr kein Buchstabe verloren. Ein enthusiastisch religiöser Sinn verbunden mit einem ebenso starken Sinn für poetischen Ausdruck machten ihr diese ausschließliche Aufmerksamkeit auf die poetische und kernige Bibelsprache zur allmählichen Gewohnheit. Der Ekel vor ihrer früheren Umgebung — sie stammte aus einer Verbrecherfamilie — entflammte sie für Religion und Moral. Ihren dichterischen Sinn verrieth sie außerdem dadurch, daß sie sagte, sie müsse zuweilen für sich selbst so reden, daß es klappe (nämlich in Reimen).

So wie beim Hausbau die Bausteine durch Mörtel zu zusammenhängenden Massen verbunden werden, so verkitten sich die Bausteine der einzelnen Empfindungen zu zusammenhängenden Bildern durch den Mörtel der Aufmerksamkeit. Das ohne Aufmerksamkeit Angeschaute verbindet sich nicht zu einem dauerhaften festen Bilde. Die Bausteine bröckeln sogleich wieder auseinander. Es entsteht kein Gebäude. Mit je größerer Aufmerksamkeit eine Auffassung geschah, desto längere Zeit dauert der Kitt, welcher die Bausteine der Empfindungsspuren zu einem festen Bilde verklebt. Drohet die Gefahr, daß dieselben sich auflockern, so reicht es hin, daß wir ihr Bild uns mit Anstrengung ins Gedächtniß rufen, und es haftet aufs neue für lange Zeit. Durch die erneuerte Aufmerksamkeit erneuert sich die Bindekraft der Elemente, aus denen es besteht. Nichts ist daher zuträglicher für die Klarheit und treue Erinnerungsfähigkeit unserer Vorstellungen, als eine anhaltende und immer erneuerte Beschäftigung mit einem bestimmten in sich abgeschlossenen Kreise von Gegenständen, auf welche die Aufmerksamkeit und das Nachdenken immer und immer wieder zurückkommt; nichts hingegen nachtheiliger, als die Beschäftigung mit tausend unzusammenhängenden Dingen, welche nur immer nach dem Neuen hascht, oder eine wilde ungeregelte Lectüre, bei welcher sich keine festen Ruhepunkte bilden, auf welche das Nachdenken als auf einen erworbenen geistigen Besitz immer aufs neue zurückkehren kann. Weiße's, des berühmten Verfassers des Kinderfreundes, Gedächtniß war, wie sein Biograph erzählt, in der That nicht treu, weder für Ort noch Zeit, noch für Namen und Zahlen, noch für Sachen. Aber es war dieses keine natürliche Schwäche desselben. Er las, wie er oftmals selbst klagte, auf der Schule und Universität alles durcheinander, wirklich in der Absicht, sich mit Kenntnissen zu bereichern. Aber er war zu begierig, etwas Neues zu lernen, ohne sich des Vorigen ganz bemächtigt zu haben. So verdrängte eine Vorstellung, eine Idee die andere; sie ordneten sich nicht gehörig, knüpften sich nicht an einander, erweckten sich nicht gegenseitig. Nachher kam er bald in sehr vielfache Zerstreuungen. Seine Verhältnisse als Schriftsteller, Hofmeister, Redacteur eines Journals, Correspondent, brachten einen unaufhörlichen und schnellen Wechsel in seine Beschäftigungen. Er ging zu den wenigsten über, ohne nicht in Gedanken noch an den vorigen zu hangen; die eigenen Schöpfungen seines Geistes, die Bilder seiner Phantasie, schwebten ihm lebhaft vor der Seele — das verwöhnte ihn, auf nichts außer ihm ganz bestimmt und ausschließend seine Aufmerksamkeit zu richten [1]).

Nach Aristoteles [2]) behalten die langsam Fassenden die Sachen länger im Gedächtniß. Man hat in der That häufig Gelegenheit zu dieser Bemerkung. Der Grund davon ist, weil beim langsam Fassenden oder bei der minder beweglichen Auf-

1) C. F. Weiße's Selbstbiographie, mit Zusätzen von S. G. Frisch. Lpz. 1809. Vgl. Beneke's pragm. Psych. I, 236.

2) Aristot. de memoria et reminisc. cap. 1. pag. 1450. Pac.

fassung die Aufmerksamkeit länger auf den einzelnen Empfindungselementen ruhet, und dieselben sogleich fester mit einander verkittet, während der schnell Fassende mit der Aufmerksamkeit nur flüchtig darüber hinfährt, und folglich den Bausteinen seiner Gedankenpaläste häufig zu wenig Mörtel giebt, wodurch sie dann leicht auseinander bröckeln. Daher sagt Hippel (a. a. O.): „Wer Jahreszahlen und Geschlechtsregister gut behält, ist kein Dichter." Bei Molière (im „Malade imaginaire") sagt Herr Diafoirus von seinem Sohn, dem Arzt, welcher keineswegs ein Genie ist: „Mein Sohn faßte sehr langsam, aber was er faßte, stand für immer wie in Marmor gegraben."

Bei einer stumpfen Auffassung fallen leicht Verwechselungen vor, und zwar aus dem Grunde, weil Vorstellungen, denen die Unterscheidungsmerkmale fehlen, immer sogleich ineinander schmelzen. So laufen beim Geldzählen uns dann falsche Stücke mit unter, wenn ihre Vorstellung so mit der ähnlichen der ächten Stücke in einander fließt, daß uns der Unterschied verschwindet. So verschwimmen uns beim Anschauen eines Menschengewühls die individuellen Eindrücke der einzelnen Gesichter und Gestalten, welche sich beim Anschauen aus der Masse scharf hervorhoben, in der Erinnerung mehr oder weniger in einem allgemeinen unbestimmten Typus durch zu starke Vermischung mit einander. Es hält schwer, einen Baum im Walde an seiner Größe, seinem Wuchs, Laubwerk, der Beugung seiner Aeste, der Breite seiner Krone wieder zu erkennen, weil gar zu viele ihm ähnliche sind, welche wir, ehe wir es uns versehen, mit ihm verwechseln. Je mehr sich jemand gewöhnt, die mannichfaltigsten Eindrücke mit einander in großen Abstractionsprocessen zu verschmelzen, desto leichter wird ihm die gesonderte Erinnerung fürs Einzelne verloren gehen.

Der Denker ist daher häufig weniger fähig, Ereignisse, die ihm nach einander begegnet sind, oder Sätze und Gedanken, die er nach einander in einem Buche gelesen hat, in genauer Reihenfolge zu wiederholen, weil sich in seinem Kopfe sogleich bei der

Auffassung so viele gleichartige Vorstellungen nach Art der Reflexionen daran knüpfen, daß die Reihe in sein Gedächtniß gar nicht in Form einer Reihe eintritt, sondern ihr Inhalt sogleich durch Einschmelzung in viele bereits vorhandene Fächer sich nach den verschiedensten Richtungen hin anders gruppirt. Zur genauen Wiederholung eines reihenweise Aufgefaßten gehört durchaus, daß bei der Auffassung nicht zu stark reflectirt worden sei. Sobald wir anfangen, bei der Lectüre stark zu reflectiren und unseren eigenen Gedankengang nebenher zu haben, wird die Auffassung lückenhaft. Kinder reflectiren nicht, und sind daher zum mechanischen Memoriren am besten disponirt[1]). Die Neigung, die uns widerfahrenen Begebenheiten ausführlich, mit allen, auch den ganz überflüssigen Nebenumständen, sodann auch dialogisch mit Rede und Antwort zu erzählen, findet sich häufiger in der ungebildeten, als in der gebildeten Welt. Es ist der patriarchalische Styl aus den Zelten Abraham's, wo die Menschen viel erfuhren, aber wenig dachten. „Der gemeine Mann", sagt

1) Die amerikanischen Wilden konnten eine für sie besonders eindrückliche Rede ihrer Missionäre, welche Stunden lang gedauert hatte, mit vollkommen wörtlicher Treue wieder hersagen. Schubert's Gesch. der Seele. S. 563. Einen interessanten Fall ähnlicher Art erzählt Drobisch in seiner „Empirischen Psychologie" (S. 95) von einem 14jährigen geistig sehr niedrig entwickelten und früher sogar für blödsinnig gehaltenen Knaben. Derselbe war fähig, wenn man ihm zwei bis drei Minuten gönnte, um ein gedrucktes Octavblatt zu durchlesen, aus dem bloßen Gedächtniß die einzelnen Worte eben so herauszubuchstabiren, als ob das Buch aufgeschlagen vor ihm läge. Wie in innerer Anschauung gingen die Buchstaben an ihm vorüber. Selbst wenn man einige Zeilen übersprang und ihm die Anfangsworte der neuen Zeile vorsagte, las er, sich in seinem inneren Bilde bald zurechtfindend, ungestört fort, sogar bei einer lateinischen Dissertation über einen juristischen Gegenstand, und zwar dies alles ohne sichtbare Anstrengung unter kindischem Lachen. Dabei war er auf der anderen Seite so unentwickelt, daß er seiner Sprachorgane nur sehr unvollkommen mächtig war, und sein stockendes und stotterndes Vorlesen mehr ein Buchstabiren genannt werden konnte.

Kant[1]), „hat das Mannichfaltige, was ihm aufgetragen wird, gemeiniglich besser an der Schnur, es nach der Reihe zu verrichten und sich darauf zu besinnen: eben darum, weil hier das Gedächtniß mechanisch ist, und sich kein Vernünfteln einmischt; da hingegen dem Gelehrten, welchem viele fremdartige Nebengedanken durch den Kopf gehen, Vieles von seinen Aufträgen oder häuslichen Angelegenheiten durch Zerstreuung entwischt, weil er sie nicht mit genugsamer Aufmerksamkeit aufgefaßt hat."

Die alte und häufig wiederholte Behauptung, daß eine überwiegende Verstandesbildung das Gedächtniß schwäche, läßt sich hiernach beurtheilen. Nicht für das Gedächtniß überhaupt, das ja der Verstandesbildung ihren ganzen Stoff liefern muß, sondern nur allein für das genaue und lückenlose Behalten des reihenweise und mechanisch Aufzufassenden hat die Behauptung einen Sinn, welcher uns noch deutlicher wird, wenn wir die umgekehrten Fälle einer Unterdrückung der Verstandesentwicklung durch eine frühzeitige Ueberanstrengung des mechanischen Gedächtnisses ins Auge fassen, wie z. B. bei sogenannten Wunderkindern, wo bei fortgesetzter ausschließlicher Richtung der Aufmerksamkeit auf das Bilden von geschlossenen und lückenlosen Auffassungsreihen, dem Processe der verständigen Combination und des freien Vergleichens der aufgefaßten Vorstellungen aller Spielraum, gleichsam Luft und Licht, abgeschnitten wird. Solche nur gedächtnißmäßig aufgefaßte Reihen bleiben dann für die lebendige Anwendung untauglich, und es entstehen, wo nur sie gebildet werden, jene unfruchtbaren Köpfe, welche die Regeln der Grammatik genau auswendig wissen, aber sie nicht lebendig zu gebrauchen verstehen, oder welche ihre Wissenschaft im Examen trefflich zu memoriren wissen, aber sobald es eine Frucht-

---

1) Kant's Anthropologie. S. 103.

barmachung derselben im Leben gilt, an allen Ecken und Enden anstoßen [1]).

Alles irgendwie Aufgefaßte ist, soweit es sich im Gedächtniß hält, als Stoff für ein zukünftiges Wiedererinnern aufbewahrt. Aber man würde einen viel zu engen Begriff von der Wirksamkeit des Gedächtnisses fassen, wenn man sich dieselbe auf das bloße Wiedererinnern beschränkt dächte. Die Spuren der aufgefaßten Eindrücke bleiben in uns auch abgesehen von der Erinnerung und ohne dieselbe in fortwährender Wirksamkeit. Um einen deutlichen Begriff von dieser zu fassen, richte man sein Augenmerk auf die *Angewöhnungen*, welche dadurch entstehen, daß irgend ein kleiner Genuß oder eine kleine Annehmlichkeit sich häufig wiederholt, und nun mit der Häufigkeit der Wiederholung zu einem dringenden Bedürfnisse wird, wie wir es an den Gewöhnungen des Spazierengehens, Tabakschnupfens u. dgl. täglich bemerken können. Die continuirliche Steigerung des Bedürfnisses entsteht hier dadurch, daß jeder dieser kleinen Genüsse seine kleine Lustspur in der Seele zurückläßt, welche wie ein kleines Fädchen zu derselben Annehmlichkeit aufs neue hinzieht. Je mehr solcher ziehenden Fädchen werden, desto stärker wird am Ende das Tau der

1) Hierher gehört auch das, was Fries in der „Neuen Kritik der Vernunft“ (Heidelb. 1807. I, 121) bemerkt: „In dem Vermögen, sich leicht zu besinnen, zeigt sich das Gedächtniß zunächst im Leben, dies giebt den Anschein von Gelehrsamkeit und Fleiß, und ist die nützlichste von allen zur Erinnerung nöthigen Fähigkeiten; für Genie, Geist und Verstand *aber leicht auch die gefährlichste*, indem sie eben die Herrschaft der Association über die Reflexion beweiset. Wer sich gar zu leicht und viel auf das besinnt, was er gehört und gelernt hat, der kann vor lauter Citaten und Reminiscenzen nicht zum Selbstdenken kommen, er weiß zu Allem etwas Schönes zu sagen, aber immer nur, indem er fremde Gedanken wiederholt, nie oder selten aus eigenen Mitteln. Für jemand, der eine so äußerst willfährige Besinnung hat, hält es daher äußerst schwer, seinen Geschmack und sein Urtheil auszubilden, denn sie erspart ihm immer die Mühe zu denken durch die schon fertig liegenden fremden Gedanken, die sie ihm unterschiebt.“

Angewöhnung, indem auch nicht das geringste dieser Fädchen verloren geht. Aus solchen Fädchen bestehen alle unsere Neigungen, Liebhabereien, guten und bösen Begierden, Leidenschaften; besteht sowohl die zähe Gewohnheit in der Ausübung tapferer Maximen, welche wir Tugend, als auch das Untersinken im niedrigen Elemente, welches wir Laster nennen. Alle diese Wunder des Menschenlebens, diese gewaltigen Ursachen von Zufriedenheit und Qual, von Lust und Reue, sind Produkte der Beharrungskraft unserer Eindrücke, Produkte des Gedächtnisses. Das Gedächtniß ist der Webestuhl, die gewaltige über Tod und Leben gebietende Maschine, welche in unsere Gewalt gegeben ist, um damit lichte oder dunkle Bilder in den Teppich unseres Lebens einzuweben. Für die Zukunft haben wir über ihre Lenkung Gewalt, nicht für die Vergangenheit. Was einmal gewoben ist, liegt nicht mehr in unserer Willkühr, es abzuändern oder seinen Kitt verschwinden zu machen.

„Jeder Schritt“ — sagt Calderon [1]) —
„Jeder Schritt — furchtbares Mahnen! —
Ist zum Vorwärtsgehn; wo dann
Gott selbst nicht mehr machen kann
Diesen Schritt zum ungethanen.“

Daher sind es die Eindrücke seiner Umgebung und der Verhältnisse, in denen der Mensch lebt, welche seinen inneren Organismus ebenso bilden und construiren, wie die Speise seinen äußeren Organismus bildet. Der Mensch der vornehmen Welt lebt nicht allein in ihr, sondern seine Seele besteht auch aus ihr, indem die Eindrücke, welche in diesem Umgange an sie kommen, die Elemente sind, aus denen sie ihren aus Vorstellungen bestehenden Leib zusammenbildet. Der Mensch des Volks lebt nicht nur im Volke, sondern seine Seele besteht auch aus Volkseindrücken, wie die Seele

---

1) Worte Fernando's im „Standhaften Prinzen“ nach der Uebersetzung von A. W. Schlegel.

des Büchermenschen sich nothwendig allmählich in Bücherqualität umwandelt. Es ist falsch, wenn man behauptet, der Mensch sei die Speise, die er isset. Es ist darum falsch, weil man dabei von seiner geistigen Nahrung absieht, welche den inneren Menschen als das Vorstellungswesen gleichsam musivisch zusammensetzt, in noch weit höherem Grade, als die Nahrungsmittel den Leib formiren und zusammensetzen. Die Seele des Südländers nährt sich nicht von Citronen und Orangen, sondern von der Farbengluth und Formenharmonie, der Wärme und Luft seines Landes. Daher bildet diese Farbenglut und Formenharmonie, diese Wärme und Luft selbst seinen geistigen Leib, seine Vorstellungswelt, die ihm vermöge des Gedächtnisses unwiderruflich zu eigen bleibt, und ihn auf immer vom Nordländer unterscheidet, dessen geistiger Organismus aus Kälte und Abhärtung, aus überwiegend vorherrschenden Eindrücken der Reflexion, des geistigen Verkehrs, des Planemachens, Strebens und Arbeitens besteht.

Als Goethe nach Italien kam, machte dieses Land auf sein für diese Reize vorzüglich empfängliches Dichtergemüth den Eindruck, daß nun eine ganz neue Seele in ihn einziehe. Er empfand, wie die grauen und nebligen Bilder seiner Seele durch den lachenden Sonnenschein neuer und wärmerer Natureindrücke aufgehellt und in edlere Formen umgegossen wurden, er fühlte seine Seele sich verwandeln, sich häuten. „Kommt man in Italien an", sagt Bonstetten[1]), „so wandeln der öffentliche Gottesdienst, die Majestät der Tempel, die Tracht der Geistlichen, die Processionen, die Musik, die Statuen, die Gemälde, die heiligen Gesänge, die buntscheckige Kleidung und die lebhaften Gesticulationen der Einwohner, alles dieses wandelt die träumerischen Ideen des Nordländers in frische Empfindungen, und zieht den Geist aus der inneren Betrachtung heraus zur äußeren Anschauung.

1) Bonstetten: „L'homme du midi et l'homme du nord". Genève 1824. Vgl. Beneke's pragm. Psych. I, 197.

In den nördlichen Ländern hingegen ist man glücklich, wenn man nicht leidet; man versteht es da, sich der Abwesenheit des Uebels zu freuen. Man weiß in der Hoffnung zu leben, und sich Genuß in seinen Gedanken zu verschaffen. Je weniger Quellen des Glückes die Natur giebt, desto mehrere findet man in seinem Herzen, in seinem Geiste, im Schooße der Seinigen, in allem, was uns eng umschließt."

Woher kommt es, daß die Jugend nicht selten einem nahe bevorstehenden Tode ohne allen Schrecken und Bekümmerniß entgegenblickt, während das Greisenalter davor zurückschreckt und die Gewißheit desselben in der Regel so lange als möglich von sich abzuwehren sucht? — da doch das Greisenalter nur einen so kurzen Zeitraum des, überdies meistentheils durch Schwäche und Krankheit verkümmerten Lebens zu verlieren hat, der Jugend hingegen die Aussicht auf ein langes und glückliches Leben vorliegt? Beneke giebt hierauf die durchaus richtige Antwort [1]: „Weil die Vorstellung des Todes nur vermöge der Spuren von Schwächegebilden geschehen kann, welche von früheren, in ihrem Charakter dem Charakter des Todes nahe kommenden Akten zurückgeblieben sind, und deren bei der Jugend im Allgemeinen noch wenigere und weniger ungünstig gestimmte, im letzten Lebensstadium viele und stark ungünstig gestimmte vorhanden zu sein pflegen." Die Fädchen im Gehirn der Jugend sind alle noch leuchtend von rosenrothem Lichte, und geben daher Muth zu jeglichem Werke; die im Gehirn des Alters dunkelnd in trüberen Tinten, und diese Grundempfindung geht über alle Reflexion.

Diese Beobachtungen und Thatsachen gehören ins Gebiet der Gewohnheiten oder Angewöhnungen, worunter das unbewußte Fortwirken vergangener Eindrücke in der Seele verstanden wird. Da hierbei die Spuren vergangener Eindrücke ein wirksames

1) Beneke a. a. O. I, 205.

Gedächtniß bilden, ohne daß wir uns ihrer jedoch bei ihrer Wirksamkeit bewußt werden oder ohne daß wir uns ihrer dabei erinnern, so darf man die Gewohnheit ein Gedächtniß ohne Erinnerung nennen.

So lange wir uns beim Spielen eines Instruments, beim Sprechen einer Sprache, beim Tanzen u. dgl. eine jede zu machende Bewegung erst in die Erinnerung rufen müssen, ist die Beschäftigung noch nicht zur Gewohnheit oder Fertigkeit geworden. Sie wird dies erst dadurch, daß die empfangenen Eindrücke von selbst fortwirken, ohne daß wir uns an einen jeden derselben erst noch besonders zu erinnern nöthig haben.

Dies ist auch die Weise, wie ein Kind laufen, essen und den Gebrauch aller seiner Glieder und Sinne erlernt. „Ein Kind", sagt Reimarus [1]), „erinnert sich zwar heute nicht, daß es ihm schon gestern und ehegestern und vor ehegestern gesagt worden sei, daß es die rechte Hand gebrauchen solle, ja daß man ihm die andere Hand um deswillen festgehalten habe; unterdessen bleibt doch die Vorstellung in der Seele und wird durch die öftere Wiederholung immer lebhafter, kräftiger, und wirksamer bei den jederzeit gegenwärtigen Fällen, wenn es etwas handhaben will. Das Kind thut also eben dasselbe, als ob es sich erinnerte; ob es sich gleich in der That nicht erinnert, und hernach nimmer zu erinnern weiß, wie es zu der Gewohnheit gekommen ist."

Daß wir uns aus unserer frühesten Kindheit niemals das allermindeste zu erinnern wissen, läßt vermuthen, daß das Gedächtniß, von dessen Wirksamkeit wir auch dort schon Spuren sehen, noch nicht nach der Weise der Erinnerung, sondern nur der Gewohnheit, thätig ist. Zufolge einer Angewöhnung unterscheidet das Kind mit einem halben, ja Vierteljahre seine Mutter oder Amme nach dem Anschauen und Gehör von anderen Personen, weil

---

1) Reimarus, „Allgem. Betrachtungen über die Triebe der Thiere". Hamburg 1760. § 18.

mit diesem Anblick und diesem Ton sich der Eindruck der Sättigung, der süßen Milch zu einem unauflöslichen Gebilde verschmolzen hat. Zufolge einer ähnlichen Angewöhnung kennt ein Pferd die alte Herberge wieder, in deren Bilde das angenehme Gefühl des genossenen guten Futters unvertilglich fest haftet. So kennt und unterscheidet ein Hund seinen Herrn von anderen Personen. Denn dieses Ansehen und der Geruch führen dem Hunde die angenehme Empfindung genossener Pflege mit sich [1]).

So wie eine klare Erinnerung die Mutter aller Wissenschaft ist, so ist ein erinnerungsloses Gedächtniß oder, wie Aristoteles es nennt, eine μνήμη ohne ἀνάμνησις, die Mutter unzähliger Täuschungen. Dieser Fall tritt z. B. ein nach Reimarus [2]), „wenn wir in einer Rede dasjenige zu hören glauben, wovon wir den Kopf voll haben; wenn es uns dünkt, daß wir in gefrornen Fensterscheiben, figurirten Steinen oder Wolken, die Bilder sehen, die uns noch im Sinne liegen; wenn uns manche Speisen widrig schmecken, nicht weil die gegenwärtige Empfindung an sich unangenehm wäre, sondern weil die verworrene Einbildungskraft einen vormals damit verknüpften Ekel erneuert und unvermerkt unter die gegenwärtige Empfindung rührt. Die Liebe und Neigung zu einer Person entsteht oft aus einer uns verborgenen Aehnlichkeit des Gesichts mit einer anderen geliebten Person. Der Zorn entbrennt oft über eine Kleinigkeit, wenn einer den Kopf voll voriger Grillen hat; und er merkt es doch nicht, daß es von seinen ehemaligen Vorstellungen herrühre.“ In ähnlicher Art, fährt Reimarus fort, ist das Gedächtniß der Thiere beschaffen. „Es gehet allen so, wie meinem Hunde: wenn ich den kratze, wo es ihm juckt, so fängt sein Hinterfuß an eben so zu arbeiten, als ob er sich jetzt selber kratzte; er vermischt also die vormalige ähnliche Empfindung, nebst dem Kratzen, woraus sie entstanden ist, in seiner

---

1) Ebendas. § 19.

2) Ebendas. § 17.

Vorstellung so mit der jetzigen Empfindung, daß alles Vergangene ihm gegenwärtig zu sein scheint [1])".

---

1) Vgl. auch Reimarus a. a. O. § 14. „Bei der klaren Vorstellung eines gegenwärtigen Dinges kommt uns Menschen das Vergangene undeutlich wieder in den Sinn, worin ein Theil mit dem Gegenwärtigen einerlei ist. Bei heutiger Erblickung einer Person stellen wir uns die gestrige Gesellschaft, wovon sie ein Theil war, nebst dem, was darin vorgegangen, alsobald wieder vor. Diese Vorstellung des Vergangenen bei dem Gegenwärtigen ist mehrentheils unwillkührlich, wir können es directe nicht helfen oder wehren, daß uns etwas wieder in den Sinn kommt. Wir nennen ein solches eine Einbildungskraft, und es ist unleugbar, daß auch die Thiere eine Einbildungskraft haben; daß ein Pferd zur Herberge hinein will, weil es sich bei dem Orte das dort genossene gute Futter wieder vorstellt; daß ein Hund sich vor dem aufgehobenen Stocke verkriecht, weil ihm die ehedessen damit ertheilten Schläge wieder in den Sinn kommen. Ob aber die Thiere ihren Vorstellungen des Vergangenen auch willkührlich nachhängen, mit Fleiß von einer zu der anderen, von der anderen zur dritten u. s. w. gehen und sich also wissentlich in ein ganzes Feld von Vorstellungen abwesender Dinge hineinbegeben, wie wir Menschen zu thun pflegen, daran zweifle ich sehr." Und ferner § 19: „Wir dürfen uns nicht wundern, daß dieser Schatten eines Gedächtnisses ohne wahre Erinnerung, bei einigen Thieren, als bei Vögeln, Bienen und allen Thieren, die eine gewisse Stätte haben, so stark ist, daß sie ihr Nest und alte Stelle genau wieder zu finden wissen. Denn das kommt nicht auf die Deutlichkeit, sondern nur auf die Lebhaftigkeit ihrer Einbildungskraft an, welcher auch die Schärfe ihrer Sinne zu Hülfe kommt. Denn wenn ihnen das Vergangene noch bei dem Gegenwärtigen so lebhaft vor Augen ist, als ob es gegenwärtig wäre: so kann es auch seinen Eindruck nicht verloren haben. Es thut so kräftige Wirkung, als der Anblick der Mutterbrust bei einem durstigen Kinde, und nachher der auf die Warze geschmierte Senf, wenn das Kind soll entwöhnt werden. — Daher werden tausend abwesende ähnliche Dinge und Fälle von den Thieren mit unter die Vorstellung des Gegenwärtigen gemengt. Sie betrachten zwar ein gewisses gegenwärtiges Ding vor andern; allein sie haben nicht die Fähigkeit, sich das Vergangene als vergangen und außer dem Gegenwärtigen besonders vorzustellen." Aus diesem Grunde sprach Wolff, welcher das Gedächtniß auf eine sehr willkührliche Art definirte als das Vermögen „Gedanken, die wir vorhin gehabt haben,

Es folgt hieraus, daß es, damit eine Erinnerung vergangener Thatsachen in uns entstehe, nicht hinreicht, daß Spuren von vergangenen Eindrücken in der Seele vorhanden und wirksam seien, sondern daß noch eine ganz eigenthümliche Thätigkeit hinzukommen muß. Diese hinzukommende Thätigkeit ist nun wiederum keine andere, als die Aufmerksamkeit. So wie die Sinnesempfindungen durch Aufmerksamkeit sich allererst zu bestimmten Wahrnehmungen zusammenknüpfen, so knüpfen sich die Gedächtnißspuren durch Aufmerksamkeit allererst zu bestimmten Erinnerungen zusammen. Ohne die Thätigkeit der Aufmerksamkeit ist alles zerflossen und verworren, hier wie dort. Die Gedächtnißspuren an sich und allein bringen nur dunkle, phantastische und ungeregelte Vorstellungen hervor. Wie bei einem Pianoforte mit aufgehobener Dämpfung, so klingt und brauset hier alles ineinander, und das arme Geschöpf tappt dem Nachtwandler gleich im Finstern. Wie das Niederlassen der Dämpfung den Ton erhellt und articulirt, so das Eintreten der Aufmerksamkeit in die Gedächtnißspuren. Es war Nacht, nun wird es Licht.

Unsere Seele gleicht einem von dem Reichthum der mannichfaltigsten Gegenstände angefüllten Schatzgewölbe, worin aber nur ein einziges armes Lämpchen brennt, dessen Schimmer nur immer eine geringe Anzahl von Gegenständen zu gleicher Zeit zu beleuchten hinreicht. Eine sehr geringe Zahl nämlich in Vergleichung zum Reichthum des Ganzen. Der größte Antheil unserer Seele ist im Schlaf, auch wenn wir wachen. Das, was in uns wacht, ist niemals unser ganzes Ich, sondern immer nur der kleine Theil desselben, welcher durch das wache Princip, das wir die Aufmerksamkeit nennen, und welches die Lampe im Gewölbe vorstellt, erleuchtet und zum Bewußtsein gebracht wird. Man

---

wiederzuerkennen, daß wir sie schon gehabt haben, wenn sie uns wieder vorkommen", damit den Thieren alles Gedächtniß ab. Wolff, „Vernünftige Gedanken von Gott, der Welt und der Seele" § 249—51.

erzählt von Zuständen der Exaltation, z. B. durch den Genuß von Opium, in denen der berauschten Person der ganze Reichthum ihrer Erinnerungen und Kenntnisse, Alles, was sie je erfahren, gewußt und gethan, wie eine vom hellsten Tageslicht bestrahlte Landschaft soll offen gelegen haben[1]). Wir müssen dies dahin gestellt sein lassen. Der Zustand, welchen wir den wachen nennen, ist niemals wach in diesem Grade, vielmehr in stetem Halbschlaf begriffen. Ja, was noch demüthigender ist, dieser Halbschlaf wechselt mit dem Zustande des völligen Schlafs. Das Lämpchen im Gewölbe ist einem periodischen Erlöschen unterworfen. Die Beleuchtung der Gegenstände des Schatzgewölbes, in deren Nähe das Lämpchen tritt, heißt die Erinnerung.

Es ist bereits sprüchwörtlich geworden, daß das Erinnern nach dem Gesetze der Ideenassociation erfolge, indem die verwandte oder engverbundene Empfindung oder Vorstellung immer die verwandte oder engverbundene herbeirufe. Eine gewisse Stimmung z. B. ruft uns Situationen und Lebensbilder in die Erinnerung, welche uns einst in einer ähnlichen Stimmung umgaben. Die Erinnerung gewisser Gerüche, die lang entbehrte Wiederholung gewisser Laute, Töne, Melodieen sind im Stande, uns auf eine lebhafte Weise in sonst längst vergessene Situationen unserer Kindheit zurück zu versetzen. Während der Zeit, welche Moritz bei einem Hutmacher in Braunschweig als Lehrjunge auf eine unangenehme Weise verlebte, wurden, wie er in seiner Lebensbeschreibung erzählt, die ganz verblichenen fünf Sinne an dem schwarzen Getäfel der Wand wieder neu

---

1) Einen ähnlichen Fall von gesteigerter Erinnerungsthätigkeit in Beziehung auf alle früheren Lebensereignisse im Augenblicke der Gefahr des Ertrinkens erzählte in einem 1828 geschriebenen Briefe der Capitain, nachherige Admiral F. Beaufort, der diese Erfahrung an sich selbst gemacht hatte, an Dr. Hyde Wollaston. Derselbe findet sich näher mitgetheilt in „Somnoлismus und Psychismus" von Haddok 1852. S. 254, und daraus in Fechner's „Centralblatt für Anthropol. und Naturwissensch." 1853. Nr. 3. S. 43.

überfirnißt. Die Erinnerung an den Geruch davon, welcher einige Wochen dauerte, war bei ihm nachher beständig mit der Idee von seinem damaligen Zustande verbunden. So oft er einen Firnißgeruch empfand, stiegen unwillkührlich alle die unangenehmen Bilder aus jener Zeit in seiner Seele auf; und umgekehrt, wenn er zuweilen in eine Lage kam, die mit jener einige zufällige Aehnlichkeit hatte, glaubte er auch einen Firnißgeruch zu empfinden[1]).

Eine herrschende Stimmung, worin wir uns befinden, gleicht einem Schwamm, welcher mit lauter ihm verwandten Erinnerungen und Reflexionen sich vollsaugt, die heitere Stimmung mit heiteren, die beklommene mit beklemmenden. Ein vornehmer Hypochonder, von welchem Ehrhard Schmid[2]) erzählt, reisete auf eins seiner Landhäuser, um sich von seinem Trübsinn zu zerstreuen. Das erste, was ihm hier einfiel, war ein Mittel, das man auf diesem Landhause vor mehreren Jahren zur Vertilgung der Stubenfliegen gebraucht, und weil es die gehoffte Wirkung nicht hervorbrachte, zum Fenster hinaus geschüttet hatte. War nun, sagte er sich, ein kleiner Theil davon in einen unter dem Landhause befindlichen Keller gedrungen, und hatte den daselbst zum Verkauf aufbewahrten Branntwein vergiftet, so war er der Mörder vieler Menschen. Er beruhigte sich nicht eher, als bis ein Maurermeister durch ein schriftliches Attestat bezeugte, daß eine kleine Quantität Flüssigkeit durch die Kellermauer wegen ihrer Güte und Stärke nicht habe durchdringen können, und ein Arzt in einem eigenen Aufsatz bewies, daß jenes Mittel, welches aus Bier und Honig bestanden hatte, durchaus zu den unschädlichen gehöre. Sobald nun seine steigende Beklemmung jene Er-

1) „Anton Reiser", von Moritz, im ersten Thl. Vgl. Beneke's pragm. Psych. I, 247.

2) „Psychologisches Magazin" von Ehrhard Schmid. Bd. 1. S. 327.

5*

innerung auf's neue wach rief, wurden diese verschwenderisch bezahlten Atteſtate hervorgesucht, und die Macht des Feindes scheiterte an ihnen, wie an einer Schanze.

Derselbe Hypochonder erfuhr in einer äußerst traurigen Stunde die geschehene Hinrichtung des Königs Ludwig XVI. Sogleich erinnerte er sich, er sei in seinen jüngeren Jahren in Paris gewesen und in Gesellschaft eines deutschen Prinzen dem Könige vorgestellt worden, habe bemerkt, daß dieser ein sanfter, aber schwacher Regent sei, und diese Bemerkung freimüthig in mehreren vornehmen Häusern geäußert, habe dadurch die ungünstige Meinung des Pariser Publicums von den Regierungsfähigkeiten des Königs bestätigt und zu der nun erfolgten Hinrichtung beigetragen, ein Gedanke, der ihn fast zur Verzweiflung brachte[1]).

Es rufen leicht und unwillkührlich einander ins Bewußtsein oder in die Erinnerung alle Vorstellungen, welche mit einander auf die eine oder andere Weise bereits zu Gruppen und Reihen verschmolzen oder verbunden sind. Die dies weniger sind, erfordern Anstrengung erinnert zu werden. Die Anstrengung besteht darin, daß die Aufmerksamkeit sich geflissentlich auf alle diejenigen Vorstellungen versuchsweise heftet, von denen irgend zu vermuthen ist, daß sie mit der gesuchten in einer Verknüpfung stehen. Gelingt ihr dies, so findet sie die gesuchte sogleich in der Nähe, ähnlich wie der, welcher den Dieb nur erst am Rockzipfel hat, ihn nun auch leicht beim Arm greifen kann.

Es ist der von einer Vorstellung zur anderen überschreitenden Aufmerksamkeit in jedem Fall leichter und bequemer, auf die verwandten oder engverbundenen Vorstellungen überzugleiten, als sich sprungweise auf gänzlich entgegengesetzte zu stürzen. Als engverbunden zeigt sich aber in unseren Vorstellungen einestheils alles Gleichartige und Aehnliche, anderntheils alles, was in demselben Zeitmoment mit einander aufgefaßt worden ist. Die Milch

1) Ebendas. S. 345.

führt uns leicht, wie schon Aristoteles bemerkt[1]) zum Weißen, das Weiße zur Luft, die Luft zum Feuchten, das Feuchte zum Herbst, u. s. f. Dies ist die gewöhnliche Regel, nach welcher die Themata einer gesellschaftlichen Conversation, auch eines stillen Monologs, auf einander folgen. Als Faust von Wagner in der bekannten Scene bei Goethe verlassen worden ist, und nun, nach einer kurzen Reflexion über den eben hinweggegangenen Famulus, der nachklingende Eindruck der gehabten Erscheinung des Erdgeistes wieder bei ihm mächtig wird, so wandert seine Aufmerksamkeit zuerst auf das verwandte Verschwinden und Verklingen aller herrlichsten Lebensmomente überhaupt, von hier wieder rückwärts auf die Erscheinung des Geistes und sein letztes Wort: Wurm. „Ein furchtsam weggekrümmter Wurm.“ „Dem Wurme gleich' ich, der den Staub durchwühlt.“ Von Wurm zu Staub, von Staub zu bestäubten Papieren und Instrumenten, bei deren wiederholter Anschauung das Fläschchen mit Gift ins Auge springt, und durch die sich associirende Idee eines raschen Lebenszieles den Gedanken an Selbstmord hervorruft, welchem ein Gefühl entströmt, das als Gegengewicht gegen die erlittene Demüthigung gehegt und gepflegt wird.

Ebendaher ist aber die Ideenassociation nur eine gewöhnliche Regel, nach welcher die Aufmerksamkeit verfährt, nicht ein Grundgesetz der Vorstellungen, das niemals überschritten werden könnte. Wenn sich auch die Aufmerksamkeit in der Regel keine Sprünge ins Wildfremde erlaubt, so ist sie doch deren gar wohl fähig, und es giebt Fälle genug, in denen sie vorkommen. So wie dem Liebenden die Gestalt des Geliebten, dem Mörder der letzte Blick des Erschlagenen auch gegen den Willen sich stets wieder aufdrängt, so wie nach dem Ball der Rhythmus und die Melodie der Tänze unwillkürlich in unsern Ohren nachklingt und uns manchmal noch den folgenden Tag verfolgt, so klingen

2) Aristoteles, De memoria et reminisc. Cap. 2. pag. 1454. Pac.

in ähnlicher, wenn auch schwächerer Weise Vorstellungen von einer geringeren Erregungshöhe beständig in uns nach, welche nur eine kleine Erhöhung der noch fortklingenden Stimmung, unter welcher sie gebildet wurden, erwarten, um sofort in die Erinnerung einzutreten. Dann läßt sich die Aufmerksamkeit wohl durch Ideenassociation eine Weile seitwärts führen, macht aber immer wieder, ehe wirs uns versehen, jähe Sprünge in den alten Gedankenlauf zurück. Faust ist nach der Geistererscheinung durch seinen Famulus eine Zeit lang auf ganz andere Gedanken gebracht worden, und auch als der Famulus bereits von ihm gegangen, bleibt seine Aufmerksamkeit noch eine Weile auf diesem und dessen Seelenzustande haften. Dann aber stürzt sie sich mit einem Sprunge und ohne alle Association auf den übermächtigen Eindruck der Erscheinung des Erdgeistes zurück, um von da an aufs neue in Associationen sich zu ergehen.

Die Kunst der Mnemonik ist darauf berechnet, die schwachen, unverbundenen und sich wenig auszeichnenden Vorstellungen durch Ideenassociation zu starken, enge verbundenen und auffallenden zu erheben. Die schwachen und schwer haftenden Vorstellungen, z. B. Jahreszahlen, technische Ausdrücke, Namen u. dgl. bekommen eine größere Verstärkung und Verbindung unter einander dadurch, daß man sie mit einer Gruppe sinnlicher Bilder verknüpft. Denn die sinnlichen Bilder werden in Folge größerer Lebhaftigkeit leichter erinnert, als die abstracten Namen, und wenn man zwischen den sinnlichen Bildern einen entsprechenden Zusammenhang herzustellen weiß, so wird die Reihenfolge der zu merkenden Namen an ihnen festhaften.

So z. B. wird nach Otto's Anleitung [1]) die Reihe der Planetennamen an folgender Bildergruppe gemerkt: Im Mergel (Mercur) wuchs eine Nuß (Venus), dieselbe fiel auf die Erde (Erde), dort fraß sie ein Marder (Mars). Aus dessen Pelze

1) Dr. Otto, „Abriß eines Lehrcursus der Mnemonik", S. 13.

machte ich eine Weste (Vesta) und schenkte sie einem Jungen (Juno), der zerschnitt sie mit der Scheere (Ceres), machte daraus einen Ball (Pallas) und warf ihn über eine Aster (Asträa) in einen Schuppen (Jupiter), dort flog er an einen Sattel (Saturn), zertrümmerte eine Uhr (Uranus) und fiel in einen Napf (Neptun). Oder man verbindet Ziffern mit willkührlich dazu ersonnenen Buchstaben, aus denen man Wörter zusammensetzt. Oder man errichtet sich in seiner Phantasie ein Zimmer mit allerlei Möbeln und Hausgeräthe, mit welchem man die zu behaltenden Namen oder Zahlen der Reihe nach in eine Verbindung bringt u. dgl. mehr.

Doch darf man dabei nicht vergessen, daß dergleichen Kunstgriffe nur taugen, um ein von Natur vorhandenes gesundes Auffassungsvermögen in seinen Wirkungen zu steigern, und dies zwar manchmal bis ins Unglaubliche, keineswegs aber, den Mangel eines solchen zu ersetzen, oder ein solches da zu schaffen, wo es nicht ist. Die Mnemonik ist eine Kunst, welche mühsam durch Uebung erworben sein will, und selbst, soll sie einigermaßen auffallende Früchte bringen, einen nicht geringen Grad scharfer Auffassung voraussetzt. Eine stumpfe Auffassung bekommt durch die mnemonischen Hülfsmittel nur einen doppelten Ballast zu tragen, und erschwert sich nur das Auffassen dadurch noch mehr, anstatt es zu erleichtern. Baut sie sich z. B. mit Mühe und Anstrengung ein mnemonisches Phantasiezimmer, an dessen Geräthen die neuen Auffassungen wunderschnell sich anknüpfen, so wird heute vielleicht Alles wie ein Wirbelwind sich in Bewegung setzen, morgen dagegen das ganze Zimmer mit allem Geräthe und Zubehör von Grund aus wie weggespült sein. Sobald nun der Grund des Gebäudes zu wanken anfängt, dienen alle an dasselbe geknüpften Associationen zu nichts mehr. Es ist mit der Mnemonik wie mit dem Schlittschuhlaufen. Dem Schlittschuhläufer wird kein Mann zu Fuß auf dem Eise nachkommen. Aber wer sich nicht im

Schlittschuhlaufen anhaltend geübt hat, den wird der Schlittschuh zum Straucheln und zu Falle bringen. So auch erfordert die Mnemonik eine ausdauernde und anhaltende Uebung, welche um so unangenehmer und abschreckender ist, als das wilde Phantasiren, in welches sie nothwendig den Geist führt, dem Zustande eines ruhigen wissenschaftlichen Denkens geradezu entgegengesetzt ist, und sich schlechterdings nicht mit ihm verträgt.

Daher ist sicher mehr, als alle Kunstmittel der Mnemonik, anzuempfehlen die anhaltende Gewöhnung, die Aufmerksamkeit im Nachdenken auf Punkte zu legen, wohin wir sie von Natur nicht gern und leicht zu legen pflegen. Jedoch nicht plötzlich und gewaltsam. Die Aufmerksamkeit will zu künstlichen, nicht angeborenen Bewegungen eben so langsam und anhaltend gewöhnt werden, wie Glieder zum Turnen, Finger zum Spielen eines Instruments, und die Zunge zur Aneignung des Dialekts einer Sprache. Angewöhnbar ist jede Art der Fixirung der Aufmerksamkeit, auch die schwierigste, z. B. die ausschließliche Richtung auf die Beobachtung des eignen Empfindens und Denkens, auf Zahlenverhältnisse u. dgl. mehr. Die Anstrengungen der Aufmerksamkeit auf große Zahlenreihen, welche dem inneren Sinn völlig hell und deutlich vorschweben, und durch welche ein Dase so erstaunliche Wirkungen verrichtete, sind jedermann möglich, aber werden nur durch jahrelanges Mühen und Einüben, und durch ein ganz ausschließliches Concentriren der Aufmerksamkeit auf diesen einzigen Punkt und Ablenkung derselben von den meisten übrigen Lebensinteressen gewonnen. So entsteht ein Zustand, in welchem Anstrengungen der Aufmerksamkeit von einer künstlichen Art mit Leichtigkeit und Lust vollzogen werden, welche einen anderen Menschen, wollte er sich dieselben zumuthen, entweder wahnsinnig machen oder tödten müßten.

Was der Aufmerksamkeit die Gewöhnung giebt, sich mit größerer Leichtigkeit auf eine gewisse Art von künstlichen Gebilden, z. B. Zahlenreihen, philosophischen Abstractionen u. dgl.

wiederzubesinnen, das ist die Stärke dieser künstlichen Gebilde selbst, welche in dem Maße wächst, als die erinnernde Aufmerksamkeit befestigend auf sie zurückkehrt, und die auffassende Aufmerksamkeit immer neue hinzu erwirbt. Je mehr diese Summen wachsen, desto unwiderstehlicher ziehen sie die Aufmerksamkeit an sich, desto mehr erleichtern sie also auch das Wiedererinnern. Und je öfter die Erinnerung daran wiederholt wird durch ein fleißiges Durchdenken des Gelernten, desto mehr befestigt sich nicht nur die Summe des Aufgefaßten, sondern desto mehr ordnet und klärt sie sich auch, desto überschaulicher wird sie.

Auf solche Weise sei man darauf bedacht, daß die einem künftigen Erinnern aufbewahrten Vorstellungsreihen in guter und vollständiger Ordnung seien, oder daß die Gegenstände im Schatzgewölbe unserer Seele zurecht gelegt seien, welche das Lämpchen der Aufmerksamkeit zu beleuchten hat. Aber eben so viel kommt zuletzt darauf an, daß das Lämpchen als solches in einem guten Zustande erhalten sei. Denn geräth dasselbe ins Flackern oder brennt es trübe und qualmig, so werden die Bilderreihen trotz der schönsten Ordnung, worin sie zurecht gelegt sind, doch in unvollkommener und lückenhafter Art wiedererscheinen.

In der Verlegenheit, in der Gefahr geräth die Aufmerksamkeit häufig so ins Wanken und Zittern, daß wir uns nicht des Richtigen erinnern, nicht an das Richtige denken. Man hat in Feuersgefahr oder auf der Flucht vor dem Feinde nicht selten gesehen, daß Menschen werthlose Dinge, Vogelbauer und Mausefallen mit sich nahmen, indessen sie das Werthvolle daheim ließen. Da beim Examen der in der Seele vorräthig liegende Schatz von Kenntnissen geprüft werden soll, so ist hierzu die schriftliche Methode eine weit sicherere, als die mündliche. Denn die ungewöhnliche Gespanntheit der Aufmerksamkeit beim Examen ruft leicht einen unsteten und lückenhaften Erinnerungsproceß hervor, wodurch bewirkt wird, daß Naturen von einer großen

Reizbarkeit minder gut das, was in ihnen ist, an den Tag geben können.

In einen ähnlichen Zustand von hinderlicher Unruhe geräth die Aufmerksamkeit, wenn wir uns auf einen Gegenstand gern besinnen möchten und nicht können. Je mehr wir uns hierüber quälen, desto erregter und folglich unsicherer wird die gehetzte Aufmerksamkeit. Daher Kant, um diese zu beruhigen, für solche Fälle anräth, daß man sich eine Weile durch andere Gedanken zerstreue, und von Zeit zu Zeit nur flüchtig auf das Object zurückblicke; dann ertappe man gemeiniglich eine von den associirten Vorstellungen, welche jenes zurückruft [1].

Einige Personen sind von Natur mehr, andere weniger zu solchen Störungen ihrer Aufmerksamkeit disponirt; einige werden leicht verwirrt, die Annäherung jeder fremden Persönlichkeit wirkt störend auf ihre Aufmerksamkeit, andere behalten stets ihre Geistesgegenwart und sind nie außer Fassung zu bringen, sie sind wie mit Leder umpanzert. Wenn Wallenstein den Hahn nicht mochte krähen hören, wenn Goethe'n das Hundegebell in innerster Seele zu empören vermochte, so waren dies Symptome einer leicht störbaren Aufmerksamkeit. Der Dichter Heine entfernte aus seiner Nähe mit der größten Sorgfalt alle Taschenuhren und Hausuhren, weil er ihr Gepicker nicht ertrug. Wer so ist, hat ein nervöses Temperament, wird heftig bewegt und erregt von hundert Dingen, welche andere Menschen in Ruhe lassen, und bedarf ebendeshalb zum Ausdenken seiner Gedanken einer größeren Stille und Einsamkeit. Daher sich denn Göthe auch stets zum Arbeiten von Weimar nach Jena flüchtete, und Wallenstein alles Geräusch aufs sorgfältigste von seinem Palast in Prag entfernt hielt, um ungestört dem Brüten über seinen Plänen obzuliegen. „Zwölf Patrouillen", berichtet

1) Kant's Anthropologie S. 99.

Schiller[1]), „mußten die Runde um seinen Palast machen, um jeden Lärm abzuhalten. Kein Gerassel der Wagen durfte seiner Wohnung nahe kommen, und die Straßen wurden nicht selten durch Ketten gesperrt. Stumm, wie die Zugänge zu ihm, war auch sein Umgang.“

Da unter den Menschen einige mehr, andere weniger zu Störungen der Aufmerksamkeit von Natur disponirt sind, so hat Gall nicht ermangelt, für die feste und unerschütterliche Concentrationskraft der Aufmerksamkeit auf ihre Gegenstände der Beschäftigung ebenfalls den Gehirntheil zu bestimmen, an dessen Integrität dieselbe geknüpft sei. Sie soll unter dem Namen des Einheitstriebes oder der Beständigkeit (auch Beharrungstrieb, Concentrationstrieb genannt) an einer Erhöhung am Hinterhaupt, in der Gegend der verwachsenen Fontanelle, wo die drei Schädelnäthe zusammentreffen, erkennbar sein.

Ich aber möchte ein weit sichreres und dabei leichter erkennbares Zeichen einer unstörbaren Aufmerksamkeit vorschlagen, nämlich den Hang, in Gesellschaft zu erzählen, und noch mehr den zur Improvisation. Denn zum guten Erzählen gehört ein genaues und detaillirtes Erinnern auch der Nebenumstände, und zum Improvisiren, daß die Aufmerksamkeit trotz aller Störungen unerschütterlich sei. Die erschütterbare Aufmerksamkeit wird am Schreibtisch vielleicht eben so herrlich erzählen als extemporiren, aber vor Zeugen und in Gesellschaft gewiß nicht. Melanchthon predigte vor Töpfen herrlich, aber vor Köpfen wollte es darum noch nicht gehen. Bei anderen thut sich die Erinnerung erst recht auf, wenn sie Köpfe vor sich sehen. Diese sind die Männer der Concentrationskraft, die nervenstarken, die geborenen Redner.

Wenn ich am Abend bei Licht vor einer mit Kreidefiguren

---

[1]) Gesch. des 30jährigen Krieges. Bd. 9. S. 169 der Taschenausg. von 1838.

beschriebenen Tafel stehe, so werden die Figuren auf der Tafel mir eben so wohl verschwinden, wenn Jemand das Licht ausbläst, als wenn er mit dem nassen Schwamm über die Tafel fährt. Eben so wird in der Seele die Erinnerung an einen Gegenstand eben so wohl dann erlöschen, wenn bei völlig wohl erhaltenen Gedächtnißspuren das Licht der Aufmerksamkeit sich verdunkelt, als wenn die Gedächtnißspuren sich verwischen. Wenn z. B. nach Wagner's Bericht [1]) ein gewisser Herr so nervenschwach war, daß schon das Einfallen eines starken Lichtstrahls ins Auge hinreichte, ihm die eben gehabten Vorstellungen aus dem Gedächtniß zu verwischen, so lag dieser Erinnerungsmangel nur in einer verdunkelten oder unsicher gemachten Aufmerksamkeit. Denn die vergessenen Vorstellungen fielen ihm wieder ein, sobald er sein Zimmer aufs neue verhing. Wenn aber dem altersschwachen Kant während seiner vier letzten Lebensjahre alles, was so eben von ihm selbst oder anderen gesprochen worden war, im nächsten Augenblick wieder entfiel, wenn er seinen Freund Jachmann, welcher doch zu dem engeren Kreise seines Umgangs gehört hatte, nach einigen Jahren Abwesenheit nicht wieder erkannte, oder wenn bei einem anderen Greise nach Wagner's Bericht [2]) die Erinnerung selbst für die Namen seiner Frau und Kinder immer nur auf einen Tag ausreichte, so daß er jeden Morgen wieder fragen mußte, wie dieselben hießen? — so sind dies Fälle, in denen wir zweifelhaft darüber gelassen sind, ob das Gemälde selbst oder blos seine Beleuchtung gelitten hatte. Kant selbst gab sich beim Besuche seines Freundes Jachmann der Hoffnung hin, daß wohl nur das letztere der Fall sei. „Es war schmerzhaft zu sehen", schreibt hierüber Jachmann in seiner Schilderung dieses Besuchs bei Kant [3]), „es war schmerz-

---

1) Wagner's „Beiträge zur philos. Anthropol." I, 323 ff.

2) Ebendas. S. 325. Vgl. Schubert's Gesch. der Seele. S. 570.

3) Immanuel Kant, geschildert in Briefen von Jachmann. Königsb. 1804. Vgl. Beneke's pragm. Psychol. II, 291—92.

haft zu sehen, wie der schwache Greis sich anstrengte, um in die Vergangenheit von wenigen Jahren zurückzublicken, und die gegenwärtige Anschauung von mir mit vormals gehabten Vorstellungen zu verknüpfen. Während unseres Gespräches, bei welchem er mich ununterbrochen ansah, rief er einige Male mit einer Aeußerung von Freude aus: Ihr Blick wird mir immer bekannter! Ich hoffte mit Entzücken bei diesem Ausruf, daß er sich meiner vielleicht doch noch erinnern würde. Aber vergebens. Als ich mich zum Abschiede anschickte, bat er mich einige Male: ich möchte mich doch nur seiner Schwester umständlich erklären, wer ich wäre; sie würde es ihm dann wohl gelegentlich beibringen."

Um desto merkwürdiger und beachtenswerther erscheinen daher die Fälle, in denen es unzweifelhaft zu Tage tritt, daß nicht das Gemälde, sondern einzig und allein die beleuchtende Lampe der leidende Theil ist. Hierher gehören z. B. alle die Fälle, in denen eine vorübergehende Vergeßlichkeit einzelne Wörter, Ausdrücke, Namen u. dgl. betrifft. Wo ein solcher Fall aus Nervenschwäche eintritt, wird man immer bemerken, daß das gerade fehlende Wort das ist, auf welchem die Aufmerksamkeit besonders ruhen möchte, oder zu welchem sie über eine Menge von Nebenvorstellungen hineilt, welche dann ohne Schwierigkeit vollzogen werden, während die am Ziel angelangte Aufmerksamkeit ins Zittern kommt. Wie das zu schwache Eis den Schlittschuhläufer trägt, so lange er in rapidem Schwunge darüber hingleitet, sobald er aber zum Stillstand gelangt, unter ihm bricht, so kommen bei überreizter Aufmerksamkeit die Vorstellungen, über welche sie gleitet, zu Stande, während die, auf denen sie ruhet, versagen. So z. B. kommen Fälle vor, in denen die Hauptwörter der Rede, auf denen die Aufmerksamkeit ruhet, vergessen sind, während die Nebenwörter sich ohne Anstoß reproduciren. Der Patient sieht sich dann alle Augenblicke gezwungen zu sagen: ich möchte nun gern diesen Gegenstand benennen, bin es aber nicht im Stande. Am 17. März 1832 wurde ein Irländer Namens Fagan, 23 Jahre alt, ein starker, kräftig gebauter Mensch, in das Stevens-Hospital zu Dublin gebracht, mit einer schweren Kopfwunde von 5 Zoll Länge, die ihm in einem Wirthshausstreite ein Dragoner mit dem Säbel versetzt hatte. Nach zwei Monaten war die Wunde geheilt, und nun zeigte sich eine merkwürdige Veränderung in seinem Gedächtniß. Länger als einen Monat nach seiner Heilung sagte er dem Arzt: er kenne Alles, was er sehe, nur wisse er keinen Namen dafür. Man zeigte ihm einen Knopf, und sogleich sagte er lachend: „das ist ein, ein, ein — ach, ich kann nicht sagen, was es ist, aber es ist ein" — mit diesen Worten zeigte er auf einen Knopf an seinem Rocke [1]).

Von verwandter Art ist der Zustand des Stotterns, sowohl dessen, was aus momentaner Verlegenheit entspringt, als auch dessen, was sich als habitueller Zustand ausbildet. Es ist ein Wanken der Aufmerksamkeit in dem Augenblicke, wo sie die motorische Gedächtnißspur des auszusprechenden Wortes betritt, und zwar immer des Wortes, auf welchem ein gewisser Nachdruck liegt, während sie über die Nebenwörter leicht und schnell hingleitet. Wird das Wort, auf welchem die Aufmerksamkeit taumelt, von einem Andern vorgesagt, und dadurch die Aufmerksamkeit stärker und fester auf dasselbe geheftet, so spricht der Stotternde sofort dasselbe nach, und fährt im Reden fort.

Ein Organist und ein Cantor meiner Vaterstadt, welche beide in gleich hohem Grade an dem Fehler des Stotterns litten, trafen einander auf der Orgel, wohin der Organist den Cantor hatte rufen lassen, weil er den Schlüssel zur Bälgekammer nicht finden konnte. „Herr Cantor, wo haben Sie den S" — und nun stak der Organist im S, und konnte nicht darüber hinaus.

1) Medical- and Surgical-Journal of London. Vollständige Geisteskunde nach Gall. S. 514 ff.

Der Cantor, welcher errieth, daß von einem Schlüssel die Rede sei, aber nicht wußte von welchem, fiel ein: „Herr Organist, welchen S“ — und nun stak auch er im S, und sie zischten so lange einander an, bis ein dritter dazwischen rief: zum Henker, so sagen Sie doch Schlüssel — „Schlüssel“ — tönte es sogleich zu beiden Seiten nach.

Sobald man dem Stotterer das Wort, an welchem er stockt, vorsagt, spricht er es jedesmal geläufig nach. Denn nun wird die Gedächtnißspur des Wortes durch den gleichartigen Eindruck im Ohr so verstärkt, daß sie Kraft gewinnt, die wankende Aufmerksamkeit zu halten und zu befestigen. Eben so wird das Stottern beim Lesen sogleich aufhören, weil die die Aufmerksamkeit fesselnden Gedächtnißspuren hier allesammt durch sinnliche Eindrücke verstärkt sind. Das Lesen verhält sich zum freien Sprechen, wie das Gehen an der Krücke zum frei schwebenden Gange, oder wie das Recitiren mit Souffleur zum Recitiren ohne Souffleur. Das Lesen muß daher in jeder Weise leichter sein, als das freie Reden, und es müssen Fälle denkbar sein, in denen die wankende Aufmerksamkeit noch das erstere leistet, während sie das andere versagt. Folgenden Fall dieser Art berichtet das Mauchartsche Repertorium [1]): Ein Mann, vom Schlagfluß gelähmt, schien die Sprache so ganz verloren zu haben, daß er alle seine Wünsche und Bedürfnisse, da er nicht schreiben konnte, durch Zeichen ausdrücken mußte. Im Anfang verstanden die Seinen die Zeichen nur selten, er gab sich dann im Unwillen alle Mühe zu sprechen, brachte aber nur unarticulirte Laute hervor. Dessenungeachtet las er bald wieder, an jedem Morgen und Abend, sein Morgen- und Abendgebet aus einem Buche laut, völlig vernehmlich und ohne einigen Anstoß her; als ob sein Sprachvermögen gar nicht gelitten hätte. Das erste Mal, als

1) Mauchart und Tschirner, „Neues allgem. Repertorium für empir. Psychologie“ Bd. 1 S. 105.

dies geschah, freuten sich die Seinigen, weil sie glaubten, er hätte den Gebrauch der Sprache ganz wieder erlangt, und erwarteten nun, er würde den Tag über sprechen; er aber blieb bei seinen stummen Zeichen, so oft und mühsam er sich auch anstrengte, nur ein einziges Wort aus freiem Triebe zu sprechen. Auf diese Weise fuhr er mit seinen Gebetsübungen fort, und von nun an bis zu seinem Tode blieb es so, daß er zwar laut und vernehmlich lesen, aber von sich selber kein Wort sprechen konnte. In ähnlicher Weise verlor nach Wagner's Bericht[1]) eine gewisse Gräfin durch heftige Anfälle von Krämpfen das Gedächtniß jedesmal so, daß ihr die Worte und Namen zur Bezeichnung der äußeren Gegenstände und ihrer eigenen Gefühle beim Sprechen niemals einfielen. Dabei aber las sie Bücher ohne allen Anstoß und vollkommen verständig, und drückte eben so im Schreiben ihre Gedanken durchaus richtig und im besten Zusammenhange aus.

Wenn die sich erinnernde Aufmerksamkeit auf einer Gedächtnißspur wankt und zittert, so geschieht es ihr auch häufig dabei, daß sie auf eine in der Nähe befindliche ähnliche ausgleitet. Dann entstehen die Vertauschungen und Verwechselungen sowohl von Wörtern als Begriffen. So hörte ich einst von einer vom Schlage gerührten Alten, die sich an einem Sommertage vor der Hausthüre sonnte, mit dem Blicke zum heitern Himmel sagen, sie freue sich, noch einmal den lieben Herrngott zu sehen. Also Herrgott statt Himmel. Wenn, wie Hofbauer erzählt[2]), ein Mann, welcher betrunken nach Hause ging, die Straße im Mondschein für einen Fluß ansah, und sich nun entkleidete, um über selbigen zu schwimmen; wenn nach Eisenhart's Bericht[3])

---

1) Wagner's Beiträge zur philos. Anthropol. I, 323. Vergl. Schubert's Gesch. der Seele. S. 569.

2) Hofbauer, „Von den Krankheiten der Seele" II, 40.

3) Erzählungen von besond. Rechtsfällen I, S. 15. Vgl. Friedreichs Magazin für Seelenkunde. 1834. Hft. I, S. 94.

zwei betrunkene Bauern einst aus Gespensterfurcht mit einander auf Tod und Leben kämpften, weil sie einander in der Dunkelheit für Gespenster von Schwedischen Reitern hielten, wobei dann der eine wirklich auf dem Platze blieb; wenn jener in der Betrunkenheit die Treppe herabgestürzte Geheimrath seinen zu Hülfe geeilten Sekretär theilnehmend fragte, ob der Herr Sekretär von seinem Falle auch Schaden genommen habe; wenn der delirirende Nervenfieberkranke auf sich selbst weisend ruft, ihm doch diesen lästigen Gast aus dem Bette zu schaffen, oder wenn er seine kranken Gefühle auf einen vor ihm sitzenden Freund überträgt, sagend, dieser leide große Schmerzen, Durst, man möge demselben daher zu trinken geben u. dgl.: so sind diese Verwechselungen von Empfindungen und Begriffen lauter Erzeugnisse einer durch Nervenüberreizung ins Zittern und Wanken versetzten Aufmerksamkeit. Der wahnsinnige Sörgel hieb, nach Feuerbach's Bericht [1]), dem Taglöhner Eichmüller, nachdem er denselben ermordet hatte, beide Füße ab, damit man ihm, wie er aussagte, dieselben nicht in den Block spanne, und verwechselte demnach die Person des Gemordeten mit seiner eigenen, während der im Wahnsinn verübten That. Denn er selbst, Sörgel, war es, welchen bei verübter That die Furcht überfiel, man möchte ihn ergreifen und im Gefängniß seine Füße in den Block spannen. Deshalb hieb er sie ab, nicht zwar sich, wohl aber dem Ermordeten, mit dessen Person er sich in diesem Augenblick verwechselte.

Wenn die Zustände großer Nervenaufregung zu Verwechselungen, sowohl in Bezug auf das Auffassen als das Wiedererinnern, disponiren, so wird dadurch um so begreiflicher, daß die Riesen an natürlicher Gedächtnißkraft sich in den meisten Fällen als Menschen von mäßigen Genüssen und geringen Be-

---

1) Feuerbach's „Actenmäßige Darstellung merkwürdiger Verbrechen" I, 264.

dürfnissen kund gegeben haben. Als den mäßigsten aller Menschen z. B. zeigte sich Anton Magliabecchi, der Zeitgenosse von Leibnitz und Bibliothekar des Herzogs Cosmus III. von Medici, welcher unter den Phänomenen von natürlichem und nicht durch künstliche Hülfsmittel nur in die Höhe geschraubtem Gedächtniß wohl als das höchste glänzt, indem er nach einmaligem Einblick in ein Manuscript den Inhalt desselben gewöhnlich besser inne hatte, als er dem Autor selbst bekannt war. Drei hart gesottene Eier und ein Trunk Wasser waren sein gewöhnliches Mahl [1]).

Als momentanes Mittel der guten Erinnerung wirkt Alles, was dient, die Aufmerksamkeit zu sammeln, zu beruhigen und von der Zerstreuung auf zu viele Gegenstände abzuziehen. Zunächst also die Einsamkeit und die Stille der Nacht. Der Mathematiker Johann Wallis, welcher nach Wolff's Bericht [2]) im Jahre 1670 bei Gelegenheit eines Besuchs durch den Mathematiker Pelshover aus Königsberg im bloßen Gedächtniß aus einer 53ziffrigen Zahl die 27ziffrige Quadratwurzel auszog, verrichtete dies in der Stille der finsteren Nacht, und rühmte sich überhaupt, er habe in der finsteren Nacht größere Exempel im Kopfe gerechnet, als man am Tage für möglich halten sollte [3]). Eine Prise Schnupftaback wirkt dadurch gedächtnißstärkend, daß sie Zeit giebt, einen Augenblick im Reden inne zu halten, und sich zu besinnen. Doch wirkt auch alles Erheiternde und angenehm Beruhigende günstig auf die Spannung der Aufmerksamkeit, wie gesunde Luft, gute Verdauung, heiteres Wetter, gute Geschäfte u. dgl. Ist hingegen die Aufmerksamkeit ermattet und schläfrig, so müssen statt der Beruhigungsmittel aufregende Reize

---

1) Schubert's Gesch. der Seele. S. 569.

2) Chr. Wolff's „Vernünftige Gedanken von Gott, der Welt und der Seele" § 263.

3) Joh. Wallis Algebra c. 103 f. 449. vol. II. oper.

eintreten. Aber alle äußeren Reize, weder die beruhigenden noch die aufregenden, helfen für sich nichts, wenn nicht der innerliche Hauptreiz vorhanden ist, welcher die Aufmerksamkeit regiert, indem er sie zugleich befeuert und besänftigt, nämlich das lebhafte Interesse für die Gegenstände, deren man sich erinnern will. Wer seine Interessen gänzlich in der Gewalt haben könnte, nur der würde Herr seines Gedächtnisses sein. Friedrich der Große nahm alle Morgen zur Stärkung des Gedächtnisses Senf zum Kaffee. Dies ist Aberglaube.

Die Bemerkung des Aristoteles [1]), daß, wer schnell und leicht auffaßt, zwar selten das Aufgefaßte lange behält, hingegen das, was davon ist sitzen geblieben, auch wieder leicht und schnell zur Disposition hat, findet darin ihre gute Begründung, daß es dieselbe Thätigkeit der Aufmerksamkeit ist, welche das Auffassen und das Erinnern bewerkstelligt. Denn das Erinnern ist nichts weiter, als ein inwendiges Wiederfassen. Eine im Fassen schnell bewegliche Aufmerksamkeit wird auch im inneren Wiederfassen ihre Behendigkeit nicht verläugnen. Wodurch aber Aristoteles auf den Einfall gekommen ist [2]), daß die zwergartigen Menschen, so wie auch die kurzbeinigen, ein schlechteres Gedächtniß hätten, als andere Leute, ist schwer zu sagen.

Von der in der sentimentalen Zeit des vorigen Jahrhunderts eingerissenen Koketterie mit einem schlechten Gedächtniß, das man für eine Zugabe der höheren Verstandesbildung hielt, ist man längst wieder zurückgekommen auf den Sinn des antiken Mythus, daß Mnemosyne, die Göttin des Gedächtnisses, die Mutter der Musen sei. Denn das Gedächtniß ist Mutter der Wissenschaften, der Künste und aller Bildung. Vielleicht ist unsere Zeit im Gegentheil daran, zu viel Werth auf Gedächtnißarbeit zu legen, wozu sie durch die seit dem vorigen Jahrhundert

---

1) Aristoteles, De memoria et reminisc. C. 1. p. 1450. Pac.
2) Aristoteles l. l. C. 2. pag. 1450. Pac.

aufgehäufte Masse des Wissens nur zu leicht verführt ist. Erinnern wir uns aber fortwährend, daß das Gedächtniß, eine wie herrliche und unentbehrliche Kraft auch dasselbe ist, doch immer nur dem Verschlingen einer Speise gleicht, welche ihre ernährende Wirkung erst dadurch erhält, daß sie mit dem Verstande verdaut wird.

Dritter Vortrag.

Ueber die Einbildungskraft.

Verlerne nicht, die Hand zu preisen,
Die an des Lebens ödem Strand
Den weinenden, verlassnen Waisen,
Des wilden Zufalls Beute, fand,
Die frühe schon der künft'gen Geisterwürde
Dein junges Herz im Stillen zugekehrt,
Und die befleckende Begierde
Von deinem zarten Busen abgewehrt,
Die gütige, die deine Jugend
In hohen Pflichten spielend unterwies
Und das Geheimniß der erhabnen Tugend
In leichten Räthseln dich errathen ließ.

Schiller.

Wer hat nie den süßen Zauber, die verführerischen Reize der Einbildungskraft empfunden? wer sich vor ihren Täuschungen und Gaukelspielen nicht schon einmal ernsthaft zu hüten gehabt? Besonders in der Wissenschaft, wie überhaupt in allen ernsten Geschäften des Lebens greift die Phantasie gar zu häufig störend ein, und ist daher als eine schalkhafte Betrügerin hier auch von jeher mit allen möglichen Steckbriefen, Ausweisungsdekreten und Verdammungsurtheilen ebenso unermüdlich als vergeblich verfolgt worden.

Es kann daher keine Frage sein, daß wir es hier mit einem höchst mächtigen Wesen zu thun haben, und die Macht und Gewalt, wenn sie eine so unwiderstehliche ist, wie hier, führt immer etwas Respect Einflößendes bei sich. Das Meer, die Feuersbrunst setzen uns in Respect, wir staunen sie mit Bewunderung, ja mit Grausen an, nicht obgleich, sondern weil sie Schiffe verschlingen und stolze Gebäude verzehren. Aehnlich ist es mit der Phantasie. Die Wirkungen des Verstandes gehen Schritt vor Schritt, sie kommen ordnungsgemäß, vorbereitet und erwartet. Auch die Menschen mit vorwaltender Gefühlstiefe sind gewöhnlich zuverlässig und treu, und wissen die wahre Beschaffenheit der Dinge, die sie lieben oder hassen, mit dem Senkblei ihres Instincts recht sicher zu ergründen. Der phantastische Mensch hingegen ist gar nicht zu berechnen; man weiß nie, wessen man sich von ihm zu versehen hat, weil seine Gefühle und Gedanken sich nie nach der wahren Beschaffenheit der Dinge selbst, sondern immer nach einer der unendlich vielen Seiten richten, welche die Sache in der

Phantasie zufällig herauskehren kann. Die Seele berauscht sich so beständig in ihren eigenen Mitteln, und reißt das Leben in einen Strudel von Empfindungen und Handlungen, die, weil sie auf keiner reellen Grundlage stehen, über kurz oder lang den Ruin in Aussicht stellen.

Darum denn verdient die Phantasie unter den Mächten der Seele den Beinamen der gewaltigen und grauenerregenden Zerstörerin. Aber in eben dem Grade verdient sie doch auch den Namen einer Zauberin, einer schöpferischen Fee, eines productiven Vermögens. Denn sie weiß ganz neue Welten um uns herum zu zaubern. „Eine innere Natur der Seele ist da", sagt der sinnige Schubert[1]), „voller mannichfacher Gestalten, Bewegungen und Töne. Diese innere Natur zeigt sich dann am mächtigsten, wenn die äußere Welt den Sinnen sich entzogen hat, oder sie tritt auch mit eigenthümlich hellerem Glanze mitten in diese äußere Natur hinein, und strahlt aus den von außen empfangenen Eindrücken hervor, wie ein vom hellen Kerzenlicht beleuchtetes Gemälde der Menschenhand über die von Mondlicht bestrahlte Landschaft." „So seltsam es klingt", bemerkt Wieland im Agathon[2]), „so gewiß ist es doch, daß die Kräfte der Einbildung dasjenige weit übersteigen, was die Natur unseren Sinnen darstellt: sie hat etwas glänzenderes als Sonnenglanz, etwas lieblicheres als die süßesten Düfte des Frühlings zu ihren Diensten, unsere inneren Sinne in Entzückung zu setzen; sie hat neue Gestalten, höhere Farben, vollkommnere Schönheiten, schnellere Veranstaltungen, eine neue Verknüpfung der Ursachen und Wirkungen, eine andere Zeit, — kurz, sie erschafft eine neue Natur, und versetzt uns in der That in fremde Welten, welche nach ganz anderen Gesetzen als die unsrige regiert werden."

Sie schafft aber nicht nur an die Stelle der wirklichen

---

1) Schubert's Gesch. der Seele. § 37.
2) Wieland's Agathon. Zweiter Thl. Leipz. 1773. S. 74.

Welt andere Welten, sondern auch an die Stelle des wirklichen Leibes einen Wahnleib. Der an Zahnweh Leidende bekommt in der Phantasie zolllange Zähne, der an Kopfschmerz Leidende einen Kopf groß wie ein Wasserkürbis, der Fieberkranke phantasirt, daß es ihm zwar selbst nicht so schlecht gehe, daß aber eine todtkranke Person neben ihm im Bette liege, welcher man zu Hülfe kommen möge; der Invalide fühlt mit dem Witterungswechsel Schmerzen im abgenommenen Bein. Seine Phantasie erzeugt ein Bein, und dieses Phantasiebein ist sein Barometer.

Die Stoiker hatten nicht Unrecht, wenn sie lehrten, daß der größte Theil dessen, was wir Glück und Unglück, Freude und Leid nennen, von der Phantasie abhänge, und daß es daher nur darauf ankomme, seine Phantasie mit dem Verstande zu beherrschen, um glücklich zu sein. Sie versahen es nur darin, daß sie dieses für so leicht hielten, und glaubten, es bedürfe hierzu nichts weiter, als eines einfachen Entschlusses. Pompejus besuchte — so erzählt Cicero[1]) — als er aus Syrien zurückkam, auf Rhodus den berühmten Stoiker Posidonius, welcher hart an Gichtschmerzen litt, und äußerte ihm sein Bedauern, keinen philosophischen Vortrag von ihm hören zu können. Zur Antwort begann Posidonius sogleich einen Vortrag voll Feuer und Beredtsam-

1) Cic. Tusc. II, 25. Posidonium et ipse saepe vidi, et id dicam, quod solebat narrare Pompejus: se, quum Rhodum venisset decedens ex Syria, audire voluisse Posidonium: sed quum audivisset, eum graviter esse aegrum, quod vehementer ejus artus laborarent, voluisse tamen nobilissimum philosophum visere: quem quum vidisset et salutavisset, honorificisque verbis prosecutus esset, molesteque se dixisset ferre, quod eum non posset audire: at ille Tu vero, inquit, potes: nec committam, ut dolor corporis efficiat, ut frustra tantus vir ad me venerit. Itaque narrabat, eum graviter et copiose de hoc ipso, nihil esse bonum nisi quod honestum esset, cubantem disputavisse: quumque quasi faces ei doloris admoverentur, saepe dixisse: Nihil agis dolor: quamvis sis molestus, nunquam te esse confitebor malum.

keit über das Thema, daß Schmerz kein Uebel sei, wobei er, so oft der Gliederschmerz stärkere Anfälle machte, denselben harangirte: „Schmerz, du richtest nichts aus; tobe so viel du willst, nie werde ich, daß du ein wirkliches Uebel seist, zugestehen."

Hätte der Mensch die Gewalt, von Seiten seiner Vernunft die Einbildungskraft vollständig zu beherrschen, dann wäre auf einmal Harmonie und Frieden in der Menschenbrust hergestellt, dann gliche der Mensch nicht mehr einem Wagen mit aus der Bahn gewichenen Rossen, dann wäre ein ganz anderer Verlaß sowohl auf Andere, als auch auf uns selbst. Hier muß aber Wahrheit und Aufrichtigkeit über Alles gelten. Wer in der Phantasie lauter umdüsterte Bilder und Nebel hat, dem werden sie durch die Vernunft nicht hell. Wer uns hingegen heitere Phantasie giebt, der giebt uns Jugend, Verjüngung und guten Muth. Kann die Vernunft diese verleihen? Die Weisheit hat nichts von Jugend. Sie malt grau in grau. Sie stellt die strengsten und präcisesten Forderungen an unseren Willen, aber eine in allen Fällen ausreichende Kraft, oder was dasselbe sagt, einen durch keine widrigen Erfahrungen mürbe zu machenden Jugendmuth zur Erfüllung derselben verleihet sie uns nicht. Mit gerunzelter Stirn sitzt die Weisheit, und sieht sich um nach einer Hülfe, welche das leiste, was sie selbst aus sich allein nicht vermag, und ohne welches sie doch mit sich selbst in Widerspruch geräth.

Da kommt ein heiteres Kind gesprungen, und löset scherzend alle die schwierigen Knoten. Fröhlich wird es von der Vernunft begrüßt. Denn es hilft ihr, und führt aus, was jene begehrt. Sogar noch weit mehr, als jene für möglich hielt. Aber man nehme sich in Acht damit, es ist ein gar zügelloses Kind. Die Großmutter Weisheit sucht es nothdürftig in Ordnung zu halten mit guten Worten und Zureden. Viel hilft es nicht. Denn das Kind weiß, daß die Großmutter, wenn sie ganz von ihm verlassen wäre, übler daran sein würde, als bei all seinem Spektakeln und Rumoren, es weiß, daß die Großmutter lahm ist, und daher das Allermeiste, was verrichtet werden soll, doch durch den guten Willen des Kindes muß verrichten lassen.

Mit dürren Worten: die Phantasie ist unser aller Tyrann. Wir wissen aber, daß das nicht sein sollte. Und so wie in diesem Wissen die erste Handhabe liegt, uns von dieser Tyrannei zu befreien, so liegt die zweite in einer richtigen psychologischen Erkenntniß von der näheren Einrichtung und der Wirkungsweise dieser Seelenthätigkeit. Mehr Mittel haben wir nicht zur Hand, und wir müssen daher mit diesen, so gut es geht, hauszuhalten suchen.

Um nun näher in den Gegenstand einzudringen, möge zuerst ein Gleichniß dienen:

Ich vergleiche die Seele einer Uhr, an welcher die umgehenden Räder durch die Einbildungskraft und das Getriebe ihrer Vorstellungen, die ziehenden Gewichte durch Triebe und Neigungen, das Perpendikel durch die regulirende Vernunft dargestellt werden. Denn so wie in der Uhr alle Wirkungen auf einer Bewegung von Rädern beruhen, so beruhen in der Seele alle Wirkungen auf einer Erzeugung von Bildern und Vorstellungen, die wir die Thätigkeit der Bildererzeugung oder Einbildung nennen zum Unterschiede von den die Erzeugung bewirkenden Trieben und Gefühlen einerseits, andererseits von der dieselbe regulirenden Vernunft. Diese drei verschiedenen Thätigkeiten stehen in genauer Wechselwirkung, und wir werden daher zur Aufklärung der Wirkungen der Phantasie auch auf das Spiel der anderen mit Rücksicht zu nehmen haben, aber nur so weit es zum Zwecke einer Beschreibung jener erfordert wird.

Geläufig ist in aller Welt Munde der Gegensatz von reproductiver und productiver Einbildungskraft. Unter ersterer wird die Wiedererzeugung aufgefaßter Bilder aus der Wirklichkeit, unter letzterer die Neuschöpfung eigenthümlicher Gebilde verstanden. Dieser Gegensatz ist vorhanden. Aber er läßt sich nicht vollständig und in seiner wahren Beschaffenheit auffassen, wenn man nicht auf eine dritte Einbildungsthätigkeit zugleich mit Rücksicht nimmt, mit welcher man im Allgemeinen sich weniger bekannt zeigt, nämlich auf die wahrnehmende oder auffassende. Und doch ist es gerade diese, auf welcher die beiden anderen beruhen, und in welcher sie ihre Erklärung finden. Es muß daher von dieser ausgegangen werden, wenn die anderen in ihr rechtes Licht treten sollen.

Sobald von einem Menschen die Rede kommt, bei welchem die Einbildungskraft überwiegend vor anderen Seelenvermögen ausgebildet sei, so pflegt man darunter gerade nicht zu verstehen, daß dieser Mensch vorzugsweise die Geometrie zu seiner Beschäftigung gemacht habe. Und doch ist der Raum, mit dessen Verhältnissen sich der Geometer ausschließend beschäftigt, ein Erzeugniß der wahrnehmenden oder auffassenden Einbildungskraft. Der Raum z. B., in welchen ich erfernte Gegenstände beim Sehen versetze, wird durch meine Einbildung aus eigenen Mitteln erzeugt. Denn wie könnte ich wohl sonst über die Entfernung eines gesehenen Gegenstandes so häufig in Zweifel sein? wie das Bild des Gegenstandes im Raume meiner Auffassung so lange hin und wieder rücken, bis es endlich an die Stelle gelangt, welche mir nach allerlei Muthmaßungen die richtige zu sein scheint? Wenn das Lichtbild der magischen Laterne sich verkleinert, so scheint es dem Zuschauer ferner zu rücken, vergrößert es sich, ihm näher zu kommen; diese Nähe und Ferne ist nirgends, als in der Phantasie[1]). Beim Anschauen einer gemalten Perspective

1) Als ein besonders interessantes Beispiel gehört hierher auch das, welches Fries (Neue Kritik der Vern. Heidelb. 1807. I, 103) mit folgenden Worten erwähnt: „Wir wissen sehr wohl, daß der Mond ein Himmelskörper ist, und daß er, wenn er aufgeht, unten am Horizont nicht größer ist, als wenn er hoch am Himmel steht; auch ist das Farbenbild, welches wir von ihm erhalten, unten eben so groß, als oben, wie wir finden können, wenn wir es messen; demungeachtet aber bilden wir uns ein, ihn unten, wenn er eben erst über den Horizont heraustritt, weit größer zu sehen, als wenn er hoch am Himmel steht. Hier ist die Vorstellung von der Größe des Mondes in der Anschauung desselben eine Vorstellung der productiven Einbildungskraft."

bekommt die Leinwand, welche uns Anfangs als Fläche erschien, immer stärkere Vertiefungen, freilich nirgends anderswo, als in unserer Phantasie. Die ganze Malerkunst ist ein Vexirspiel, das mit unserer Phantasie getrieben wird. Aber der Maler benutzt bei diesem Spiele nur dieselbe Wirkungsweise der Einbildungskraft, vermöge deren wir die wirklichen Gegenstände außer uns erblicken. Denn die Physiologie lehrt, daß das beim Sehen vom Sehnerven Empfundene nichts weiter, als ein winziges Miniaturbildchen auf der Netzhaut in der Tiefe des Augapfels ist. Folglich werden die Bilder der gesehenen Gegenstände niemals an ihren wirklichen Orten gesehen, sondern die im Auge erzeugten Empfindungen des Sehnerven werden vermöge der wahrnehmenden Phantasie aus dem Auge in gewisse Entfernungen hinausgeworfen oder projicirt.

Aber auch bei der Auffassung zeitlicher Verhältnisse hat die Phantasie die Hand mit im Spiel. In einem Musikstücke z. B. höre ich die Töne, aber die Pausen höre ich nicht. Womit sollte ich also wohl das Zeitmaß, womit sie die Töne unterbrechen, hinzufügen, als mit der Phantasie? Und warum werden uns bei peinlicher Erwartung die Augenblicke so lang, warum fliegt bei unterhaltender Kurzweil die Zeit so rasch dahin? Dehnt sich die Zeit im ersten Falle wirklich in die Länge? geht die Sonne wirklich träger auf und unter? fließt das Wasser im Flusse wirklich langsamer? Niemand wird das glauben. Ueberaus zierlich drückt sich über diesen Gegenstand der große Psychologe Shakespear aus. „Die Zeit“, sagt er in: Wie's euch gefällt [1]), „hält, wie ein Roß, mit verschiedenen Personen verschiedenen Gang. Sie schleicht mit einem jungen Mädchen zwischen dem Verlöbniß- und dem Hochzeittage. Wenn auch nur eine Woche dazwischen ist, so währt diese ihr länger, als sieben Jahre. Sie geht den Paß mit einem Priester, der kein Latein versteht, und

1) Shakespear, „Wie's euch gefällt“, 3. Aufz. 8. Auftr.

mit einem reichen Manne, der nicht an Podagra leidet. Denn der eine schläft ruhig, weil er nicht studiren kann, und der andere lebt lustig, weil er keinen Schmerz hat. Sie galoppirt mit dem Diebe zum Galgen. Still aber steht sie mit Richtern in den Ferien. Denn da schlafen sie von einem Termin zum andern, und merken gar nicht, daß die Zeit fortrückt."

Wir dehnen also bei der Wahrnehmung der Gegenstände unaufhörlich aus eigenen Mitteln die Räume und Zeiten entweder weiter aus oder ziehen sie enger zusammen, woraus hervorgeht, daß der Raum und die Zeit, welche in dieser Weise gedehnt und verengt werden können, uns selbst angehören. Sie bilden gleichsam ein Gehäuse, in welchem wir festsitzen, wie in einem Wohnhause unserer inneren Natur. Das Meiste von dem, was wir glauben von Außen her zu empfangen, wird bloß aus den Mitteln dieses inwendigen Gehäuses von uns selbst entworfen. Das Gehäuse hat nämlich eine gewisse angeborene kleinste Gestalt, in welche es sich zusammenziehen kann, es läßt sich aber auch nach allen Seiten hin ausziehen wie ein Tubus. Nun vollziehen wir diese Ausstreckungen, welche wir die Räume der Außenwelt nennen, zwar nie ohne besondere Veranlassungen dazu. Aber sobald diese Veranlassungen kommen, wird Alles ganz nur aus eigenen Mitteln vollzogen.

Aber auch auf die Empfindungen der Sinne, die Farben, Töne, Gerüche und Geschmäcke behauptet die auffassende Einbildungskraft einen großen Einfluß. Eine Speise, bei welcher wir, wenn auch grundlos, eine unreinliche Zubereitung vermuthen, fängt an uns unangenehm zu schmecken; unser Geschmacksnerv wird von der Phantasie aus verändert und umgestimmt. Die Stimme des Menschen, den wir lieben, klingt uns melodisch, sollte sie auch rauh sein; unser Gehörnerv faßt anders auf. Rothe Wangen, welche wir mit Wohlgefallen ansahen, erscheinen uns ganz anders, sobald wir erfahren, daß dieselben geschminkt sind; die Farbe eines Tuches ganz anders, je nachdem dieselbe in oder aus der Mode ist. Es ist daher die Annahme nicht zu umgehen, daß auch hier die Phantasie an dem Thatbestande der Natur, den sie zwar bis auf eine gewisse Grenze muß bestehen lassen, doch so viel drehet und modelt, als sie nur kann. Aber auch selbst in dem, was sie muß bestehen lassen, besitzt sie niemals das, was sie empfängt, sondern immer nur das, was sie aus dem Empfangenen macht. Wir sehen nicht die Lichtschwingungen, welche unseren Sehenerven berühren, sondern der Sehenerv erzeugt in der Phantasie einen Farbeneindruck, welcher mit jenen Schwingungen gar keine Aehnlichkeit hat. Eben so ist es beim Hören, Riechen und Schmecken. Farben, Gerüche, Geschmäcke und Töne sind von demselben Stoffe, aus welchem die Träume gemacht sind, Stoff der Phantasie. Ja, der Traum übertrifft manchmal in Anfertigung dieser inneren Fabrikate an Feinheit, Lebhaftigkeit und Reinheit der Empfindung noch bei weitem das, was die Wahrnehmung der Wirklichkeit in dieser Hinsicht leisten kann.

Darum ist nun aber auch jener Phantasieleib, jenes aus- und einziehbare Gehäuse, das die Seele unabtrennbar umgiebt, nicht ein Einbildungsraum im Sinne einer bloßen Fiction, sondern ein Einbildungsraum im Sinne einer Wirklichkeit. Alle Erdichtungen gehen von ihm aus, werden aus seinem Stoffe verfertigt; er selbst ist keine Dichtung, sondern etwas eben so Wirkliches, als wir selbst. Denn er ist ein unabtrennbarer Bestandtheil unserer Seele. Wie der Schneider das Kleid, das er verfertigt, aus dem heilen Tuch, wie der Schuhmacher den Schuh aus dem heilen Leder herausschneidet, so wird alle Erkenntniß der Außenwelt aus dem Stoffe dieser Selbsterkenntniß, dieses Phantasie- oder Empfindungsleibes herausgeschnitten. Auf seinen Anschauungen beruhet auch die Wissenschaft der Geometrie, in welcher wir es eben so sehr mit Erzeugnissen unserer eigenen Einbildungskraft zu thun haben, als sie zugleich der Schlüssel ist, welcher uns die Erkenntniß der Außenwelt aufschließt.

Wie verhält sich denn nun dieser Empfindungsleib unserer Seele, dieses Wohnhaus der Phantasie, zu unserem wirklichen und betastbaren Leibe? Sie stimmen nicht immer mit einander überein. Wenn z. B. der junge Eber um sich haut, als ob die Hauzähne ihm schon gewachsen wären, so fühlt er in seinem inwendigen Empfindungsleibe schon die Zähne, welche an seinem wirklichen Leibe erst wachsen sollen. Auch Hirschkälber machen possirliche Versuche, die noch nicht gewachsenen Geweihe zu gebrauchen, welche also in ihrer Einbildung schon existiren. „Ich stelle mir", sagt Reimarus über diesen Gegenstand [1]), „eine Empfindung des Triebes der Natur vor, da sie zur Hervortreibung solcher Werkzeuge und Waffen arbeitet. Mit der Bewegung der dahin fließenden Säfte entsteht die Empfindung von diesem Zuschusse, und ein Bemühen zur Bewegung und zum Gebrauche solcher Theile, die noch in ihrem Keime verborgen liegen. Wir sehen eine ganz ähnliche Wirkung an dem Flattern junger Vögel, ehe ihnen die Federn recht gewachsen sind. Und ich meine nicht zu irren", fügt Reimarus hinzu, „wenn ich es solchem Zuschusse der Säfte beimesse, daß der Wurm eines männlichen Hirschkäfers sich bei seiner Verwandlung eine Grube gräbt, die seine Länge zweimal übertrifft. Denn unter seiner Puppenhaut liegt ihm das Horn, welches er künftig ausstrecken soll, und wohin schon jetzt die Säfte schießen, am Bauche; daher das Bemühen zur Ausstreckung desselben, und folglich zu einer gemäßen Bereitung der Grube zu entstehen scheint. Das Weiblein aber eben des Käferwurms macht sich keine so lange Höhle, weil seine innere Bildung kein solches Horn enthält, und also zu dessen Ausstreckung so wenig, als zu der Erweiterung des Raums einen Drang giebt." Da nun der Trieb zur Ausstreckung des Horns in diesem Falle nothwendig mit der Empfindung des bereits ausgestreckten Hornes verbunden gedacht werden muß, so stimmt auch

1) Reimarus „Ueber die Kunsttriebe der Thiere", im Anhang, S. 54.

in diesem Falle der Leib des Thieres, wie er in seiner eigenen Empfindung lebt und ist, nicht mit dem wirklichen Leibe desselben überein, indem sich an jenem bereits ein Organ entwickelt findet, welches an diesem noch unentwickelt ist. Und so wie die Larve des Hirschkäfers eine Grube gräbt für ein noch nicht vorhandenes Horn, ähnlich bauen die Bienen Zellen für einen noch nicht vorhandenen Honig; sie legen so lange Phantasiehonig hinein, bis sie denselben mit wirklichem vertauschen können. Bei ihnen bildet dieser Phantasiehonig eben so sehr einen unabtrennbaren Bestandtheil ihres inneren Leibes, wie bei der Larve des Hirschkäfers das Phantasiehorn.

Aber auch bei Menschen stimmt die Figur des psychischen Leibes mit der des materiellen nicht immer überein. Bettina gesteht in ihrem Briefwechsel mit Goethe, daß sie sich immer groß und schlank vorgekommen sei im Widerspruch mit ihrer wirklichen Gestalt. Das Einherstolziren des Eitlen mit emporgerissenem Nacken und auf den Zehen sich schaukelnden Füßen zeigt deutlich an, daß sein psychischer Leib sich zu einer Hoheit der Gestalt erhoben fühlt, zu welcher sein materieller Leib vergeblich sich emporzurichten trachtet. Der Verrückte, welcher sich einbildet von Glas zu sein, so daß er fürchtet, bei jedem geringsten Anstoß zu zerbrechen, hat in seinem Phantasieleibe Empfindungen, welche mit der Beschaffenheit seines natürlichen Leibes nicht stimmen. Der im Kampfe Zaghafte fühlt sich schwächer in seinen Gliedern, als er wirklich ist; beim Tollkühnen übersteigt umgekehrt das Kraftgefühl in seinem Phantasieleibe das Maß der in seinem wirklichen vorhandenen Muskelkraft.

Ein auffallender Charakter an unserm inwendigen Leibe ist seine Virtuosität im Nachahmen der Zustände, von denen die äußeren Zeichen zu ihm gelangen. Er gleicht in diesem Punkte einem Schauspieler, welcher mehr oder weniger die Rollen bei sich selber durchzuspielen fähig ist, welche ihm von außen vorgespielt werden. Zeuge davon ist das Mitleid. Der Mitleidige versetzt sich in die Seele des Anderen, spielt die Rolle des fremden Phantasieleibes in seinem eigenen, und zwar gezwungenerweise mit durch. Durch ein ähnliches Verfahren gelingt es uns, aus den Mienen, Tönen und Gesten anderer Personen deren Seelenzustände zu verstehen. Wir legen nämlich bei jeder Miene, jedem Ton, jeder Gebärde den Seelenzustand unter, welcher der unsere sein würde, wenn wir dieselbe Miene, Ton oder Gebärde aus uns selbst auf eigene innere Veranlassung hervorbrächten. Wie aber könnten wir wohl erfahren, von welcher Art jener sei, wenn nicht unser eigener Phantasieleib die Miene, den Ton, die Gebärde zuvor an sich selbst probirte, um zu empfinden, welchem Affekt oder welcher Stimmung sie angehöre. Daher kommt es auch, daß wir Gebärden und Töne, welche Gemüthszuständen angehören, zu denen wir gar keine Anlage besitzen, auch wirklich gar nicht verstehen. Denn um einen gewissen schneidenden Accent der Stimme u. dgl. im Phantasieleibe nachahmen zu können, dazu gehört, daß die Gemüthszustände, welche einem solchen entsprechen, in naher Bereitschaft liegen. Thun sie das nicht, so wird der Ton, die Miene, die Gebärde gar nicht verstanden, d. h. gar nicht nachgeahmt. Verstehen heißt daher so viel als Nachahmen, oder mit den Mitteln des Phantasieleibes Hervorbringen. Je weiter unser Mitgefühl reicht, je mehre Personen und je verschiedenartigere wir in uns darzustellen fähig sind, desto weiter reicht unser Verständniß, desto reicher wird unser eigenes inwendiges Leben. Ich kann in die Seele eines Anderen niemals anders hineingelangen, als indem ich meine eigene Seele durch Nachahmung seines Innenleibes der seinigen verähnliche, dadurch die Zustände seiner Person in der meinigen mit durchlebe und durchempfinde. Ein vollständiges Verständniß ist daher nur in Zuständen der Zuneigung und Sympathie möglich, weil nur hier die Nachahmung völlig gelingt. Ich werde nicht verstanden, heißt so viel, als: ich werde nicht geliebt.

Wie der Freund durch Verständniß der Person des Freundes

in sich selbst eine zweite Person erschafft, ähnlich umgiebt sich die Phantasie des dramatischen Dichters mit zweiten Personen wie mit selbstgeschaffenen Freunden. Daher Schiller Poesie und Freundschaft für verwandte Seelenzustände hielt. „Wenn Freundschaft und platonische Liebe", schrieb er einst [1]), „nur eine Verwechselung eines fremden Wesens mit dem unsrigen, nur eine heftige Begehrung seiner Eigenschaft sind, so sind beide gewissermaßen nur eine andere Wirkung der Dichtungskraft. In beiden Fällen führen wir uns durch neue Lagen und Bahnen, wir brechen uns auf anderen Flächen, wir sehen uns unter andern Farben, wir leiden für uns unter andern Leibern." Zugleich geht hier die Bedeutung davon auf, was es heißt: in einander hinein imaginiren, einander die Phantasie gefangen nehmen, oder auch: an einem und demselben Phantasiebilde Theil nehmen. So sehen wir es bei den instinctartig zusammen arbeitenden Thieren, den Bienen, Ameisen und Termiten. Sie imaginiren gegenseitig in einander hinein, sind bewegt von einem sie gemeinschaftlich durchdringenden Phantasiebilde, welches ihr Werk in Bewegung setzt. Das Phantasiebild ist eines, die Wesen sind viele. Jedes Wesen wird von der Gegenwart aller andern erregt zur Erzeugung desselben Bildes, welches als die gemeinsame Seele Aller durch Alle hindurch wirkt. Aehnlich bei Personen, welche durch langen und genauen Umgang sich so in einander hinein gewöhnt haben, daß der eine dem andern schon alles an den Augen abmerken kann, und daß vermöge des gleichartigen Gedankenganges der eine die Gedanken des anderen manchmal vorher erräth. So kann auch einer dem anderen gesprächsweise die Imagination dermaßen gefangen nehmen, daß der letztere sich ganz dumm vorkommt, indem er gezwungen wird, nur alles das vorzustellen und zu denken, was der andere ihm sagt, und

---

1) In einem Briefe von 1783 an Reinwald, in Schiller's Leben von Caroline von Wolzogen. Th. 1. S. 100 ff.

selbst gar keine Gedanken dagegen zu haben. Plato läßt den Menon in dieser Beziehung zum Sokrates sagen[1]): „Du scheinst mir, o Sokrates, sowohl an Gestalt, als an Wesen, dem Zitteraal zu gleichen, durch dessen Berührung man starr wird. Denn du hast mich an Leib und Seele starr gemacht, und ich weiß ganz und gar nichts mehr zu sagen. Du thust daher gut, nicht in die Fremde zu reisen; sie würden dich dort leicht todt schlagen als einen Zauberer." „Auch ist es", wie Schopenhauer richtig bemerkt[2]), „ein schweres Ding, wenn Alle, die uns umgeben, anderer Meinung sind, als wir, und danach sich benehmen, selbst wenn wir von ihrem Irrthum überzeugt sind, nicht durch sie wankend gemacht zu werden. Einem flüchtigen, verfolgten, ernstlich incognito reisenden Könige muß das unter vier Augen beobachtete Unterwürfigkeitscermoniell seines vertrauten Begleiters eine fast nothwendige Herzensstärkung sein, damit er nicht am Ende sich selbst bezweifle." Dies ist es denn auch, was uns die Ehre und gute Meinung, worin wir bei Anderen stehen, zum Bedürfniß macht. Ein Mensch, welcher von Andern gering geschätzt wird, hat immer stark gegen den seiner Phantasie hierdurch angethanen Zwang anzukämpfen, und die so häufig vorkommende hochmüthige Ueberhebung bei verkannten Geistern oder Talenten rührt eben her von der gewaltsamen Reaction des inwendigen Menschen gegen den seiner Phantasie hierdurch angethanen Zwang. So stark imaginiren die ähnlichen Wesen in einander hinein, und nehmen unvermuthet und unversehens einander ihre Phantasie gefangen.

Eine gewisse schottische Dame hatte eine so stark mitempfindende Einbildungskraft, daß die Erzählung von einem heftigen Schmerze, den eine andere Person gelitten, entsprechende

---

1 Platon. Meno, pag. 16. Ficin.

2) Paränesen und Maximen, in „Parerga und Paralipomena" Bd. 1, S. 419.

Schmerzempfindungen in eben dem Körpertheile bei ihr hervorrief, z. B. die Erzählung von der Amputation eines Armes Schmerzen in ihrem Arme[1]). Ein Schüler Boerhaave's mußte darum das Studium der Medicin aufgeben, weil er sich einbildete, alle Krankheiten, von denen der höchst anschauliche Vortrag des Lehrers handelte, selbst zu haben[2]). Das Gähnen in langweiliger Gesellschaft steckt an durch den Anblick. Ums Jahr 1812 verbreitete sich zu Redruth in Cornwallis in der Kirche der Methodisten eine sogenannte Predigerkrankheit durch Phantasiewirkung. Mit Ausrufungen voll Angst und zerknirschten Gebetstönen, wobei der obere Körper zitterte und zagte, hatte zuerst ein Individuum die Stille des Gottesdienstes unterbrochen, und von da an folgten immer mehrere. Die Bewegung verbreitete sich von Redruth aus bald in die benachbarten Dörfer, und die Zahl der von ihr Ergriffenen belief sich auf viertausend. Der Anfall bei jedem Einzelnen dauerte gewöhnlich bis zur achtzehnten Stunde[3]). Eine ähnliche Erscheinung war zu Anfange des vorigen Jahrhunderts bei den Versammlungen der Inspirirten in den Cevennen zu beobachten gewesen, und hat sich auch zu Anfange der Vierziger Jahre zu Småland in Schweden, so wie im Winter 1851—52 im Niedereggener Bezirksamt Müllheim in Baden wiederholt. Im letzteren Falle beschränkte sich die Erscheinung aber nur auf junge Mädchen, 14 oder 15 an Zahl[4]).

Je nachdem nun unser inwendiger Leib eine verschiedene Beschaffenheit und Befähigung in sich von der Natur empfangen

1) Vgl. Beneke's pragmat. Psychol. I, 240. The Edinburgh Journal of science, cond. by D. Brewster. April 1830.

2) Vgl. Schubert's Gesch. der Seele. S. 813.

3) Vgl. Schubert's Gesch. der Seele. S. 810. Journal général de Médecine etc. par Corvisart, Leroux et Boyer. Paris 1814.

4) Vgl. Fechner's Centralblatt für Anthropol. 1853, Nr. 15, S. 280. Kerner's Magikon III, 59 und V, 267.

hat, je nachdem wird sich auch die Außenwelt ihm in einem verschiedenen Lichte präsentiren. Menschen z. B. von großer Statur haben nothwendig von den Menschen um sich herum ein kleineres Bild in der Phantasie, als kleine Leute, welche zu Anderen immer in die Höhe aufzuschauen genöthigt sind. Einem Riesen stünde das Menschengewimmel um ihn herum wie ein Ameisenhaufen in der Einbildung, einem Zwerge müßten sich alle Lebensscenen in kolossalem Maßstabe darstellen. Räume und Gegenstände, die uns in der Kindheit weit und groß erschienen, nahmen von Jahr zu Jahr engere Formen an. Seltsamer und schwerer erklärlich ist es, daß einigen Menschen die Figuren breiter, anderen schmäler in der Phantasie erscheinen. Den byzantinischen Malern erschienen die Figuren so schmal, daß sie alle etwas von in die Höhe strebender Kerzengestalt annahmen. Auch bei den Persern muß dieser langgestreckte und schmale Typus der Menschenform die Phantasie beherrscht haben, sonst hätte einer ihrer Dichter im Lobe seiner Geliebten sich nicht hinreißen lassen können zum Ausruf: „Wie soll ich sie küssen, da sie keinen Mund hat; wie soll ich sie umarmen, da sie keine Taille hat?“ Das Mittelalter liebte thurmartige und schmale Gebäude, mit Ueberbau und Treppenform, stufig, terrassenartig, sogar schwindelnd emporgehend. Wir hingegen lieben mehr die Breite mit geraden Mauern, flacheren und schwächer gesenkten Dächern. Auch lieben wir mehr das Helle, Offene und Freie, im Gegensatz zum dunkeln, versteckten und verschlungenen Wesen der mittelalterlichen Bauten und Einrichtungen. Unsere Phantasie ist daher heller und heiterer gestimmt, als es die mittelalterliche Phantasie im Allgemeinen war. Die antike griechische Phantasie war so heiter und hell, daß alle Figuren in ihren Gemälden deutlich und breit neben einander stehen mußten im völlig überschaubaren Gegensatz. Ein interessantes Durcheinander und Gewimmel von Figuren, wie wir es lieben in Gemälden von Schlachten und Volksgewühl, verabscheuten sie. In ihrer auffassenden Einbildungskraft stellte die Welt und die menschliche Gesellschaft sich auf diese klare und unterschiedene Weise dar, während wir im Gegentheil häufig verzwickte Verkürzungen lieben, bis zu Hogarth's bekannter Aufgabe, einen abgehenden Gensdarmen nebst begleitendem Hund mit drei Strichen zu zeichnen. Eben so große Unterschiede sind in Betreff der Farben bemerkbar. Eine Zusammenstellung greller und brennender Farben, wie die Aegyptier sie auf ihren Wandgemälden liebten, was aussieht, wie bedruckter Kattun, stimmt nicht überein mit der Art unserer Phantasie, während es der ihrigen entsprach. Einige unserer Maler wissen nicht, wie hell und munter sie ihre Farbentöne halten sollen, während andere nur die unentschiedenen Farben und das Helldunkel für geeignet finden, die Anschauungen wiederzugeben, von denen ihre Phantasie erfüllt ist. Einigen passen die zudeckenden Töne der Oelfarben, anderen die Durchsichtigkeit des Aquarell, wieder anderen die grelle Heitre der Frescofarben am besten zu ihren Intentionen, ähnlich wie einige in der Musik das Dur dem Moll vorziehen, andere umgekehrt, einige lieber die helle und sichere Tagesbeleuchtung haben, andere lieber den flimmernden und transparenten Abend, einige den hellen Sommer, andere den bunten und schillernden Herbst vorziehen, die einen sich bei der penetranten Frische scharfer Morgenluft oder des mit Schneegewässern und Brünnlein fließenden Vorfrühlings wohl fühlen, anderen hingegen das Zimmer und der warme Ofen um diese Zeit lieblicher ist.

Wenden wir uns nun von hier zur hergebrachten Unterscheidung von reproductiver und productiver Phantasie, so orientirt man sich leicht. Die wahrnehmende oder auffassende Phantasie ist, wie gezeigt worden, durch und durch productiv oder hervorbringend, z. B. die Wahrnehmung der Gemüthszustände anderer Personen außer uns ist eine Production dieser Zustände in uns selbst, und so in allen Fällen. Ob wir nun einen solchen wahrnehmenden Entwurf zum ersten Male productiv vollbringen, oder hernach reproductiv wiederholen, macht einen nur geringen Unterschied. Die Wiederholung ist nämlich eine erneuerte Hervorbringung desselben Bildes auf Veranlassung einer von ihm in der Seele zurückgebliebenen Gedächtnißspur.

Aber noch nicht eine jede Erinnerung ist ein Phantasiebild. Denn ich kann mich z. B. beim Wiedersehen einer Person oder auch einer Gegend recht gut wieder erinnern, daß ich dieselbe schon einmal gesehen habe, ohne daß ich doch im Stande wäre, mir das Bild derselben aus freien Stücken in der Phantasie zu zeichnen, ehe ich dieselbe wiedersah. So liegen in uns aus gehabten Gesprächen, gesehenen Ländern und Personen, studirten Büchern eine Unzahl von Gedächtnißspuren aufbewahrt, welche alle in Bereitschaft stehen, bei vorkommender Gelegenheit in Erinnerung umzuschlagen, ohne doch jemals die Lebhaftigkeit von Phantasiebildern zu gewinnen. Denn die Gedächtnißspur gleicht einem blassen Schemen, welchem die Lebendigkeit und Frische, mit der er selbständig in die Wahrnehmung treten könnte, noch gänzlich fehlt. Daraus entsteht nun die Frage: Woher empfangen die Bilder reproductiver Phantasie diese selbständige Empfindungsfähigkeit, wodurch sie sich auszeichnen? oder: wodurch verwandeln todte Gedächtnißspuren sich in lebendige Bilder reproductiver Einbildungskraft? Wir finden, so oft wir dieses in einzelnen Fällen beobachten, daß es immer Gefühle und Stimmungen sind, welche dieses bewirken. Habe ich mich z. B. seit geraumer Zeit mit einem Gegner ausgesöhnt, so werden die Gedächtnißbilder unserer alten Zwistigkeiten zwar fortdauern, aber nur in Gestalt eines blassen und tonlosen Andenkens, und vielleicht auch dieses kaum. Sobald hingegen ein neuer Zwist zwischen uns erwacht, werden diese Bilder sich viel lebhafter färben, sogar mit der Frische eines von neuem vor unseren Augen aufgeführten Schauspiels in die Phantasie treten.

Worüber klagen die Dichter, wenn der Strom ihrer Bilder nicht recht fließen will, wenn die Phantasie für die Einkleidung abstracter Gedanken in anschauliche Bilder den Dienst versagt? Etwa über Trägheit des Denkens, Lahmheit des Erinnerns? Keineswegs, sondern immer über Mangel an Stimmung, d. h. an Frische der Gefühle. Diese ist der Farbenquell, in welchen die dichterische Phantasie ihren Pinsel taucht. Daher muß der Dichter auch immer Neues erleben; denn nur an neuen Erlebnissen steigern sich die Gefühle und Stimmungen zur erforderlichen Höhe. Daher ist für die dichterische Phantasie die Jugend die günstigste Zeit, weil hier das Gemüth am empfänglichsten ist, neue Eindrücke in sich aufzunehmen, neue Stimmungen in sich zu erzeugen, wie Goethe sang [1]):

Gieb ungebändigt jene Triebe,
Das tiefe schmerzenvolle Glück,
Des Hasses Kraft, die Macht der Liebe,
Gieb meine Jugend mir zurück!

Und wie machen es die Dichter, wenn sie die Rede, sobald sie ihnen in ihrer Einfachheit zu trocken und prosaisch vorkommt, beleben und höher färben wollen? Sie gießen Gefühl und Stimmung zu, was wir in gewöhnlicher Rede ausdrücken: sie gebrauchen Bilder und Gleichnisse. Dieses Kunststück der Dichter, von welchem sie selbst nicht wissen, wie es dabei zugeht, ist so artig und sinnreich, daß es sich der Mühe lohnt, ein wenig dabei zu verweilen.

Bei Bildern und Gleichnissen wird immer der eine Begriff vom andern aufgezehrt oder dient der eine dem andern zur Nahrung. Der Grundbegriff verzehrt aber vom Gleichnißbegriff immer nur das, was ihm ähnlich und angemessen ist, das übrige läßt er fallen, fast so wie das Eichhörnchen aus der Nuß den Kern verzehrt und die Schale fallen läßt. Sagen wir z. B.: die frischen Rosen ihrer Wangen, so eignen sich die Wangen aus den Rosen nichts an, als die Empfindung der sanften Röthe, verbunden mit dem thauigen Schmelz und der Lebensfrische dieser

1) Goethe's Faust, Vorspiel. Werke 1840. XI, 10.

zarten Blattflächen, während alles übrige, die Gestalt der Rose, die Zahl ihrer Blätter und Staubfäden u. s. f., die Schale der Nuß sind, welche nach herausgenommenem Kern wegfällt. Sprechen wir von einem Stachel der Reue, so eignet sich die Reue vom Stachel nichts an, als den Schmerz, welchen ein eindringender Stachel verursacht. Sagen wir: die Sonne des Glücks, so nimmt das Glück von der Sonne nichts an, als das angenehme Gefühl, welches ihr Licht und ihre Wärme verursacht, während Licht und Wärme selbst als Hülse zu Boden sinken.

Je mehr nun das, was sich der eine Begriff vom anderen hierbei aneignen kann, von der Art des Gefühls und der Stimmung ist, desto wärmer nennen wir das Bild. Stützt es sich hingegen bloß auf eine Aehnlichkeit ohne Gefühlsinhalt, so ist es frostig, wie z. B. die ossiansche Vergleichung der Sonne mit einem runden glänzenden Schilde, oder die arabische Vergleichung der blutziehenden Lanze mit dem wasserziehenden Seile eines Ziehbrunnens. Nennt der Araber hingegen die Lanze blutdürstig, so denkt man dabei an einen heranfliegenden Raubvogel, welcher blutgierig einhackt, und weil dieses weh thut, so macht der Schmerz das Gleichniß warm und lebendig.

Die größte Kraft entwickeln die Vergleichungen immer dann, wenn der Verbindungspunkt nicht bloß in einem Gefühle von allgemeiner Natur, noch auch bloß in einer sinnlichen Aehnlichkeit liegt, sondern wenn beides sich enge mit einander vereinigt. Ein hervorragendes Beispiel dieser Art ist die Vergleichung des Kummers mit der Schwere. Denn der Kummer macht nicht nur im Allgemeinen dieselbe bange und von Furcht vor einem drohenden Schmerze durchdrungene Stimmung rege, in welche uns das Heben einer für unsere Kräfte zu schweren Last versetzt, sondern er wirkt auch dergestalt lähmend auf die motorischen Nerven, daß wir an der Last der eigenen Glieder schwerer zu tragen bekommen, und uns also auf ähnliche Art fortbewegen, wie wir es bei heiterem Muthe thun würden, wenn wir eine wirkliche Last zu schleppen hätten. Daher denn gerade dieses Bild in der Poesie aller Völker mit der größten Kühnheit gebraucht wird. So sagt Hiob (6, 2—3): „Wenn man meinen Jammer wöge, und mein Leiden zusammen in eine Wage legte, so würde es schwerer sein, denn Sand am Meer.“ Homer läßt den Aeneias zum Achilleus sagen, da sie kampfbereit einander gegenüber stehen, und sich mit Worten bedrohen[1]):

„Auf denn, laß nicht länger uns hier, gleich albernen Kindern,
Schwatzend steh'n in der Mitte des feindlichen Waffengetümmels.
Denn für beide ja sind herzkränkende Worte zu sagen
Viele, daß kaum sie trüg' auch ein hundertrudriges Lastschiff.“

Bei Shakespear heißt es im Richard II.[2]):

„O möchten Mowbray's Sünden
So schwer in seinem Busen liegen, daß sie
Dem Rosse unter ihm den Rücken brächen.“

Und im Heinrich VIII.[3]):

„— Der König
Hat mich geheilet, und voll Mild' und Mitleid
Von diesen Schultern, diesen morschen Pfeilern
Genommen eine Last, die eine Flotte
Versenken könnte.“

Durch ihre Wärme zeichnen sich bei Homer zwei berühmte Gleichnisse in der Odyssee aus. Das erste bezieht sich auf Odysseus, als er aus dem wüthenden Meersturm an das Land der Phäaken verschlagen das nackte Leben gerettet hat, und nun, um sich gegen Sturm und Wetter in der Nacht zu schützen, zu einem Walde geht, und dort sich zwei Büsche des wilden Oelbaums von dicht verschränktem Gezweige zum Obdach nimmt, worunter er sich ein Lager von Blättern des hier in reicher Fülle liegenden abgefallenen Laubes häuft. Als er das Lager nun so hoch und breit gehäuft hat,

1) Ilias XX, 244 ff.
2) Richard II. 1 Aufz. 3. Auftr.
3) Heinrich VIII. 3. Aufz. 6. Auftr.

daß es gereicht hätte, auch wohl zwei oder drei Männer gegen den Wintersturm zu bergen, heißt es weiter von ihm [1]):

Freudig schaut' er das Lager, der herrliche Dulder Odysseus,
Legte sich mitten hinein, und übergoß sich mit Blättern.
Wie wenn einer den Brand in dunkeler Asche verbirget,
Ganz am Ende des Feldes, dem nicht anwohnet ein Nachbar,
Samen der Gluth sich hegend, daß nicht bei Entfernten er zünde:
Also verbarg Odysseus im Laube sich —

Wer fühlt nicht hierbei das ganze Behagen eines zugedeckten warmen Menschen? und es kann nicht anders sein, da uns im Gleichniß an die Stelle des Menschen die wärmende Gluth glimmender Kohlen selbst unterbreitet wird.

Das andere Gleichniß bezieht sich ebenfalls auf Odysseus, und ist von sehr eindringlicher Art. Odysseus, angelangt in seinem heimatlichen Palaste, wo er sich nur in der Verkleidung eines Bettlers darf sehen lassen, wälzt sich unruhig auf dem Lager, beschäftigt mit dem Entschluß, den kühnen Kampf gegen die Freier der Penelope zu wagen, die ihm Hab' und Gut verzehren. Da heißt es nun [2]):

Bald nun blieb in der Fassung das Herz ihm, und unerschüttert
Dauert' er aus. Doch er selbst noch wälzte sich hierhin und dorthin.
Wie wenn den Magen ein Mann, an gewaltiger Flamme des Feuers,
Welcher mit Fett und Blute gefüllt ward, hierhin und dorthin
Stets umdreht, und in Eile verlangt ihn gebraten zu sehen:
Also hierhin und dorthin bewegt' er sich, tief nachdenkend,
Wie er die Händ' an die Freier, die schamlos trotzenden, legte,
Er allein an so viele —

In diesem Falle ist das Gleichniß nicht nur ein warmes, sondern ein heißes zu nennen. Am meisten aber wirken in ihm die Züge des Bildes, welche gar nicht mit Worten berührt sind, nämlich die Gluth des Magens, sein gewaltsames Brodeln und

1) Odyssee V, 486 ff.
2) Odyssee XX, 23 ff.

Schwitzen, sein Quellen und Ringen, sein Streben zu platzen und aus der Haut zu fahren. Alle diese ungenannten Züge eines gewaltsamen und gequälten Zustandes übertragen sich auf die affektvollste Weise vom Bilde auf seinen Gegenstand.

Beim Anstarren beweglicher Wolkenbilder schaut man wie träumend Gestalten heraus, Landschaften, Schlachtengetümmel, plastische Gruppen u. dgl. Jeder aber wird andere Phantasiegestalten herausschauen je nach den Stimmungen und Gefühlen, welche gerade in ihm herrschen. Bei Ossian heißt es (in Melilcoma's ersten Worten in Comala): „Die ehrwürdigen Gestalten der Vorwelt schauten aus dem Gewölke von Crona." Denn der Nationalstolz des Sängers erfüllt seine Phantasie beständig mit solchen Gestalten, und diese verschmelzen mit den Figuren der wechselnden Wolkenbilder an den hundert Stellen, wo zufällige Gelegenheit dazu gegeben ist. Wenn das Landvolk anfängt, lauter Speere, Schwerter und blutige Auftritte aus den Wolken herauszuschauen, so ist es die Furcht vor drohendem Kriege, welche diese Phantasiebilder erzeugt. Das Schlimme, was ihre Brust beklemmt, schauen sie in den Wolken abgebildet. Kaiser Constantin hätte auf seinem Zuge gegen den Maxentius (312 n. Chr.) das vom Gewölke gebildete Kreuz nicht beachtet, wenn nicht sein Ehrgeiz ihm dieses Zeichen einer neuen Religion mit seiner steigenden Macht schon lange Tag und Nacht in der Phantasie leuchtend erhalten hätte als das Zeichen eines mächtigen Bundesgenossen, mit welchem vereinigt er siegen würde.

Wer hat nicht schon die lieblichsten Paradiese in den Wolken erblickt, Lichtmeere mit reizenden Inseln und schimmernden Küsten? Goethe'n scheinen solche Wolkenphantasmen im Zauber untergehender Sonne vorgeschwebt zu haben im Faust, wo die Geister singen [1]):

---

1) Goethe's Werke. 1840. XI, 61.

Und das Geflügel
Schlürfet sich Wonne,
Flieget der Sonne,
Flieget den hellen
Inseln entgegen,
Die sich auf Wellen
Gaukelnd bewegen.

Und die Inseln der Seeligen, welche von Homer in den äußersten Westen, also an die Grenze des Horizonts der untergehenden Sonne, versetzt werden, haben eben diesen Ursprung. Es sind die Bilder des besseren Theiles unserer Seele, des in uns wie unter einer Decke fortblühenden und treibenden verlorenen Paradieses, welche so lange in die Wolken verlegt werden, bis ein reiferes Denken sie dort aufsuchen lehrt, wo sie wirklich ihren Ursprung haben als eine inwendige Heimath, aus welcher wir nie ganz vertrieben werden können. Auch Jakob's Himmelsleiter, auf welcher die Engel auf- und niederstiegen, war von dieser Art. Denn auch sie erschien bei untergehender Sonne, in den Thoren des Westens, wo auch heute noch dem träumenden Blicke die Inseln der Seeligen erscheinen.

Sie erscheinen dort noch heute, obwohl nicht Jedermann, sondern nur dem, dessen Gemüth in der Stimmung ist, solche Gestalten, und nicht statt ihrer Schwerter und Lanzen in der Phantasie empor zu treiben. Auch hier wird nur dem gegeben, welcher hat. Es ist gerade so, wie in der „Orakelglocke" von Tiedge, wo der Pfarrer dem Bauernmädchen, welches nicht wußte, ob es seinem Bewerber das Jawort geben sollte, räth, auf die Morgenglocken zu achten, wie die tönen, wenn sie von einem nahen Hügel dem Sonntagsgeläute zuhorche [1]):

So hofft und harrt die bange Schöne.
Doch endlich — horche: bim, bim, bim, —
Das ist das lang erwartete Getöne!
Ganz deutlich klingt es: nimm ihn, nimm!

---

1) Tiedge's Werke, von Eberhard V, 61.

Auch bei der Luftspiegelung der Wüste spielt die unwillkührlich schaffende Phantasie eine ähnliche Rolle, wie bei den Wolkengebilden. Sie entsteht zunächst durch einen Reflex des Himmels auf eine dem Sande nahe liegende heiße Luftschicht. Denn sie stellt einen See dar, dessen Wasser immer genau die grade vorhandene Farbe des Himmels wiedergiebt, fließt, wo sie sich nach dem Horizont erstreckt, mit diesem zusammen, und zeigt sich auf allen Seiten, nur nicht auf der der Sonne gerade entgegengesetzten. So lautet hierüber der Bericht Taylor's [1]) in Betreff der Nubischen Wüste. „Ich sah häufig", schreibt dieser Reisende, „am Vormittage Seen von glänzendblauem Wasser, die dem Anscheine nach nicht eine Viertelmeile entfernt waren. Die Wellen bewegen sich im Winde; langes Rohr und Wasserpflanzen wachsen am Ufer, und die Wüstenfelsen dahinter werfen ihre Schatten auf die Oberfläche. Es ist unmöglich, an eine Täuschung zu glauben. Man kommt näher, und plötzlich verschwindet der See, man weiß nicht wie. Es ist eine graue Decke an der Stelle; ehe man sich aber entscheidet, ob die Decke in der Luft oder in unseren Augen liege, verschwindet auch diese, und man sieht nichts als den nackten Sand. Was man für Rohr und Wasserpflanzen gehalten hat, zeigt sich aller Wahrscheinlichkeit nach als ein Streif von dunklem Kies."

Die Malaien auf der Halbinsel Malakka bereiten sich in ihren großen Bambuswäldern eine eigenthümliche, durch Phantasie erzeugte Waldmusik. Sie machen nämlich die Bambuszweige

1) Bayard Taylor's „Reise nach Centralafrika, von Aegypten bis zu den Negerstaaten am weißen Nil." Deutsch von Ziethen. Leipz. 1855. S. 156. Daß die Wüste mit ihrer Gluth und Einöde überaus geeignet ist, die Phantasie zu Sinnestäuschungen aufzuregen, geht auch hervor aus dem von demselben Reisenden berichteten Glauben der Araber, daß es allerdings Teufel in der Wüste gebe, daß man sie aber nur dann zu sehen bekomme, wenn man allein reise (also wenn die Phantasie von Affekt und Besorgniß stärker aufgeregt ist).

durch hineingebohrte Löcher von verschiedenem Umfang zu Orgelpfeifen, denen die vorbeistreifenden Windstöße Töne entlocken. Nun horcht man, und sucht aus diesem wilden Durcheinander Melodieen zu erhaschen. Daher sagt der Malaie: die Waldorgel bläst immer jedem sein eigenes Lieblingsstück [1]).

Phantasiebilder, welche wir lange mit uns herumtragen, sehen wir gewissen allmäligen Verwandlungen unterworfen, bei denen ebenfalls der Wechsel der Gefühle das Maßgebende ist. So beschreibt Goethe, wie er auf seiner Italienischen Reise die Iphigenia vollendet habe. „Als ich den Brenner verließ", schreibt er [2]), „nahm ich sie aus dem größten Packet und steckte sie zu mir. Am Garda-See, als der gewaltige Mittagswind die Wellen ans Ufer trieb, wo ich wenigstens so allein war, als meine Heldin am Gestade von Tauris, zog ich die ersten Linien der neuen Bearbeitung, die ich in Verona, Vicenza, Padua, am fleißigsten aber in Venedig fortsetzte. Sodann aber gerieth die Arbeit in Stocken, ja ich ward auf eine neue Erfindung geführt, nämlich Iphigenia auf Delphi zu schreiben, welches ich auch sogleich

---

1) Vgl. „Das Ausland" vom 5. Sept. 1856: Die Bambuswälder Hinterindiens, nach dem Bericht eines Deutschen im San Franzisco-Journal. „Ueberwältigend ist der Eindruck" — fügt derselbe Berichterstatter hinzu — „den ein geschlossener Bambuswald hervorbringt. In starrer, fast architektonischer Regelmäßigkeit streben die Rohrpfeiler empor, jeder einzelne Pfeiler wieder ein Agglomerat verschiedener riesenhafter Rohrschafte, die hoch oben, nach allen Richtungen sich auseinander neigend, mit den Schaften des benachbarten Pfeilers gothische Spitzbögen bilden. In den Kreuzgängen dieser Haine ist die Erde rein von allem anderen Pflanzenwuchse; eine kühle feuchte Luft, wie in Kirchen, erinnert an unsere Dome, und die Täuschung wird noch erhöhet, wenn der Abend seine Streiflichter durch die dichten Laubkronen sendet. Auf dem pflanzenleeren Boden erglühen dann Figuren, wie vergitterte Bogenfenster, die der Sonnenschein auf das Steinpflaster unserer Kathedralen malt."

2) Rom, 6. Januar 1787. Sämmtl. Werke 1840. XXIII, 189 bis 193.

gethan hätte, wenn nicht die Zerstreuung und ein Pflichtgefühl gegen das ältere Stück mich abgehalten hätte. In Rom aber ging die Arbeit in geziemender Stätigkeit fort. — Und so hat mich denn diese Arbeit, über die ich bald hinauszukommen dachte, ein völliges Vierteljahr unterhalten und aufgehalten, mich beschäftigt und gequält." Die Einwirkung der neuen Stimmung im südlichen Lande auf das Bild der Iphigenia war demnach so groß, daß der Dichter anfangs glaubte, die neue, die südliche Iphigenia von der alten und nordischen ganz trennen zu müssen, bis ihm dann endlich doch wieder beide Bilder in eins flossen. In so starker Weise weckte das südliche Land mit seinen edlen Formen, seinem klaren Himmel und lachenden Sonnenschein neue Gefühle, durch welche jenes Bild höher gefärbt und von trübenden Elementen einer mehr nordischen Gemüthsstimmung gereinigt werden konnte. So kann es geschehen, daß ein Phantasiebild eine Art von selbstständiger Entwicklung in sich gewinnt, ein eigenthümliches Leben wie ein aus sich selbst emporwachsender Baum durch Aneignung ähnlicher Gefühlselemente, Ausscheidung unähnlicher, wie in einem chemischen Prozeß, dessen Stoffe in stetem Schmelzen sind, nach den Worten Conrad's von Würzburg (in seinem Gedichte von der goldenen Schmiede) [1]:

Ei, könnt' ich jetzo mitten
In meines Herzens Schmieden
Gedicht' aus Golde schmelzen
Und lichte Bilder wälzen.

Nicht die Dichtungen, welche stark und breit ausmalen, beschäftigen die Phantasie am meisten, sondern die, welche die Gefühle stark aufregen, und dadurch die Phantasie zur eigenen Schöpferthätigkeit reizen.

Darum sind auch die bildenden Künste die am wenigsten phantastischen, weil sie der Phantasie am genauesten ihre Gestalten

1) Die goldene Schmiede des Conrad von Würzburg, herausgegeben von W. C. Grimm.

8

vorschreiben, und sie am wenigsten zu eigener freier Productivität ermuntern. Die Musik regt hingegen am heftigsten die Gefühle auf, und versetzt die Phantasie am gewaltsamsten in selbstschöpferische Thätigkeit. Die Dichtkunst steht zwischen beiden in der Mitte. Denn sie giebt der Phantasie zwar die häufigsten Anhaltspunkte, jedoch so, daß wegen der Vieldeutigkeit der Wortklänge, derselben dabei ein überaus großer Spielraum zur individuellen Selbstthätigkeit gelassen wird. Man darf wohl behaupten, daß, im strengen Sinne genommen, keiner der Leser oder Hörer ein Gedicht genau so auffaßt, wie es aus dem Dichter hervorquoll, und wie wir Gemälde oder Statuen auffassen. Sondern Jeder macht sich im Hören eine eigenthümliche Uebersetzung davon, gemäß der Stimmung, welche in ihm herrscht. Der verschiedene Charakter verschiedener Uebersetzungen desselben Dichters, wenn man z. B. die des Dante, Homer, Sophokles unter einander vergleicht, sind ein sprechendes Zeugniß dieser Sache. Es kann sich sogar eine Dichtung durch Anhören im Ohre des Hörers verschönern, wie z. B. der Missionär Gützlaff behauptete, daß das chinesische Liederbuch Schiking von Rückert durch Uebersetzung wirklich verschönert worden sei.

Es giebt daher eine dreifache Künstlerphantasie, eine bildnerische, eine musikalische und eine poetische. Die bildnerische ist am meisten reproductiv, indem sie zur Hervorbringung ihrer Werke Gestalten bedarf, welche durch Züge vergangener Erfahrungen bis ins Einzelne hin bestimmt und ausgeführt sind. Die musikalische ist am wenigsten reproductiv. Sie regt dagegen am unmittelbarsten die Quellen auf, aus welchen alle Phantasiegestalten fließen, die Quellen der Gefühle und Stimmungen. Sie ist daher dunkel und wild, während die bildnerische Phantasie hell, präcis und klar ist. Sie verhalten sich wie Tag und Nacht. Die Gestalten des Tages sind deutlich, im hellen Lichte zeigen sich alle Unterschiede, in der Nacht gehen sie unter.

Zwar regt die Musik die Gefühle des Zorns, der Liebe, des Mitleids, welche sie erregt, nicht unmittelbar auf, sondern auf höchst mittelbare Weise. Denn die verschiedenen Intervalle, durch welche sie wirkt in Harmonie und Melodie, wecken zunächst nur Gefühle eines unbestimmten Wohlgefallens und Mißfallens, welche aber dann sogleich die ähnlichen Gefühle von mehr praktischer Art, und diese zwar ganz besonders vermöge des declamatorischen Rhythmus, mitklingen lassen. An der Hand dieser mitklingenden Gefühle werden dann Gestalten heraufbeschworen, während umgekehrt die darstellenden Künste an der Hand der Gestalten erst die Gefühle heraufbeschwören.

Mit den Unterschieden der Phantasiethätigkeit in den verschiedenen Künsten hängen die verschiedenen Phantasieanlagen, welche den Dichter machen, enge zusammen. Wir unterscheiden hier zwischen blühender, glühender und plastischer Phantasie.

Die blühende Phantasie ist reich und beweglich. Es stehen immer die lieblichsten Bilder zu Gebote, welche wie auf leisen Wink sogleich ihre anmuthigen Tänze beginnen, nicht bacchantisch wild, sondern harmonisch lenksam. Die Bewegung der Bilder ist rasch und fließend, Alles rollt. Dies ist das jederzeit bereite Dichtertalent, welches vorzugsweise den Improvisator bildet.

Die glühende Phantasie ist brennend und scharf, ähnlich den Farben transparenter Gemälde, und geht leicht ins Wilde über. Solche Bilder reißen fort, stecken an, als von Affekt durchdrungen und gleichsam triefend, wie dies bei den arabischen Dichtern, auch vielerwärts bei Dante der Fall ist. Der Sänger des finnischen Epos Kalewala erzählt von sich, daß durch Schmerz eines harten und verstoßenen Lebens in seinem Gemüthe der Quell der Poesie aufsprang. Demgemäß ist seine Phantasie von der einen Seite eben so glühend, als von der anderen wild und arm [1]).

---

1) Kalewala, das National-Epos der Finnen, nach der zweiten Aus-

Die plastische Phantasie formt ihre Gestalten am treuesten nach Modellen aus der Erinnerung, welche sich mit der Zeit idealisiren, indem sie durch neu hinzutretende Gefühle und Stimmungen gesättigt und so über die Form ihres natürlichen Ursprungs emporgehoben werden. Dies ist die griechische Phantasie. Sie verfährt weniger schöpferisch, als veredelnd. Ihre Gestalten sind die deutlichsten, ihre Bewegung die langsamste. Das Fragmentarische und Unvollendete ist in ihnen ausgeschlossen; Alles wird vollständige Scene, dramatisch anschaulich.

Am meisten aus sich selbst heraus schaffend ist die blühende Phantasie. Aber eben daher haben ihre Gestalten auch die größte Gefahr, ins Oberflächliche und Allgemeine auszuarten, wie dies z. B. bei Calderon, Tasso und Schiller der Fall ist. Der blühenden Phantasie gehört das Mährchen an nebst allen den entzückenden Zauberpalästen, welche sie erblickt, wenn sie den Hippogryphen zum Ritt ins alte romantische Land sattelt, und von

gabe ins Deutsche übertragen von Anton Schiefner. Helsingfors, J. C. Frenckell. 1852. Erste Rune V. 65 ff.

> Lieder gab mir selbst die Kälte,
> Sang gab mir der Regenschauer,
> Andre Lieder brachten Winde,
> Brachten mir des Meeres Wogen,
> Worte fügten mir die Vögel,
> Sprüche schuf des Baumes Wipfel.

Und fünfzigste Rune V. 575 ff.

> Fing als Lerche an zu ziehen,
> Fing als Vöglein an zu wandern,
> Still am Boden hinzuschreiten,
> Mühvoll meinen Weg zu wandeln,
> Lernte jeden Wind da kennen,
> Jedes Brausen ich begreifen.
> In dem Froste lernt' ich zittern,
> In der Kälte lernt' ich klagen.

der behaglichen harmonischen Stimmung beseelt wird, welche Wieland den holden Wahnsinn nennt, der lieblich um den entfesselten Busen spielt.

In Gluth dagegen wird die Phantasie immer nur durch wirklich Erlebtes versetzt, oder dadurch, daß sie in gewisse gegebene Gestalten Selbsterlebtes hineindichtet. Denn das glühende Bild entquillt der Seele immer mit der einseitigen Lebhaftigkeit einer Vision, welche einen in der Seele gewaltsam fortklingenden Affekt zur unmittelbaren Unterlage hat, ähnlich wie die fortklingenden Affekte in der Seele des Tonkünstlers die Melodieen emportreiben, daß nicht viel fehlt, so hörte er sie. Eine solche Phantasie ist am meisten in sich selbst befangen, und legt am unmittelbarsten sich selbst allem übrigen unter. Es ist die Phantasie, welche auf Reisen und Jahrmärkten die Physiognomieen studirt, um in dieselben verschiedene Erlebnisse und Stimmungen aus dem eigenen Leben hineinzudichten, oder die Gestatten durch Auffassung einseitiger besonders hervorstechender Formen ins Karrikirte auszumalen.

Das Vorwalten der blühenden Phantasie erzeugt im Leben den unternehmenden Kopf, den hoffnungsvollen Planmacher, und, nimmt er sich nicht in Acht, den Schwindler. Jeder Tag rollt neue Lebensbilder empor, eines fröhlicher und lockender wie das andere. Denn seine Stimmung wird vorherrschend von den immer frischen Eindrücken der Gegenwart beherrscht. Dagegen lebt der Mensch von glühender Phantasie mehr in der Vergangenheit, weil die Affekte in seiner Seele stärker nachklingen. Vergangene Lust läßt nicht nach, ihn mit brennender Sehnsucht nach ihrer Wiederholung zu quälen, vergangener Kummer tönt unaufhörlich wie ein an den Bergen rollendes Echo, und weckt immer neue Erbitterung. Erinnerungsbilder steigern sich zur Lebhaftigkeit von Visionen, stumpfen den Blick ab für die unmittelbaren Interessen der Gegenwart. Die glühende Phantasie befähigt daher den Geist zur Beschäftigung mit sich selbst, zum Grübeln und Bohren in Gedanken, zum religiösen und wissenschaftlichen Tiefsinn, während die blühende im Gegentheil den umfassenden, für alles Neue offenen und durch jede Neuigkeit auch wiederum zu eigenen Productionen angeregten Kopf giebt. Das Vorherrschen der plastischen Phantasie hingegen befähigt am meisten zum Heroismus. Denn die Gewohnheit, sich die Gestalten der Wirklichkeit ins Schönere auszumalen, hält auch im Gemüthe immer die Sehnsucht wach, die so entstandenen und großentheils ganz klar durchdachten Ideale wiederum in die Wirklichkeit einzuleben. Da nun die Gegenwart solchem Verlangen meistens widerstrebt, so wird entweder der Verdruß über den offen erblickten Zwiespalt der Ideale und des Lebens, verbunden mit rüstigem Entschluß zur Aenderung, oder die Klage über denselben vorwalten. Daher die thatkräftige Männlichkeit, verbunden zugleich mit dem sanften elegischen Ton, welcher über die Werke der hellenischen Dichtkunst ausgegossen ist.

Diesen drei verschiedenen Arten einer höchst lebhaften Phantasiebethätigung steht nun die mindestmögliche Lebendigkeit derselben als eine entgegengesetzte Anlage gegenüber. Es giebt Menschen, welche sich weder unternehmungslustig und flott, noch tiefsinnig und grüblerisch, noch heldenhaft gebietend zeigen, dagegen ganz vortreffliche Geschäftsleute sind, weil sie niemals von ihrer Phantasie belästigt werden in Fällen, wo dieses jenen andern zuweilen begegnet. Dieses sind die Menschen von gänzlich trockener Einbildungskraft. Ihr Gedächtniß ist vorzüglich für das Notizenwesen und das Chronikartige, Jahreszahlen und Daten ausgebildet; sie sind genaue und zuverlässige Wiedererzähler des Erlebten, das in seiner natürlichen Reihenfolge unverrückt bei ihnen haftet. Helle, kalte Köpfe, groß im Lernen und Aufnehmen von außen, manchmal Riesen an Auffassung. Es verzehrt sich bei ihnen alle Phantasie in Erkenntnißthätigkeit. Sie träumen selten oder nie. Wagen sie sich an die Poesie, so zeichnen sie nur die Wirklichkeit ab, und malen dabei in überaus bleichen Farben. Und da sie das Meiste anlernend von außen gewinnen, so bleiben sie auch in der Beurtheilung der Dinge meistens bei höchst nahe liegenden gegebenen Standpunkten stehen, lieben weder das Kühne und Unternehmerische, noch auch das Tiefsinnige und Unerwartete. Solche Menschen haben immer ein sehr ruhiges Blut, verbunden mit großem Widerwillen gegen alle leidenschaftliche Aufregung.

Und so ist es denn überall zu beobachten, im Leben wie in der Kunst, daß es die Gefühle und Stimmungen sind, aus denen die Schöpfung der Phantasiebilder als aus ihrer Ursache hervorgeht. Warum stellen wir Alles, was der, welchem wir vertrauen, thut oder redet, sogleich ins rechte Licht? Warum stellt sich uns bei dem, welchem wir mißtrauen, er mag nun thun und reden, was er will, sogleich Alles in umgedrehter und verschobener Form dar? Woher die große Verschiedenheit bei Wiedererzählung des Erlebten, bei Charakterschilderung fremder Persönlichkeiten, je nachdem wir mit ihnen befreundet oder verfeindet sind? Eine Wahrheit erscheint in einem ganz anderen Lichte, je nachdem sie von einem Kirchenvater oder von einem Ketzer, von einem berühmten oder unberühmten Manne ausgesprochen ist. Im Auge der Sympathie wird Aermlichkeit zur edlen Sparsamkeit, Unregelmäßigkeit der Züge zum Ausdrucksvollen; im Auge der Antipathie wird Festigkeit zum Eigensinn, edler Stolz zum Hochmuth, Humanität zur Charakterschwäche. Ueberhaupt, sobald nur erst die Gefühle in Gluth, die Affekte in Feuer gesetzt sind, dann ist es so viel, als ob der Kessel an der Maschine der Phantasie geheizt ist. Die Expansion des Dampfes und die Bewegung aller Kolben und Räder erfolgt nun ganz von selbst. Die Affekte und Gefühle in der Seele sind der Gluthbrunnen, aus welchem Feuer, Süßigkeit und Lebensfrische fließen. Dieser Brunnen, in welchem Farben, Gerüche, Geschmäcke, Töne und alle Sinnesqualitäten vorbereitet schlafen, thut in den Bildern der Phantasie seinen Reichthum auf und erzeugt alle die Em=

pfindungen von innen heraus, zu deren Hervorbringung wir überhaupt fähig sind.

Und umgekehrt werden auch immer, sobald es gelingt, gewisse Phantasiebilder zu erregen, die Gefühle, Affekte, Stimmungen und diesen verwandten Triebe miterregt, ohne deren Erwachen das Phantasiebild nicht zu Stande kommt. Es erscheinen dann die Phantasiebilder als Tasten, um gewisse Gefühlstöne in uns anzuschlagen, oder Handhaben, um gewisse Triebe in Bewegung zu bringen, wobei das Maßgebende die Aehnlichkeit des Phantasiebildes mit dem sinnlichen Eindruck ist, durch welchen es geweckt wird.

Der Prinz Gonzaga in Emilia Galotti stößt bei der Durchsicht einer Bittschrift auf den Namen Emilia; sogleich tritt das Bild der Galotti vor seine Seele und weckt den Trieb eines völlig blinden Mitleids: „Eine Emilia — Bruneschi — nicht Galotti — genug sie heißt Emilia — die Bitte sei gewährt“ [1]).

Der berühmte Schauspieler Palmer in London hatte im Jahre 1798 fast zu gleicher Zeit seine Frau und seinen Sohn durch den Tod verloren, und war seitdem in tiefe Schwermuth versunken. Als er hierauf, nach etlichen Wochen, auf dem Theater erschien, war sein Spiel, wie gewöhnlich, in den ersten Scenen wohl durchdacht und der Rolle anpassend. Da jedoch im dritten Akt ein anderer ihn fragt: „Und deine Kinder?“ sinkt Palmer, überwältigt von dem Schmerz um seinen Sohn, zu Boden, seufzt nur noch einmal, und ist verschieden [2]).

Leibniz erzählt [3]) von einem Italiener, welcher den

1) 1. Aufz. 1. Auftr. Emilia? (Indem er noch eine von den Bittschriften aufschlägt, und nach dem unterschriebenen Namen sieht.) Eine Emilia? — Aber eine Emilia Bruneschi — nicht Galotti. Nicht Emilia Galotti! — Was will sie, diese Emilia Bruneschi? (Er liest.) Viel gefordert; sehr viel. — Doch sie heißt Emilia. Gewährt!

2) Vgl. Schubert's Gesch. der Seele S. 826.

3) In den Nouveaux Essais, liv. 1 c. 2 § 11. Vgl. Schopenhauer „Parerga und Paralipomena“ I, 419.

Schmerzen der Folter dadurch widerstand, daß er während derselben das Bild des Galgens, an welchen ihn sein Geständniß gebracht haben würde, nicht einen Augenblick aus der Phantasie entweichen ließ. Um sich noch mehr hierzu zu ermuntern, rief er von Zeit zu Zeit: Io ti vedo! (Ich sehe dich!)

Unweit Vinay starb 1854 ein mehr als neunzig Jahr alter Mann, Namens Pierrard, der Zitterer (le trembleur) genannt, seinem Gewerbe nach ein Haarkräusler und weiland Tambour im Dienste der ersten französischen Republik. Er commandirte als Tambourmajor die Tambours, als Santerre die Weisung gab, durch Trommelwirbel Ludwigs XVI. Stimme auf dem Schaffot zu überdröhnen. Er hieß der Zitterer, weil er jedesmal heftig zu zittern begann, wenn dieses Ereignisses Erwähnung geschah [1]).

Der englische Admiral Sanders erhub sich vom Lager, auf welches eine entkräftende Krankheit ihn niedergeworfen hatte, als die Nachricht kam, daß ihm von der Regierung das Commando über die Flotte gegen Spanien übertragen sei. Er wusch sich, ging umher und erschien plötzlich munter und gesund. Als aber darauf der Anschein des Krieges und mit ihm die Zurüstungen wieder aufgehört hatten, legte sich der alte Seeheld alsbald wieder aufs Krankenlager und fiel in die vorige Entkräftung zurück [2]).

An solchen und ähnlichen Fällen zeigt sich deutlich das Blinde und Unwillkürliche im Wirken der Phantasie, im Gegensatze zu Verstand und Willen. Die Phantasie wirkt eben so unbewußt, wie die Kräfte der Schwere oder des Drucks. Das, worauf sie wirkt, ist sowohl der innere, als auch der äußere Leib. Sie wirkt aber immer durch Gefühl, Affekt und blinden Trieb. Gern ohne Zweifel hätte der Admiral Sanders sich durch eigene Willenskraft die Stimmung der Seele forterhalten, welche ihn

1) Blätter von der Saale 7. December 1854.
2) Vgl. Schubert's Gesch. der Seele S. 820.

seine Krankheit vergessen ließ; aber diese Stimmung hing nicht an seinem Willen, sondern an den Phantasiebildern zukünftiger Siege, zu deren Erzeugung zwar jene äußeren Eindrücke, aber nicht sein bloßer Wille hinreichte. Gern ohne Zweifel hätte sich Palmer während des Spiels auf der Bühne der unwillkommenen Bilder seiner häuslichen Verluste entschlagen; aber der Stärke des Reizes, welcher sie weckte, kam die Stärke des sie hervorbringenden Affekts entgegen.

Kann die Vernunft aber solcher blind wirkenden Macht in uns nicht entgegenwirken? Gewiß kann sie das, nur ist ihre Wirksamkeit an eine höchst lästige Bedingung geknüpft: sie erfordert nämlich Zeit. Die Phantasie wirkt blitzartig, die Besinnung kommt nachgehinkt. Palmer hätte sich gewiß nach wenigen Sekunden besonnen, um ruhig in seinem Spiele fortzufahren, wenn ihn nicht die Sekunde vorher vor Gemüthsbewegung der Schlag getroffen hätte. Im ewigen Leben angelangt, besann er sich gewiß, aber da war es zu spät. Der Stoiker hätte ihm angerathen, sich früher zu besinnen, aber dieser Rath käme eben so heraus, als wenn man dem vor Müdigkeit umsinkenden Wanderer riethe, sich auf ein Pferd zu setzen, welches nicht bei der Hand ist. Nur der wäre berechtigt, solchen Rath zu ertheilen, welcher auch zugleich das Pferd zur Stelle zu schaffen wüßte.

„Das Vorhandene, das Anschauliche", sagt Schopenhauer[1]), „wirkt als leicht übersehbar, stets mit seiner ganzen Gewalt auf einmal, hingegen Gedanken und Gründe verlangen Zeit und Ruhe, um stückweise durchdacht zu werden; daher man sie nicht jeden Augenblick ganz gegenwärtig haben kann. Demzufolge reizt das Angenehme, welchem wir, in Folge der Ueberlegung, entsagt haben, uns doch bei seinem Anblick: eben so

1) Paränesen und Maximen, in „Parerga und „Paralipomena" Bd. I S. 419.

kränkt uns ein Urtheil, dessen gänzliche Incompetenz wir kennen; erzürnt uns eine Beleidigung, deren Verächtlichkeit wir einsehen; eben so werden zehn Gründe gegen das Vorhandensein einer Gefahr überwogen vom falschen Schein ihrer wirklichen Gegenwart."

Das Bemerkenswertheste aber ist hierbei folgendes Gesetz: unsere Vernunft kann niemals die instinctartige Wirkung eines von Außen erregten Phantasiebildes auf unser Wollen und Begehren völlig vereiteln, sie kann nur, um jenes zu verdrängen, die Erzeugung entgegengesetzter Phantasiebilder in der Seele veranlassen. Ihr Vermögen ist nur anregend, zerstören kann sie nicht. Um eine Allgewalt über die Phantasiegebilde zu gewinnen, müßte die Vernunft Phantasiegebilde vernichten können, welches darum nicht in ihrer Gewalt steht, weil sie die Gedächtnißspuren, an denen jene sich erzeugen, nicht vernichten kann. Die Wirkung einer Stimmung, eines Gefühles auf die Gedächtnißspur bringt das Phantasiebild immer wieder unwiderstehlich zum Vorschein. Es waltet hier derselbe Gegensatz, wie zwischen Erinnern und Vergessen. Erinnern können wir willkührlich, vergessen nicht. Für das Erinnern findet man in sich hundert Hülfsmittel, für das Vergessen nur das Eine, durch Erzeugung neuer Bilder die alten aus dem Bewußtsein zu verdrängen, worauf aber nie sicherer Verlaß ist. Ehe wir es uns versehen, sind sie wieder da. Durch ein geflissentliches und fortgesetztes Erinnern an Bilder vergangener Freuden haben wir es in der Gewalt, die Triebe und Begehrungen nach ihnen bis auf eine Höhe zu treiben, welche sie bisher noch nicht besaßen, indem wir die Gedächtnißspuren, welche ihre Handhaben sind, stärken, vermehren und anhäufen. Aber vermindern oder gar austilgen können wir sie nicht, wir müssen sie lassen, wie sie sind. Was hier sitzt, das sitzt.

Diese Schwäche unserer Vernunft von der einen Seite her darf uns jedoch nicht entmuthigen, sondern muß uns antreiben, die Hebel, welche wir im Besitz haben, um damit von der Vernunft aus anregend auf die Phantasie selbst einzuwirken, desto mehr in Thätigkeit zu setzen. Hier ist die wahrhafte Größe der Menschennatur, hier sind wir Herren über uns selbst, darum, weil hier die von der Vernunft geregelte Phantasie, sobald wir wollen, zum intelligenten Baumeister wird, sich eine innere Welt von Idealen und Schönheitsformen zu erbauen, welche nun in eben so hohem Grade mit unaufhaltsamen Wirkungen auf unsern inneren Leib einfließen, als es die äußeren Eindrücke nur irgend zu thun im Stande sind. Was will die wenn auch noch so unaufhaltsame Wirksamkeit der von Außen her geweckten Phantasiebilder viel bedeuten in einer Seele, worin die von Innen her wachen Ideale des Schönen, Guten und Wahren leben, welche eben so unaufhaltsam als Regulative für jene von Außen erweckten Bilder wirken? Man fürchte aus dieser Gewaltsamkeit höherer Phantasiewirkungen den niederen gegenüber keine Gefahr für unsere Freiheit. Denn ist dieses Sklaverei, wer wäre da nicht gern Sklave? Aber eine solche Gebundenheit in Ketten des Himmels ist nur allein durch angestrengte Vernunftarbeit, also nur durch den freiesten Gebrauch unserer spontanen Thätigkeit zu erlangen. Hier passen daher ganz Immermann's Worte aus dem Merlin [1]:

> Es fassen mich die Ketten, die gestählten.
> Des Menschen That, die einzig kenntliche,
> Ist: Wissen sich im Stande der Erwählten.

Es gehört hierher auch das bedeutungsschwere Wort, daß, wer einmal in der göttlichen Gnade gewesen, nicht wieder gänzlich herausfallen könne, ein Wort, dessen Trostesschimmer den Cromwell in den spätern bittern Jahren seines Lebens aufrecht und bei frohen Sinnen erhielt. Für den Philosophen liegt dieses darin, daß die Phantasiegestalten, welche einst als Bilder eines

---

1) Worte Lohengrin's in: Merlin, eine Mythe von Karl Immermann. Düsseldorf, J. E. Schaub 1832.

höheren Glücks in voller Glaubenszuversicht in uns empfangen wurden, ihre unabänderliche Wirksamkeit in der Seele nie ganz wieder verlieren können, und seien sie für den Augenblick noch so sehr zugedeckt und scheinbar erloschen. Sie sind dann nur wie die Blumenzwiebeln vom winterlichen Erdreich bedeckt, bereit, im Frühjahr beim Strahle der neu erwachenden Frühlingssonne auf's neue empor zu brechen.

Der Glaube wirkt immer durch Phantasie. Durch ihn gewinnen die Ideen der Vernunft einen unwiderstehlichen Einfluß auf unseren inwendigen Leib, welcher, als selbst aus Phantasiestoff geformt, durch Phantasieeinflüsse umformbar ist. Der äußere Leib ist fest, der Leib der Imagination ist variabel, und nimmt mit der Zeit die Gestalt an, welche wir ihm selbst geben.

Daß der Glaube durch die Imagination wirkt, thut ihm in seiner Würde keinen Abbruch. Denn die Ideale der Vernunft, welche in ihm walten, gehören selbst zu den Erzeugnissen der Phantasie. Haben doch auch selbst die Naturbegriffe aus der Phantasie, nämlich aus dem Material des inwendigen Leibes, ihren ersten Ursprung. Es wird eine Sache noch nicht dadurch phantastisch, daß sie in der Phantasie überhaupt, sondern dadurch, daß sie in einer ungezügelten Phantasie ihren Ursprung hat.

Da die Phantasie der Vernunft alles Material erzeugt, womit dieselbe überhaupt arbeitet, so muß man sich der Ansicht der stoischen Philosophen, als ob beide Kräfte ihrer Natur nach einander entgegen arbeiteten, und als ob die Siege der Vernunft durch Niederlagen der Phantasie erkauft werden müßten, entschlagen. Vielmehr ist der gesunde und richtige Zustand der, daß beide Seelenthätigkeiten, so verschieden sie auch in ihrer Wurzel sind, doch nur durch gegenseitige Hülfeleistungen zur beiderseitigen Vollkommenheit gelangen können.

Die Vernunft weiß zwar an und für sich selbst nichts von Phantasie. Denn sie ist reines Denken, freies Wählen und

Prüfen zwischen Bildern und Vorstellungen. Das erzeugende Vermögen der Vorstellungen ist immer nur die Phantasie. Aber diese erzeugt beim Denken dieselben an den Stellen, wohin das Denken seine Aufmerksamkeit anhaltend richtet, und in diesem Sinne wird dann das Denken auf maßgebende Weise selbst ideenerzeugend genannt. Es geht hier wie beim Clavierspiel. Nicht die auf den Claves umher wandernden Finger bringen die Töne hervor, sondern die Saiten, aber die Saiten klingen an den Stellen, wohin die Finger auf ihrer Wanderung gelangen. Aehnlich wandert das Denken zwischen den Vorstellungen als ein Reiz, welcher die hervorbringenden Kräfte zur Hervorbringung ermuntert. Die Aufmerksamkeit ist beständig auf der Wanderung. Wo sie schnell vorübereilt, da verkümmert die Erzeugung. Wo sie hingegen mit Fleiß verweilt, da ist ihr Verweilen für die aufkeimenden Gebilde der Phantasie wie eine wärmende Sonne. Sie gehen fröhlich auf und gedeihen. In dieser maßgebenden Weise ist die Vernunft Baumeisterin einer inneren Welt; in dieser maßgebenden Weise hat sie eine ideenschöpferische Thätigkeit. Die ideenschaffende Philosophie und die Ideale erzeugende Poesie stehen sich also nicht so gegenüber, als ob jene eine bloße Denkthätigkeit, diese eine bloße Phantasiethätigkeit wäre. Sie sind vielmehr beide beides. Das Denken regt auf methodische Weise die Phantasie an zur Erzeugung der Ideen, die Poesie läßt die Ideen in ihrer ganzen Phantasiefülle als Ideale auf das Gefühl und die Stimmung veredelnd zurückwirken.

Das hieraus hervorgehende höchste Erzeugniß der Einbildungskraft ist der Mythus. Er steht zwischen der reinen Vernunftidee und dem poetischen Erzeugniß in der Mitte, eben so viel Antheil habend am einen, wie am andern. Von ihm gilt, was Plato im Phädon den Sokrates sagen läßt, nachdem er gewisse mit Vernunftideen stimmende Mythen über die Unsterblichkeit der Seele vorgetragen hat. „Daß sich nun dies alles grade so verhalte," spricht er [1]), „das ziemt wohl einem Philosophen nicht zu behaupten; daß es aber entweder diese oder eine ähnliche Bewandtniß haben muß mit unseren Seelen und ihren Wohnungen, wenn doch die Seele offenbar etwas Unsterbliches ist, dies, dünkt mich, zieme sich gar wohl, und lohne auch, es darauf zu wagen, daß man glaube, es verhalte sich so. Denn es ist ein schönes Wagniß, und man muß mit solcherlei gleichsam sich selbst besprechen." Der ächte Mythus im Platonischen Sinn ist nicht nur die poëtische Ausschmückung eines abstracten Gedankens, sondern er ist eine nothwendige Ergänzung der vernunftgemäß schaffenden Thätigkeit der Phantasie in einem Gebiete, wohin das abstracte Denken ihr nicht weiter, als eine gewisse Strecke Weges folgen kann. Um den von der Vernunft angegebenen Begriff zu vervollständigen und zu verstärken, geht die Phantasie hier für sich selbst noch in derselben Richtung fort, und ergänzt so aus eigenen Mitteln das Gebilde, welches zwar nicht aus ihrem eigenen Antriebe entworfen ist, aber ohne diese Ergänzung nie zu einer inneren Anschaulichkeit gelangen würde.

Die Grenze, wo die Erzeugung der Ideen auf Veranlassung der reinen Vernunft aufhört, und die Erzeugung der Mythen als ihre Fortsetzung aus ergänzender Einbildungskraft beginnt, ist freilich nicht für Jedermann dieselbe. So z. B. verwandelt sich der Gedanke der Unsterblichkeit dem, welcher die psychologischen und metaphysischen Zusammenhänge desselben kennt, in eine festbegründete und methodisch entwickelbare Vernunftidee, während er dem, welchem jene Zusammenhänge dunkel sind, ein bloßer Mythus bleibt, an welchem aus gewissen praktischen Interessen geglaubt und festgehalten wird. Ob nun Jemand die Unsterblichkeit im bloßen Glauben als Mythus oder auch zugleich in der Erkenntniß als entwickelte Vernunftidee hat, läuft zwar im praktischen

1) Plato's „Phädon" in der Uebersetzung von Schleiermacher S. 114.

Resultate auf eins hinaus; jedoch erfordert ein gesunder Zustand des Menschenlebens beide Formen mit gleicher Dringlichkeit. Denn der Mythus bedarf der Vernunftidee sowohl zu seiner Reinigung, als auch zu seiner Befestigung. Er würde ohne sie in den Rang einer bloßen willkührlichen Erdichtung herabsinken. Die Vernunftidee bedarf hingegen sowohl zu ihrer Belebung, als auch zu ihrer Verbreitung des Mythus. Denn sie würde ohne ihn zu einer bloßen Algebra oder Kabbala, zu einem kopfzerbrechenden Rechenexempel für die wenigen Eingeweiheten herabsinken, welche sich mit diesen Dingen genauer zu befassen das Talent, den Trieb und die Muße besitzen. Daher reicht es für das praktische Bedürfniß der Menschheit aus, wenn die immer und in einem jeden Individuum wache mythenbildende Thätigkeit der Phantasie, welche der Anlage nach mit der ideenerzeugenden Thätigkeit derselben ganz zusammenfällt, in den Bahnen des Vernunftgemäßen nur überhaupt festgehalten wird. Denn je mehr es gelingt, sie innerhalb dieser Bahnen zu fesseln, desto mehr hebt sich im Mythus der Unterschied zwischen Dichtung und Wahrheit auf, desto mehr wird der Mythus zum Spiegelbilde derjenigen Erzeugnisse der Einbildungskraft, welche aus ihr hervorgehen müssen, wenn sie in eine höhere Erkenntnißsphäre versetzt, und in dieser auf ähnliche Art wahrnehmend und anschauend wird, wie sie jetzt in der irdischen Sphäre die wahrnehmende und anschauende Thätigkeit ist. Mythen im höchsten und vollendeten Sinne des Wortes würden daher vorausgenommene Wahrnehmungen und Anschauungen aus einem höheren Lebenskreise wahrnehmender und auffassender Phantasiethätigkeit sein, Spiegelbilder aus vollkommneren inneren Anschauungen verschärfter Sinne, herabgesunken in diesen niedrigen Erdspiegel des abgestumpften Sinns. In diesem Sinne sagt Plato im Phädrus [1]: „Sich bei dem Hiesigen an Jenes

---

1) Plato's „Phädrus" in der Uebersetzung von Schleiermacher S. 250.

zu erinnern, ist nicht Jedem leicht, weder denen, die das Dortige nur kümmerlich sahen, noch denen, welche, nachdem sie hierher gefallen, ein Unglück betroffen, daß sie irgendwie durch Umgang zum Unrecht verleitet, das ehedem geschaute Heilige in Vergessenheit gestellt; ja wenige bleiben übrig, denen die Erinnerung stark genug beiwohnt. Diese nun, wenn sie ein Ebenbild des Dortigen sehen, werden entzückt, und sind nicht mehr ihrer selbst mächtig; was ihnen aber eigentlich begegnet, wissen sie nicht, weil sie es nicht genug durchschauen."

Es geht zugleich hieraus der eigentliche Werth der Dichtkunst für's Menschenleben hervor. Die Dichter sind die Gärtner der Phantasie, welche ihre wilden Gewächse veredeln, und die niederen Gebilde, mit denen eine durch die Enge des Lebens blindlings gereizte Phantasie in Aberglauben und Irrthum wuchert, verdrängen durch höhere, veredelte, und durch eine geflissentliche Gefühlscultur zu den gewaltigsten Wirkungen bewaffnete Ideale, so daß, wo diese erscheinen, sowohl wegen ihrer höheren Reize, als stärkeren Gewalt jene niederen dagegen erbleichen, ohne dauernden Bestand und Wirksamkeit. Die Dichter bevölkern unsere Phantasie mit den vor der Vernunft feuerbeständigen Gestalten einer höheren Welt, deren Vorführung mit dem Zauber beschwichtigender Gesänge auf uns wirkt, wenn wir in wilden Phantomen entgegengesetzter Art unterzusinken in Gefahr kommen. Von den Dichtern vor allen gelten daher die Worte des Jordano Bruno[1]):

Ich will, du sollst ein sel'ges Land erkennen.
Dorthin dich zu geleiten, ist erlesen
Ein Führer, den nur blind die Blinden nennen.

1) Vgl. Carriere, „Die philosoph. Weltansch. der Reformationszeit" S. 391.

Vierter Vortrag.

Ueber den Charakter.

Denn alle Kraft dringt vorwärts in die Weite,
Zu leben und zu wirken hier und dort;
Dagegen engt und hemmt von jeder Seite
Der Strom der Welt, und reißt uns mit sich fort.
In diesem innern Sturm und äußern Streite
Vernimmt der Geist ein schwerverstand'nes Wort:
Von der Gewalt, die alle Wesen bindet,
Befreit der Mensch sich, der sich überwindet.

Goethe.

Es ist eine häufig gehörte Klage, daß es dem gegenwärtigen Zeitalter zwar nicht an Einsichten und Talenten, wohl aber an energischen Willenskräften und entschieden ausgeprägten Charakteren mangele. Es liegt in dieser Klage ein Vorwurf, welcher sich gegen jeden Einzelnen richtet, und gegen welchen jeder Einzelne sich in innerster Seele zu wehren hat. Denn wenn der Mensch entweder gar keinen Charakter oder keinen guten Charakter hat, so ist das immer seine eigene Schuld. Er soll, wie der energische Fichte sich hierüber ausdrückte, sich schlechterdings einen solchen anschaffen, wenn er ihn noch nicht besitzt. Und wenn er dieses absolut soll, so muß er es eben so gewiß absolut können, und die Schuld muß ganz allein und ausschließlich an ihm selbst liegen, wenn er es nicht thut. Dagegen sagen nun wieder Andere, so böse sei es mit jener Anklage gegen unsere Zeit nicht gemeint. Denn seinen Charakter müsse doch am Ende ein Jeder so behalten, wie er ihm von Natur gewachsen sei. Und so müsse man auch mit einem charakterschwachen Volke Nachsicht haben, da es von der Natur nun einmal so und nicht anders ausgestattet worden sei. Es sei Vermessenheit, sogar Empörung gegen die Vorsehung, die Menschen anders haben zu wollen, als Gott sie gemacht habe. Die so sprechen, glauben demnach, der Mensch habe keine Gewalt über den eigenen Charakter, und müsse immer so bleiben, wie er ist.

Wie dem nun auch sei, immer ist eine Besprechung über den Charakter ein Gegenstand, welcher Jedermann nahe angeht.

Denn auf diesem Begriff beruht ganz und gar unsere Werthschätzung in Beziehung auf menschliche Persönlichkeiten. Zwar können Talente, Geschicklichkeiten, Klugheit und Politesse, mit einem Worte Bildungseigenschaften theils Zuneigung, theils Bewunderung erregen. Die wirkliche Hochachtung hingegen findet sich immer erst dort ein, wo bei diesen äußeren Hülfsmitteln und Hebezeugen, ohne welche freilich die Persönlichkeit immer im Schatten stehen wird, auch die inneren Kerneigenschaften nicht fehlen, welche das eigentliche Wesen der Person ausmachen. Wir verstehen aber unter Charakter nicht nur die Eigenschaften des Blutes und die Grundtriebe und Neigungen unseres Wesens — diese sind vielmehr das Naturell — sondern dasjenige, was wir selbst aus diesem Naturell durch eigenen Willen und eigene Kraft zu machen wußten, ähnlich wie wir auch unter Bildung nicht die natürlichen Anlagen unserer Sinne und unseres Verstandes als solche verstehen, sondern alles das, was wir aus ihnen durch Uebung, Fleiß, Ausdauer und Lebensgewohnheit herauszubilden verstanden. Die Bildung und Geschicklichkeit giebt unserer Seele Luft und Freiheit, das, was in ihr ist, auch im Leben zur Geltung zu bringen, verschafft ihren Aesten, Zweigen und Blättern, welche außerdem verkümmern würden, Raum und Sonnenlicht im Gedränge des Waldes; der Charakter hingegen zeigt an, von welcher Art der innerste Lebenswille ist, welcher eine Person bewegt, und läßt uns also den Baum an seinen Früchten erkennen.

Man kann viel Bildung und doch vielleicht keinen Charakter, kein auf ein festes Lebensziel gerichtetes Wollen haben. Man hat dann die Werkzeuge zum Leben, aber es mangelt entweder der Plan oder die Kraft, dieselben zu gebrauchen. Ein solcher Mensch ist immer sehr unglücklich. Er kann, was er will, weil ihm zu Allem, was er will, die Mittel zu Gebote stehen. Aber er kommt nicht dazu, etwas Rechtes zu wollen, sich selbst nur in die Geschäfte, welche er täglich treibt, mit ganzer Seele und brennendem Eifer hineinzuwerfen, weil seinem Willen bei aller

Anspannung auf die vorliegenden Geschäfte doch die Befriedigung fehlt, welche sich nur durch die Richtung auf gewisse feste Interessen einstellt. Einem solchen Menschen kann es begegnen, daß er, äußerlich beneidet und bewundert, inwendig in seiner Seele umherirrt, wie ein sich langweilendes Kind. Er liegt am Strome und verdurstet, er sitzt an einer reich besetzten Tafel und verhungert. Der Grund ist, weil er nicht die Willenskraft in sich gewinnt, in ein einziges Interesse mit Absehen von allen übrigen seine ganze Seele hinein zu legen. Während man meint, er sei an das eine hingegeben, ziehen ihn auch schon wieder andere anderswohin, und eben die große Virtuosität und Bildung, womit er das Leben in seiner Gewalt hat, wird nun sogar verderblich dadurch, daß sie es ihm so leicht macht, unstet von einem Gegenstande zum andern überzugehen und bei keinem fest stehen zu bleiben. So entsteht zuletzt eine Sophistik und glatte Routine, welche allem Ganzen, Großen und Gediegenen abhold ist, weil sie in ihrer Vorschnelligkeit sich der Form und den Mitteln nach sogleich allen, auch den größten Bestrebungen gewachsen, sogar darin sich ihnen unendlich überlegen weiß, daß ihr die Befangenheit abgeht, welche jeder charaktervolle Urwille im Dienste seiner Idee bekommt, während jene bloße Virtuosität fähig ist, in Jedermanns Dienste zu arbeiten, Alles zu beweisen und Alles zu bestreiten, wie eben die Gelegenheit es mit sich bringt.

Daß dieses Zeitalter, worin wir leben, im Ganzen mehr nach Bildung, als nach Charakter strebt, ist eine Schwäche, welche mit einer andern starken Seite desselben enge und unabtrennlich zusammenhängt. Unsere Zeit läßt sich nicht besser charakterisiren, als wenn man sie die Zeit des Fortschritts in der praktischen Anwendung der Wissenschaften auf's Leben nennt. Wir können keine Reise machen, keine telegraphische Depesche lesen, kein Licht und keine Cigarre anbrennen, ohne daran beständig erinnert zu werden. Unsere Zeit schwelgt daher fortwährend im praktischen Genuß ihrer Einsichten und Talente.

Sollte da nicht Einsicht und Talent über Alles hoch erhoben und geschätzt werden? Bereits vor mehreren Decennien durchlief dieses Selbstgefühl unseres Jahrhunderts die philosophischen Schriften und Tagesblätter in der als Lehrsatz ausgeprägten Form, unsere Zeit sei bereits so weit fortgeschritten, daß sie der großen und starken Einzelmenschen nicht mehr bedürfe, sondern daß die Bildung als die Summe der über die aufgeklärten Menschenmassen verbreiteten Einsichten und Talente gänzlich an die Stelle von jenen treten dürfe.

Und dennoch bleibt es wahr, daß wir einen Menschen von bloßer Bildung ohne Charakter verachten. Der Charakter bleibt immer das Imponirende. Denn Charakter ist Kraft, und Kraft hat immer etwas von göttlicher Natur. Bildung, Licht und Aufklärung sind zwar in der Hand des starken Charakters dasselbe, was das Schwert in der Hand des Helden. Hat der Held kein Schwert, so wird es ihm an Rüstung fehlen, aber ein Held, ein Mann bleibt darum doch noch immer übrig. Was aber wird aus dem Schwerte, wenn ihm der Mann fehlt, oder wenn Kinder sich in die Rüstkammer schleichen, mit den Schwertern ihren Muthwillen zu treiben?

Wenn Friedrich Wilhelm I. sagte: „Ich will gründen mein Königreich wie einen Rocher von Bronce", und dieses in möglichster Stille und mit möglichst geringem Aufsehen dermaßen ausführte, daß Friedrich der Große einen Schatz und ein Heer vorfand, ohne welche sein Genie trotz aller Ueberlegenheit dennoch nichts vermocht hätte, so zeigte er, was ein Charakter selbst dann, wenn Talent und Geist ihm nur mäßig zur Seite stehen, aus sich selbst vermag, und was sich jeder Mensch, wenn er nur will, durch das beharrliche feste Wollen gewissermaßen selbst geben kann, während Genie und Fassungskraft in weit höherem Grade Gaben der Natur sind. Wenn derselbe Friedrich Wilhelm I. seine brennende Leidenschaft nach Macht und Größe unter einer anscheinend thörichten Saldatenspielerei versteckte, und es ihn gar nicht verdroß, daß man ihn verspottete als den König, welcher stets lade, aber niemals losdrücke, so liegt in dieser planmäßigen Willenssteifigkeit etwas, das unser moralisches Wohlgefallen erregt, selbst auch dann, wenn wir uns nicht verhehlen, daß das Streben dieses Felsencharakters eben so sehr auf die Herrschaft seiner Familie, als des protestantischen Princips gerichtet war, und daß er beides überhaupt nicht von einander zu trennen vermochte. Was gilt uns gegen einen solchen Felsen ein von Genie übersprudelnder Alcibiades, der in jedem Augenblicke die Rolle spielt, bei welcher seine Talente und Geschicklichkeiten am stärksten glänzen können, und sollte sein Charakter auch dabei wie ein fauler Fisch aus einander gehen?

Wenn der jüdische Emir Semel Ben Adija von dem bekannten arabischen Dichter Amrilkais, als dieser zum griechischen Kaiser zog, eine Anzahl kostbarer Panzer in Verwahrung nahm, und sich eher einen Sohn tödten ließ, als die anvertrauten Kleinode dem danach begehrenden Feinde auszuliefern [1]): so er-

1) Dem Semel (Samuel) Ben Adija, dem jüdischen Fürsten von Teima, hatte Amrilkais Ben Hodschr, als er zum griechischen Kaiser ziehen wollte, Panzer in Verwahrung gegeben. Als nun Amrilkais gestorben war, überzog einer von den syrischen Königen den Semel mit Krieg. Dieser hielt sich in seinem festen Schlosse, doch jener fing einen Sohn von ihm, der mit seiner Amme aus der Festung gegangen war; dann schrie er dem Semel. Der erschien auf der Mauer, und jener sprach zu ihm: Dieser dein Sohn ist in meinen Händen; und du weißt, daß Amrilkais mein Vetter und Stammgenosse war, und ich das beste Recht auf seine Erbschaft habe. Liefere du mir nun die Panzer aus; wo nicht, so schlachte ich deinen Sohn. Da sprach jener: Gieb mir eine Frist! Und er gab ihm eine. Da versammelte er sein Hausgesinde und seine Weiber, und fragte sie um Rath; und alle riethen ihm, die Panzer auszuliefern und seinen Sohn zu retten. Als es nun Morgen ward, erschien er auf der Mauer und sprach zu jenem: Die Panzer auszuliefern finde ich keinen Weg; ich bin nicht der Mann, eine Zusage zu brechen. Da schlachtete der König seinen Sohn, und zog unverrichteter Sache ab. Als nun die Tage des großen Marktes kamen, stellte sich

füllt uns solche Charakterstärke mit der reinsten Bewunderung und Hochachtung.

Wenn Spinoza so sehr die geistige Freiheit und die zu ihr hinführenden Studien liebte, daß er, um sich nicht der geringsten Art von Abhängigkeit auszusetzen, es vorzog, seinen Lebensunterhalt auf das geringste ihm mögliche Maß herabzusetzen, und, wie verschiedene kleine Rechnungen unter seinen nachgelassenen Papieren bezeugten [1]), den einen Tag von einer Milchsuppe zu leben, den andern von einer Hafergrütze u. dergl.; wenn er dem Kurfürsten Karl Ludwig von der Pfalz, welcher ihm durch den Theologen Fabricius den philosophischen Lehrstuhl in Heidelberg hatte anbieten lassen, eine höflich ablehnende Antwort gab, weil er nicht mit sich eins werden konnte, welcherlei Grenzen er der Freiheit seines Philosophirens setzen müsse, um die geltende Landesreligion nicht zu erschüttern [2]); wenn er, nachdem er die Tagesstunden mit Brillenschleifen und Meditation zugebracht, zu seinen schriftlichen Arbeiten häufig die Stunden der Nacht zwischen 10 und 3 Uhr mit zu Hülfe nahm, damit, wie sein Gegner Christ. Kortholt schreibt [3]), auch selbst keine

---

Semel daselbst mit den Panzern ein und überlieferte sie den Erben des Amrilkais, wobei er sprach:

> Bewahrt hab' ich des Kendischen Mannes Panzer;
> Denn wenn das Volk sie bricht, wahr' ich die Treue.
> Gebaut hat Adija ein festes Schloß mir,
> Wo ich mich wehre, ob der Feind mir dräue.

So wird diese Sage erzählt in den Anmerkungen zur neunzehnten Makame des Hariri bei Rückert: „Die Verwandlungen des Ebu Seid von Serug" 1. Thl. 1. Ausg. 1826. S. 522.

1) Colerus, Leben Spinoza's. Frankf. u. Leipz. 1733. S. 43.

2) Ebendas. S. 55: Cogito deinde, me nescire, quibus limitibus libertas illa philosophandi intercludi debeat, ne videar publice stabilitam religionem perturbare velle.

3) Ebendas. S. 40: Vitam egit maxime solitariam. Verissimum utique est, quod ab Autore operum Athei posthumorum relatum legimus, integros aliquot menses domi eum sedisse. Nimis enim

Stunde der Nacht verloren ginge, wo er nicht selbst verloren ginge, und nicht auch dafür sorgte, daß Andere verloren gingen: so kann man solches nicht lesen, ohne einen gewissen Neid zu empfinden, auf ähnliche Art dem Aeußeren verloren zu gehen und dem Inneren gewonnen zu werden. Denn es bringen diese Züge eine Hochachtung gegen die Person des Spinoza in uns zu Stande, welche durch seine intellectuellen Eigenschaften allein nicht würde erregt werden; und der in seiner Armuth so unabhängige Spinoza bildet dadurch einen merkwürdigen Gegensatz zu seinem jüngeren Zeitgenossen Leibnitz, welcher im Lustschlosse seiner Freundin, der genialen Königin Sophie Charlotte von Preußen, zu Lützelburg die tollsten Possen und Maskeraden arrangiren durfte, um hinterher die Ehre zu haben, dieselben der großen Kurfürstin Sophie von Hannover in einem die Spuren gräßlichen Ennui's an der Stirn tragenden Briefe zu beschreiben.

Wenn der Sultan Mahomed II., der Besieger Constantinopels und seines letzten christlichen Kaisers Constantin Drageses die von ihm zärtlich geliebte Christin Irene beim fliegenden Haare faßte und ihr das Haupt abhieb, weil er kein anderes Mittel vor sich sah, wie er diesen Netzen der Liebe, der Milde und Sanftmuth, welche ihm das Herz schmolzen und seine Gesinnungen zum Christenglauben herüberzogen, entgehen wollte: so ist dieses zwar eine Charakterstärke von schrecklicher Art, welche aber immer bei aller Rohheit der Sitten, welcher sie entstammt, ihr Erhabenes an sich behält. Denn die Ruhmbegierde und der kriegerische Stolz waren so groß in diesem Manne, daß er das Süßeste, was ihm im Leben begegnet war, und mit einer verändernden Allgewalt in dasselbe einzugreifen drohte, zerstörend

---

diligens de multa etiam nocte studiis operam dedit et tenebricosa scripta sua ab hora decima vespertina usque ad tertiam potissimam partem elucubravit, et de die hominum se consuetudini plerumque subtraxit, ut ne periret hora, qua non et ipse periret et alios perderet.

von sich warf, als ihm das murrende Heer ein Zeichen gab, daß er sich auf einem Abwege befinde [1]). Wir sind hierbei von den verschiedensten Gefühlen hin und her geworfen. Wir mißbilligen es, daß Mahomed sich nicht auf eine feinere und humanere Art

---

1) In Bauer's Denkwürdigkeiten III, 351 heißt es: „Der türkische Kaiser Mahomed II. machte, nachdem er siegreich in Constantinopel eingezogen war, hier die junge edle Christin Irene zur Beute. Sie flößte ihm Liebe, Milde, Sanftmuth ein, und schmeichelte sich gar, ihn zur christlichen Religion umzustimmen. Die Armee murrte, der Großvezir warnte, nicht Ruhm und Ehre zu vergessen. Er versammelte seine Armee im Lager, und führte die prächtig geschmückte Irene unter sie: ‚Haben eure Augen je einen liebenswürdigern Gegenstand gesehen? Ihm habe ich die einzige Glückseligkeit zu verdanken, welche ich jemals in der Gesellschaft von Frauenzimmern genossen habe. In diesem Augenblick bete ich sie an, aber ich bringe diese Anbetung und sie selbst meinem Ruhme zum Opfer.' Er faßte ihr fliegendes Haar, und hieb ihr das Haupt ab." Die Neueren bezweifeln die Wahrheit der Erzählung. Bei Hammer in der Gesch. des osman. Reichs (Pesth, 1840) I, 573 heißt es darüber: „Eben so wenig, als die Zahl der eroberten Königreiche und die erdichtete Grabschrift kann die Geschichte einzelne Züge von Grausamkeit bewähren, womit europäische Geschichtschreiber des Eroberers Charakterschilderung ausgestattet haben, um damit das Mustergemälde eines Wütherichs zu liefern, der, selbst wenn er gerecht zu handeln vorhatte, doch immer unmenschlich und grausam sich zeigte. Solche nicht historisch genug verbürgte Züge sind: die Anekdoten des vierzehn Pagen aufgeschnittenen Bauches, um den auf der Stelle zu entdecken, welcher die Gurken eines armen Weibes gegessen; die Köpfung mit eigener Hand seiner geliebtesten Sklavin Irene, um das Gemurmel des Heeres über die weichliche Unthätigkeit des Sultans zu beruhigen; die Vergiftung des Prinzen Mustafa, um dadurch die Entehrung des Harems eines Pascha zu strafen; die Einsetzung eines Richters auf der seinem geschundenen Vater abgezogenen Haut, und dergl. mehr. Vergl. Spandagius, S. 67 und 68. Die Geschichte bedarf dieser Züge, welche das Gepräge der Erdichtung an sich tragen, nicht, um über Mohammed's unmenschliche Grausamkeit und schändliche Wollust, um über seine Großmuth und Stiftungsliebe, um über seine Schandthaten und großen Eigenschaften ein unbestochenes Urtheil zu fällen."

des ihn verderbenden Gegenstandes zu entledigen wußte; daß aber ein heroischer Entschluß von solcher siegender Gewalt in diesem Manne möglich wurde, gewinnt trotz allem dem unsere Hochachtung.

Wenn Torquato Tasso von den Hofleuten des Alphons von Este, um ihn seinen Schwärmereien zu entziehen und ihn auf weltlichere und menschlichere Gedanken zu bringen, in ein Pomeranzenwäldchen gelockt wurde, in welchem ihm wie von ungefähr eine der anmuthreichsten Sängerinnen von Ferrara im Mondschein, entzückende Strophen aus seinem Aminta singend, begegnen mußte, und nun Tasso, völlig unvermögend, seine Seele in die hier beabsichtigte Tonart umzustimmen, das Mädchen in aller Höflichkeit und Freundlichkeit über die vorgetragenen Strophen begrüßte, und unter belehrenden Gesprächen über die lyrische und theatralische Action nach Hause begleitete [1]): so erfüllt uns diese graziöse Situation mit einem Wohlgefallen, welches ganz verschieden ist von jenem, das die Gedichte dieses Mannes erregen, indem es sich nicht auf die geistige Productivität, sondern auf die persönliche Haltung desselben bezieht. Denn hier ließ Tasso nicht die Gestalten seiner Phantasie in klingenden Reimen in die Wirklichkeit treten, sondern formte die Wirklichkeit selbst um zur Poesie des edelsten Stils.

Wenn bei dem berühmten englischen Chemiker Cavendish [2]), welcher in ärmlichen Umständen lebte, die Hinterlassenschaft seines Oheims von mehr als einer Million Pfund Sterling in seiner eingezogenen Lebensweise auch nicht die mindeste Veränderung hervorbrachte, so daß er fortfuhr, immer nur Einen Rock von demselben Tuch und derselben Farbe zu besitzen, wie es früher bei ihm der Fall gewesen war, seinen Reichthum aber großentheils zur freigebigsten Unterstützung junger Leute von Talent verwandte:

1) Tasso's Leben, S. 63. Vor Tasso's „Befreitem Jerusalem" Italienisch und Deutsch. Mannh. 1781.

2) Beneke's pragmatische Psychologie II, 374.

so zeigt dies an, daß der Mann sich in seiner bisherigen Lage vollständig befriedigt fühlte, und nun aller Glanz und Luxus, welcher Anderen Vergnügen gemacht haben würde, ihm nur als Last erschien. So wurde er gänzlich unabhängig von seinem äußeren Schicksal, und wird uns dadurch zum Typus geistiger Freiheit. Auch vermindert der Anstrich der Sonderlingslaune, Alles so ganz beim Alten zu lassen, in diesem Falle nicht unser Wohlgefallen, sondern setzt ihm nur eine heitere Farbe von Humor zu, vermöge dessen wir uns hier mit dem Gegenstande unserer Bewunderung auf um so vertranterem Fuße fühlen.

Man überzeugt sich leicht aus diesen Beispielen, daß das, was wir unter dem Namen des Charakters beobachten und bewundern, den allerverschiedensten Inhalt haben kann. Es kann Ruhmbegierde sein, wie bei Mahomed II., oder Herrschertrieb, wie bei Friedrich Wilhelm I.; es kann Freiheitsliebe sein, wie bei Spinoza, oder wissenschaftlicher Eifer, wie bei Cavendish; es kann nackte Rechtschaffenheit sein, wie beim Emir Semel Ben Adija, oder ein edler Schwung der Phantasie, wie bei Tasso, was dem Charakter zum Grunde liegt. Und es giebt überhaupt kein Verhältniß in unsern Gefühlen, Trieben und Neigungen, welches sich nicht durch eine gewisse geflissentliche Pflege und Cultur, welche wir darauf verwenden, zum Charakter ausbilden ließe. Der bloße Verstand, das bloße Talent des Denkens und der Auffassung, verbunden mit Gedächtniß und allen übrigen daraus hervorgehenden Fertigkeiten und Geschicklichkeiten, giebt für sich allein auch bei der höchsten Cultur desselben noch keinerlei Art von Charakter, weil ihm der Stoff des Charakters, die Schärfe der Neigung und die Wärme der Leidenschaft fehlt, welche das von der Natur gegebene Gewächs ist, das mit dem Werkzeuge der Intelligenz und des Verstandes bearbeitet sein will, wenn ein Charakter entstehen soll. Ein solches Naturgewächs aber muß immer vorhanden sein. Denn dadurch, daß der Gärtner nur seine eigenen Werkzeuge, Spaten und Hacke begießt, entsteht noch keine Pflanze.

Was man den Charakter eines Menschen nennt, hat daher immer zwei Seiten, eine natürliche und eine moralische. Die natürliche ist die Charakter-Anlage, die moralische ist die Charakter-Ausbildung. Weil wir im gemeinen Leben diese Bedeutungen des Wortes nicht unterscheiden, sondern bald die eine, bald die andere allein und dann wieder das Erzeugniß aus beiden unter Charakter verstehen, so entstehen dadurch die scheinbaren Widersprüche, in die wir uns häufig verwickeln, wenn von Charakter die Rede ist. Wir sind z. B. im Stande, Jemanden einen guten Menschen und dennoch einen Menschen ohne Charakter zu nennen. Wir verstehen dann darunter, daß dieser Mensch von Charakteranlage vorzugsweise zum Wohlwollen gegen die Menschen hinneige, aber seine Charakteranlage noch nicht zur unerschütterlichen Gleichförmigkeit des Handelns ausgebildet habe, weshalb man, so lange dieses nicht geschehen ist, von ihm immer noch nicht weiß, ob er nicht zu derjenigen Classe der guten Menschen gehöre, von denen Helvetius sagt, daß sie nur so lange gut bleiben, als sie Einfaltspinsel bleiben [1]).

Was die Charakter-Anlage betrifft, so zeichnet uns die Natur darin unsere bestimmten Bahnen vor, und wir werden dieselben nur zum großen Schaden unseres Charakters zu überschreiten streben. Versuchen wir dieses, so wird am Ende nichts weiter entstehen, als ein verdrehtes und affektirtes Wesen, worin wir etwas künstlicherweise als Charakter darzustellen suchen, was dennoch niemals bei uns in Fleisch und Blut übergeht. Das höchste Resultat, welches wir so erreichen, ist dann nur immer, höchst geschickte Schauspieler zu sein, welche die angenommene Charakterrolle so täuschend spielen, als wäre sie Natur. Das nächste Kennzeichen, wodurch sich dies zu erkennen giebt, ist die

---

1) Helvetius, De l'esprit. Paris 1776, pag. 288: Bien différent de ces hommes, qui ne sont bons, que parcequ'ils sont dupes, et dont la bonté diminue à proportion que leur esprit s'éclaire.

Uebertreibung. Wer z. B., was leider in Wirklichkeit vorgekommen ist, mit der Cigarre im Munde die Standrechtkugel empfängt, oder mit tanzenden Schritten das Schaffot besteigt, der zittert inwendig vor dem Tode; wozu wollte er sich wohl sonst als Schauspieler geberden, als um dieses zu verhüllen? Wer ängstlich besorgt ist, jeden auch noch so geringfügigen Widerspruch gegen seine Schriften oder Worte von Grund aus zu vertilgen, und dem Gegner auch in billigen Dingen nicht die allermindesten Zugeständnisse zu machen, der zeigt dadurch, daß er in den Kern der Sache, welche er verficht, selbst nicht unbedingtes Vertrauen setzt. Wir sollten daher, um uns vor Verdrehungen und Verschraubungen zu hüten, es uns zum festen Gesetze machen, uns nie etwas als Charakter anbilden zu wollen, wozu uns die Natur den Stoff versagt hat. Darum wirkt auch der Heroismus oder Opfermuth, eine so herrliche Eigenschaft er ist, wo er von Natur entspringt, doch in seiner Umgebung oft verderblich, weil er immer eine Menge von Menschen augenblicklich zu Stimmungen hinreißt, zu deren consequenter Bewahrung und Durchführung ihnen ihr Naturell den Stoff versagt; weshalb ihnen dann nur die traurige Wahl bleibt, entweder sich als charakterlos zu zeigen, oder Empfindungen fortzuheucheln, welche sie nicht mehr besitzen, und zu deren Erneuerung es in ihnen immer erst wieder künstlicher Impulse bedarf. Sehen wir doch selbst die Jünger Christi sich bei der Gefangennahme des Meisters charakterlos zeigen und erst nach einer Zwischenzeit der Selbstbesinnung den Heroismus des Märtyrerthums in sich auf selbstständige Art wiedergewinnen, welcher von dem Zeitpunkte an in ihnen nicht wieder erlosch. Nationen aber, welche sich das heroische Pathos zur Lebensstimmung machen, wie die spanische und die französische, belasten dadurch die freie und fröhliche Entfaltung der individuellen Empfindungsweise eines Jeden mit einem nicht geringen Druck, weil man bei diesen Nationen sein Naturell nur hat, um damit seinen Charakter fortwährend zur Parade zu tragen, während bei den germanischen Völkern es genug ist, wenn Jedermann nur seinen Charakter wirklich besitzt, wobei es ihm dann erlaubt ist, von seinem Naturell so viel in die Oeffentlichkeit zu bringen, als ihm sein eigener Humor gestattet. Wer sich möglichst in die Lage bringt, nie etwas darstellen zu müssen, was er nicht empfindet, nie etwas vertheidigen zu müssen, wovon er nicht überzeugt ist, nie etwas sagen zu müssen, was er nicht denkt, der wird am besten für die Gesundheit seines Charakters gesorgt haben. Ja, es ist weit besser, in unserm Verstande und unsern Talenten eine Lebensfackel zu besitzen, welche den engen Kreis unserer Verhältnisse mit ihrem Glanze überstrahlt, als unsern Talenten zu Liebe uns in Verhältnisse zu begeben, welche unserm Naturell widerstreiten. Das beste Beispiel von dieser Art stellen uns die emancipirten Damen vor Augen, welche häufig sehr schnell damit fertig werden, ihre weibliche Natur auszuziehen, aber desto längere Zeit gebrauchen, um nur überhaupt irgend eine erträgliche Natur dafür wieder zu gewinnen, wenn sie es nicht etwa vorziehen, dahin zu gehen, wo alle Natur aufhört, nämlich in's Kloster. Ueber sein Naturell soll daher Niemand hinausgehen, eben so wenig, als man dem Schiffe Räder ansetzen soll, um damit zu Lande zu fahren, oder den Spaten in's Schiff nehmen, um damit zu rudern.

Aber eben so wenig darf der Mensch bei seinem bloßen Naturell stehen bleiben, wenn etwas Ordentliches aus ihm werden soll. Ein Weib, welches weiter nichts in sich besitzt, als das weibliche, und ein Mann, welcher weiter nichts hat, als das männliche Naturell, haben damit beide noch erschrecklich wenig. Der Priester kann sie sogar mit einander copuliren, ohne daß ein Mensch daraus wird. Denn die beiden Hälften bilden in diesem Falle noch nicht das Ganze der Menschheit; dieses liegt als ein Höheres über beiden, als ein nicht von selbst vorhandenes Ziel, welchem beide gleicherweise, nur von entgegengesetzten Seiten her, zuzustreben haben. Bleiben wir zunächst einmal beim bloßen Naturell stehen, so führt uns dieses im Ganzen nicht viel weiter, als zu den Eigenschaften, welche daraus folgen, daß der Mann der an Körperkraft stärkere und das Weib der an Körperkraft schwächere Theil der Menschheit ist. Ich ziehe es vor, hier an meiner Statt einen französischen Arzt, Cabanis, sprechen zu lassen, welcher diese Folgerungen in wenigen Grundzügen recht gut entworfen hat. „Die Frauen", sagt Cabanis [1]), „müssen Arbeiten vorziehen, welche nicht sowohl Stärke der Muskeln, als feine Geschicklichkeit erfordern. Sie müssen sich mit Kleinigkeiten beschäftigen; ihr Geist wird daher nicht sowohl Ausdehnung und Gründlichkeit, als vielmehr Feinheit und Scharfsichtigkeit erlangen. Die Natur ihrer für sie schicklichen Arbeiten nicht minder, als die unmittelbar von ihrer Organisation abhängende Neigung hält sie zu einer sitzenden Lebensart an. Sie fühlen ihre Schwäche, daher ihr Bedürfniß zu gefallen, daher jenes fortwährende Achthaben auf Alles, was um sie vorgeht; daher ihre Verstellung, ihre kleinen Gefallkünste, ihre Manieren und ihr graziöses Wesen. Aus den entgegengesetzten Gründen", fährt Cabanis fort, „finden die Knaben gleich in ihrem Instinkt eine originelle und charakteristische Neigung; sie müssen also gerade entgegengesetzte Gewohnheiten annehmen. Voll des Gefühls ihrer werdenden Kraft und des Bedürfnisses, sie zu üben, ist ihnen die Ruhe unangenehm und peinlich; sie bedürfen Bewegungen und überlassen sich denselben mit Ungestüm. Und so sieht man, daß sich schon aus ihren ursprünglichen Anlagen und der Art ihrer Spiele und Beschäftigungen der Charakter ihrer Leidenschaften bildet. Und die Leidenschaften des erwachsenen Mannes sind keine anderen als die Leidenschaften des Knaben, nur durch die Reife der Organe und durch die Erfahrung des Lebens entwickelt und vervollständigt." So spricht ein geistvoller Arzt, und er hat Recht bis zu der Grenze, wo das Naturell auf-

---

1) Cabanis, „Ueber die Verbindung des Physischen und Moralischen im Menschen". Aus dem Franz. von Jakob. Halle und Leipzig. 1804. I, 303.

hört und der Charakter beginnt. Denn solchen Charakteren, wie Spinoza und Cavendish, gegenüber erscheint die Behauptung, daß die Leidenschaften des erwachsenen Mannes nichts, als die entwickelten und vervollständigten Leidenschaften des Knaben seien, als eine sonderbare Behauptung, und eine Judith, Johanna d'Arc und Charlotte Corday beweisen, daß in einer Frauenseele noch ganz andere Dinge vor sich gehen können, als welche sich aus einem vorherrschenden Gefühle der Schwäche und seiner daraus hervorgehenden Wachsamkeit auf alle Kleinigkeiten in der Umgebung ableiten lassen.

Die Ideale der Männlichkeit und der Weiblichkeit haben durchaus keinen moralischen Werth, und man macht dem Manne das allerschlechteste Compliment, wenn man ihn einen Ausbund echter Männlichkeit, so wie dem Weibe, wenn man es ein Muster echter Weiblichkeit nennt. Denn der männlichste Mann ist ohne Zweifel der herrschsüchtigste, und das weiblichste Weib ist ohne Zweifel das furchtsamste: beides aber sind keine Tugenden, sondern Fehler. Die männlichsten Männer leben in der arabischen Wüste, die weiblichsten Weiber in den türkischen Harems. Das furchtsame Aufgeben ihrer eigenen Persönlichkeit geht bei den Türkinnen so weit, daß ihre Person sich fortwährend verbirgt, wie das Veilchen im Laube, und für die Welt gar nicht existirt. Der Unabhängigkeitssinn alter arabischer Helden ging so weit, daß sie sich auch der Sitte ihres eigenen Stammes nicht mehr unterwerfen mochten, sondern sich zu Feinden des Menschengeschlechts erklärten, und nur noch mit den wilden Thieren der Wüste Freundschaft schlossen. Dies ist ohne Zweifel der Gipfel aller Männlichkeit, aber auch der Anfang der Bestialität. Die Cultur und Gesittung besteht eben darin, daß solchen schroffen Gegensätzen des Naturells zu Gunsten der Menschheit die Spitze abgebrochen wird. In einem durch Gesittung gehobenen Leben giebt sich das Weib nicht mehr auf; das natürliche Verbergen seiner Persönlichkeit blühet auf zu freier Bewegung, während auf der andern Seite der unreine Herrschertrieb und der blinde Ehrgeiz des Mannes sich herabstimmt zu einer hartnäckigen Vertheidigung desjenigen Ortes im Gemeinwesen, worin ein freies Spiel seiner moralischen Kräfte nach eigenem Geschmack und eigener Wahl zum Wohle des Ganzen möglich ist. Die Freiheit, das freie Spiel der moralischen Kräfte und Anlagen des Menschen, ist der gemeinsame Punkt, zu welchem die Furchtsamkeit des Weibes erhoben, die Stärke des Mannes zurückgespannt werden muß, wenn reine Menschheit sich entwickeln soll. Dieser Punkt setzt aber auch zugleich wieder für beide Theile eine nicht zu überschreitende Grenze fest. Denn wenn das Weib auch seine Furchtsamkeit bis zur größten Sicherheit des freien Umganges ablegen darf, so bewirkt doch der leiseste Anflug von Ehrgeiz oder Herrschsucht, daß Cytherens goldenes Buch sich augenblicklich schließt. Und wenn der Mann auch die Herrschsucht, sogar den Ehrgeiz, aufgeben darf, ohne sich selbst zu verlieren, so darf er doch das Freiheitsstreben nicht aufgeben, wenn er nicht moralisch zu Grunde gehen will. Zur Freiheit gehört aber nicht bloß, daß man alles das thun darf, was einem die Pflicht und das Gewissen gebieten, sondern auch, daß man eben dieses mit der ganzen Kraft und der ganzen Eigenthümlichkeit seines eigenen nur ein einzigesmal in der ganzen Welt vorkommenden Willens thun darf, welche unser eigenes Thun vom Thun aller übrigen Menschen unterscheiden, und ohne deren freies Spiel alle unsere Kräfte immer gelähmt sind. Aus diesem Grunde werden sklavische Zustände die freien Charaktere immer in die Einsamkeit, freie Zustände in die Oeffentlichkeit treiben. Man kann den freien Charakter vom unfreien am besten unterscheiden durch die Theilnahme, welche er an Anderer Freiheit nimmt. Denn dem Freien geht immer das Herz auf, sowie er freie Menschen um sich herum leben und handeln sieht, und es geht ihm um so mehr das Herz auf, je ungezwungener und selbständiger das einzelne Instrument innerhalb der Harmonie des ganzen Concerts seine eigenen Wege geht. Dagegen der Unfreie dem Freien immer sogleich seine freie Bewegung mißgönnt, weil er alle Uebrigen fortwährend nach seinem eigenen Modul formen und schulmeistern möchte, daher allen Menschen, wo er nur kann, am Zeuge flickt, und sich wohl am Ende noch gar einbildet, eine solche Grämlichkeit, welche die Kinder untereinander das Spielverderb nennen, bringe moralische Wirkungen auf die Menschheit hervor.

Fichte sagt [1]): „Jeder, der sich für einen Herrn Anderer hält, ist selbst ein Sklave. Ist er es auch nicht immer wirklich, so hat er doch sicher eine Sklavenseele, und vor dem ersten Stärkeren, der ihn unterjocht, wird er niederträchtig kriechen. Nur Derjenige ist frei, der Alles um sich herum frei machen will, und durch einen gewissen Einfluß, dessen Ursache man nicht immer bemerkt hat, wirklich frei macht. Unter seinem Auge athmen wir freier; wir fühlen uns durch nichts gepreßt und zurückgehalten und eingeengt; wir fühlen eine ungewohnte Lust Alles zu sein und zu thun, was nicht die Achtung für uns selbst uns verbietet."

Diese Freiheit, welche man auch eben so gut Menschheit nennen kann, ist eben so wenig männliches, als weibliches Vorrecht; sie eröffnet ein allgemein menschliches Lebenselement für beide Arten von Naturell; nur sollen beide nie vergessen, daß, so wie der Vogel seine Federn und der Löwe seine Klauen als Handwerkszeug zum Leben mit auf die Welt bringen, in ähnlicher Art auch der Mensch sein Handwerkszeug nicht umtauschen darf, das ihm die Natur nun einmal unabänderlich in die Hand gedrückt hat. So hoch sich auch der Menschengeist emporschwingen mag, so darf er doch jenen mächtigeren und ursprünglicheren Naturgeist niemals überflügeln wollen, welcher ein jedes Individuum zu einer bestimmten einseitigen Beschäftigung ausrüstete, und es

---

1) J. G. Fichte, „Einige Vorlesungen über die Bestimmung des Gelehrten" 1794. S. 39.

mit gebieterischer Stimme sich innerhalb dieser Schranken zu halten zwang.

Es wird nun durch diese Betrachtungen der Spielraum, innerhalb dessen sich ein Charakter entwickeln kann, in ganz bestimmte Grenzen eingeschlossen. Von der einen Seite ist dem Menschen sein Naturell gegeben, dessen Grenzen er nicht überschreiten darf, ohne in Verzerrungen zu fallen; von der anderen Seite hängt die freie Bewegung innerhalb dieses Naturells von dem Grade des Verstandes ab, mit welchem der Mensch von den Talenten und Fähigkeiten seines Naturells Gebrauch zu machen versteht. Das alles aber ist noch immer bloße Naturgabe, und giebt noch keinen Charakter. Der Charakter fängt erst damit an, daß der Mensch vermöge eines bestimmten Willens oder sehnsuchtsvollen Strebens in die Anlagen seines Naturells befestigend und ordnend eingreift, und hierdurch in seiner Seele ähnliche Arbeit verrichtet, wie der Gärtner im Park, nämlich daß er die Bäume und Gewächse, welche ihm die wichtigsten zu sein scheinen, auf alle Weise pflegt und zum höchsten Grade des Wachsthums steigert, allem übrigen aber nur so viel Raum vergönnt, daß es wachsen kann, ohne jenen, um welche es ihm allein zu thun ist, den Raum zu versperren.

Als Hamlet seine Unterredung mit dem Geiste seines ermordeten Vaters gehabt hat, sagt er [1]: „Ja, von der Tafel meines Gedächtnisses will ich alle alltäglichen und zärtlichen Erinnerungen abwischen, alles Wissen aus Büchern, alle vergan-

---

1) Hamlet, Act 1, Scene 5:

Yea, from the table of my memory
I'll wipe away all trivial fond records,
All saws of books, all forms, all pressures past,
That youth and observation copied there;
And thy commandment all alone shall live
Within the book and volume of my brain,
Unmix'd with baser matter: yes, by heaven!

genen Formen und Eindrücke, welche Jugend und Beobachtung dort abbildeten, und dein Befehl soll allein leben im Buche meines Gehirns, unvermischt mit geringfügigeren Dingen." Hamlet brütet in diesen Worten über eine Reform seines Charakters. Er beabsichtigt, ihm eine schroffe Männlichkeit und Kühnheit mitzutheilen, von der er wohl fühlt, daß er sie bisher nicht besessen hat, und daß es große Schwierigkeiten haben wird, das Gewächs desselben, zu welchem er im Augenblick auf's deutlichste das Samenkorn in sich liegen fühlt, zu pflegen und groß zu ziehen. Deshalb will er alle zerstreuenden Vorstellungen möglichst austilgen, damit ihm die neue und allein gewollte Stimmung seiner Seele, welche am Befehl des Geistes haftet, von nun an nie wieder entweiche. Dadurch eben offenbart die Tragödie Hamlet ihre mit Recht bewunderte psychologische Tiefe, daß sie das Schauspiel einer heiß ersehnten, und doch nur unvollkommen bewirkten Charakterumwälzung ist; daß Hamlet in die Lage kommt, sich Dinge zumuthen zu müssen, zu denen seine Kräfte kaum ausreichen, woraus ein verkehrtes Handeln, eine tiefe Seelenzerrüttung und zuletzt der Untergang als Folgen entspringen. Die Seelenstimmung, welche Hamlet vergebens in sich zur herrschenden zu machen sucht, die Seelenstimmung des Blutvergießens, haben Beduinen und Räuber ohne Mühe als Lebensgewohnheit und Naturell. Ihm gelang es nicht, sie als fortwährenden herrschenden Willen der Seele, sondern immer nur als augenblickliche Stimmung herzustellen. Der werdende neue Charakter blieb bei ihm ein bloßes Gelübde, er ging nicht in ein bleibendes Verhältniß über. Aber ein Gelübde, ein Vorsatz, etwas zu sein oder zu thun, und sei derselbe auch noch so fest vorgenommen, ist noch lange kein Charakter, sondern nur erst der Keim, aus welchem vielleicht ein solcher erwachsen kann.

Wie es hierbei zugehe, versinnlicht uns etwa das Schließen eines Liebesbundes zwischen zwei Personen. So lange sie sich nur gegenseitige Treue zugeschworen haben, steht ihr Bund erst im

Stadium des Gelübdes und Vorsatzes, und kann, wenn auch nicht durch Untreue, doch noch immer durch unüberwindliche äußere Hindernisse vereitelt werden. Erst im Schließen der Ehe, wo zum festen Gelübde und Begehren der Zwang des Gesetzes sich gesellt, tritt der Bund in das Stadium des ausgeprägten Charakters ein. Die Personen können nicht mehr zurück, die Brücke wird hinter ihnen abgebrochen, aus dem Wunsch wird eine Nothwendigkeit. Nun giebt es zwar in der Seele keine Staatsgesetze, die momentanen Wünsche und Vorsätze in unüberwindliche Triebe und Strebungen plötzlich umzustempeln, aber desto gewaltigere Naturgesetze, welche diese Umprägung mit eben so großer Sicherheit, nur auf langsamerem und allmählichem Wege vollziehen. So wie im Stundenglase Sandkörnlein nach Sandkörnlein mit unaufhörlicher Gleichförmigkeit niederfällt, und sich die Körnlein in einer gesetzmäßigen Zeit zu einem Haufen von bestimmter gesetzmäßiger Größe sammeln, so sammeln sich auch die einzelnen Körnlein unserer Empfindungen, Wünsche, Willensstrebungen und Begehrungen, wovon immer eines auf einen Augenblick geht, zu einem Haufen an, dessen Größe sich nach der Länge der Zeit richtet, in welcher diese Antriebe unseres Willens sich wiederholen. Ein Clavierschüler z. B., welcher bei der Einübung einer Passage auf eine falsche Fingersetzung verfällt, wird dieselbe immer noch mit Leichtigkeit in die richtige umändern können, wenn der Lehrer den Fehler zu rechter Zeit merkt, und ihn darauf aufmerksam macht. Geschieht dieses aber nicht, so wird der Fehler im Spiel sich desto tiefer einwurzeln, je mehr Fertigkeit der Schüler sich überhaupt erwirbt, und zuletzt gar nicht mehr auszurotten sein. In Beziehung auf die richtige oder fehlerhafte Art, wie wir beim Schreiben die Feder ansetzen, wie wir entweder spitzige oder stumpfgeschnittene Federn verlangen, wie wir Messer und Gabel beim Essen führen, die Füße beim Gange aufsetzen, dem Körper eine gezogenere oder nachlässigere Haltung geben, ist Jedermann ähnlichen Angewöhnungen unterworfen, welche sich bis auf seine frühe Kindheit zurückdatiren, und darum so zähe und unüberwindlich sind, weil ihre Elemente nicht aus Tausenden, sondern aus vielen Millionen einzelner Eindrücke zusammengewoben sind. Man denke sich Millionen Spinnwebenfäden auf einer Zwirnmaschine zu einer einzigen Schnur zusammengedrehet, es würde ein hübscher Bindfaden daraus werden. Aehnlich ist es mit den Wünschen. Sie steigen in dem Maße, als man sich ihre Befriedigung erlaubt. Werther meinte Anfangs, ein Blick und ein Wort von Lotten werde ihm unausgesetzt dieselbe Befriedigung geben, wie dies Anfangs Wochen und Monate lang wirklich der Fall war. Er bedachte nicht, daß die tägliche Erfüllung unserer Wünsche dieselben anschwellt und gleichsam füttert, daß das Wünschen, welches jetzt im Kleinen befriedigt ist, sobald diese Befriedigungen beständig fortdauern, nach Abfluß einer gewissen Periode nothwendig seine Dämme durchbricht. Wer daher nach einer gewissen Richtung des Seelenlebens schlechterdings nicht will, der muß unerbittlich auch schon die ersten Keime seiner Wünsche nach dieser Richtung vereiteln, mit seinen Wünschen um die Befriedigung kargen. Wer umgekehrt nach einer gewissen Richtung des Seelenlebens hinstrebt, welche bisher in ihm nicht ausgebildet war, der braucht sich durchaus nicht leidenschaftlich nach derselben hin ins Feuer zu setzen. Er braucht nur still und unausgesetzt täglich seine Gedanken und Empfindungen nach dieser Richtung hin zu beschäftigen, und er kann sicher sein, daß auch in den Zwischenzeiten, wo er mit etwas anderem beschäftigt ist, keine dieser Spuren in seiner Seele verloren geht, sondern daß alles sich summirt mit einer Genauigkeit, als wäre nach italienischer Buchhaltung das Facit gezogen. Wer täglich einen Dreier in seine Sparcasse legt, sammelt sich noch einmal so viel Geld, als wer dasselbe nur einen um den andern Tag thut. Und wer ein ganzes Jahr lang fortfährt, dieses täglich zu thun, der hat am Ende des Jahres eine Summe von drei Thalern. Was unser Vorsatz in jedem Augenblick wirklich in der Gewalt hat, ist nur immer ein einzelner armseliger Dreier.

Aber diese armseligen Dreier lassen sich durch eine fleißige Benutzung der Zeitdauer, in welcher unser Leben verläuft, in Thaler und Dukaten umwandeln, um ein Capital von Angewöhnungen und Begehrungen in der Seele zu bilden, welches wir nun nicht mehr in der Gewalt haben, sondern welches in dem Grade, als es wächst, mit immer größerer Nothwendigkeit unserem Willen die Gesetze vorschreibt, denen er sich nicht entziehen kann. Wann dieser Zeitpunkt eintritt, wo der Vorsatz, ein anderer Mensch zu werden, in die Nothwendigkeit, es zu sein, übertritt, läßt sich auf Stunde und Minute nicht bestimmen, aber wir wissen in uns selbst auch hier recht gut die Zeitstrecke, wo wir noch umkehren können, zu unterscheiden von dem Zeitpunkt, wo die Brücke hinter uns abgebrochen wird, und wir nun die Last auf die Schultern nehmen müssen, welche wir uns im Guten oder im Bösen aufgebürdet haben. Das Eintreten dieses Zeitpunkts wird aber in verschiedenen Seelen durch Nebenumstände verschieden modificirbar sein. Es wird z. B. in der Kindheit und Jugend rascher erfolgen, als in späteren Jahren. Denn „die Verbindungen in der Seele des Kindes sind", wie sich Beneke[1]) hierüber ausdrückt, „noch so schwach und unbestimmt, daß sie beinahe allen auf die Stiftung von neuen Verbindungen hinarbeitenden Bewegungen nachgeben; dagegen die Seele des Erwachsenen mehr oder weniger eine bereits feste, bestimmte Gliederung entgegen bringt, die sich nicht so leicht durch neue Anziehungen und Bewegungen verrücken läßt." Es geht aus diesem allen hervor, daß es einen großen Unterschied in Beziehung auf den Charakter des Menschen abgeben muß, ob der Mensch sich nur so gehen läßt, oder ob er durch selbstgefaßte Vorsätze beständig geflissentliche Einwirkungen auf sich selbst ausübt. Nur im letzteren Falle wird Charakter im engeren und eigentlichen Sinne entstehen, während der Mensch im ersteren

---

1) Beneke's pragmatische Psychol. I, 286.

Falle im Grunde völlig charakterlos bleibt, und statt eines wirklichen Charakters sich mit dem bloßen Naturell behelfen muß, so gut es gehen will. Ein solcher Naturalist ist nicht das, was er selbst, sondern immer nur das, was die äußeren Eindrücke und Lebensschicksale aus ihm gemacht haben und machen, und sollte er dabei auch ein Talent, ja ein Genie erster Größe sein. Mirabeau z. B. war käuflich zu allen Dingen. Seine Freunde sagten von ihm, daß er Geld nehme wie Schnupftabak, ohne es selbst gewahr zu werden. Da des Herzogs von Orleans Reichthümer und Hülfsquellen erschöpft waren, und dieser die großen Pensionen nicht mehr auftreiben konnte, die Mirabeau nebst Anderen von ihm zog, wurde er gegen den Hof nachgiebiger in dem Maße, als er von diesem Unterstützung bekam. Danton hatte das Entfliehungsproject des Königs und Lafayette's, der es begünstigte, bei der Nationalversammlung denuncirt, und Mirabeau hatte schon die Rede aufgesetzt, worin er ermahnte, die Vormundschaft und Regentschaft während der Minderjährigkeit des Thronerben dem Volke anzuvertrauen. Da aber Talon als Abgesandter des Hofes ihm mit blanker Münze bewies, daß dieses geradezu für den Republikanismus arbeiten heiße, sattelte Mirabeau plötzlich um, und stellte auf der Rednerbühne das Gegentheil als so gleichgültig und gefahrlos dar, daß die Versammlung ihm folgte, und seine Freunde Augen und Mund aufsperrten[1]). Bei Menschen von dieser Art, welche sich dem bloßen Naturell ihres Ehrgeizes oder ihrer Geldliebe überlassen, ohne auch nur Versuche zu einer selbstgeschaffenen Charakterbildung in sich zu machen, tritt die Charakterlosigkeit in ihrer naivsten Form auf. Solche Menschen bleiben in dieser Beziehung ihr ganzes Leben hindurch Kinder, welche von einem ernsten Worthalten, von einer Männlichkeit im römischen Sinn niemals

---

1) Wichtige Anekdoten eines Augenzeugen über die franz. Revolution. Berl. u. Leipzig 1800. II, 229 ff.

einen Begriff bekommen, und daher in der Berührung mit festen Charakteren immer weich, wie aus Korkholz geschnitzt, erscheinen. Insofern hat diese totale Charakterlosigkeit etwas Heiteres an sich.

Einen sehr entgegengesetzten, nämlich einen peinlichen Eindruck machen die kämpfenden Charaktere, welche das, was sie zu sein streben, ihr Leben lang nicht wirklich erreichen, und nun aussehen, als hätten sie einen gewissen Charakter als bloße Rolle oder Maske gespielt, um dessen Ausführung es ihnen doch ernstlich, obwohl immer vergebens, zu thun war. In dieser Weise ging es z. B. Hippeln sein Leben lang mit seiner strengen Religiosität. In seiner Lebensbeschreibung liest man[1]): „In der Einsamkeit war er durchdrungen von dem Werthe der Tugend, der Herzensreinheit, der Selbstüberwindung, von der Nichtigkeit des Zeitlichen und Sichtbaren gegen das Ewige und Unsichtbare in uns; verließ aber der reizbare Mann die Einsamkeit des Nachdenkens und seinen Schreibtisch, kam er wieder in die bürgerliche, prosaische Welt, wo Geld, Ehre, Weiber auf seine Sinnlichkeit wirkten: so war diese zu sehr Despotin von seinem Ich, und der bessere moralische Mensch unterlag ihr oft. Dabei aber gab seine innere Stimme doch der Tugend und Pflicht zu lautes Zeugniß, als daß er sie nicht hätte ehren und den Schein des Gegentheils vermeiden sollen. Man kann wohl sagen, sein ganzes Leben sei ein innerlicher Kampf gegen diesen ihm ganz eigen gewordenen Hang zur Verstellung, den er in der That für böse hielt, gewesen. Dieses Ankämpfen kostete ihm manchen Seufzer, den seine Freunde bei seinem Leben auf andere Ursachen schoben, und ihm darüber ernsthaft und lachend manche Vorwürfe machten." In ähnlichen inneren Kämpfen sah man das Leben des Dichters Schubart, bekannt durch sein Vorkämpfen für deutsches Volksthum und seine zehnjährige Gefangenschaft auf dem Asperge,

---

1) Schlichtegroll's Nekrolog auf d. J. 1797 1, 254. Vgl. Beneke's pragm. Psych. II, 334.

sich aufreiben. Charaktere, wie ihn und Hippel, darf man die unreifen nennen, weil sie auf dem Wege zu einer soliden Männergröße durch einen entgegengesetzten Plunder oder Lebensballast, welchen der Wille ein- für allemal über Bord zu werfen sich nicht entschließen kann, fortwährend an einem reinen Rechnungsabschlusse mit sich selbst verhindert werden.

Von diesen sind die gebrochenen oder gewaltsam aus der Bahn geworfenen Charaktere zu unterscheiden, bei denen die Charakterbildung von innen her stark angelegt war, bei denen aber plötzlich herantretende äußere Umstände so entgegengesetzte Anforderungen an das Leben stellten, daß die erforderte Umstimmung des Charakters nur unvollkommen gelingen konnte. Wir können Aehnliches täglich im Kleinen an uns selbst bemerken, wenn wir bei einem Geschäfte, in welches wir grade sehr und mit Lust vertieft sind, durch die plötzliche Anforderung eines entgegengesetzten Geschäfts, welches im Augenblicke ausgeführt sein will, unterbrochen werden. Ein solcher Uebergang kostet immer einige Anstrengung. Ist nun das neue Geschäft ein bereits gewohntes und befreundetes, so werden wir mit einigem Entschlusse dennoch leicht hineinkommen; ist es aber ein ungewohntes und fremdartiges, so wird der Mangel an Vorbereitung dazu uns in eine Art von Verwirrung setzen, welche es uns schwer macht, die richtige Fassung zu behaupten. In solcher Art ging der Charakter Swift's zu Grunde. Die Armuth seiner Jugend, in welcher ihm durch die Unterstützung eines reichen Oheims seine Bildungsmittel nur kärglich zuflossen, stachelte ihn von Anfang her, die Talente, welche er besaß, zum schleunigen Erheben seiner Person zu Ehre, Ansehen und Macht zu verwenden. Der Schwindel erregende Beifall, welchen, noch in frühem Lebensalter, seine Schriften und namentlich seine politischen Flugschriften erhielten, verschaffte ihm einen solchen Einfluß auf den Grafen Oxford und auf Bolingbroke, daß er, obgleich er kein Staatsamt bekleidete, durch die Minister, deren Vertrauter und Rathgeber er war, eine

Reihe von Jahren hindurch fast die gesammte Staatsregierung leitete. Da nun durch den Tod der Königin dieser sein Einfluß mit einem Schlage vernichtet wurde, so wußte er sich in eine Existenz, in welcher die so heftig angespannt gewesenen Triebfedern des Herrschens, Glänzens und großartigen Wirkens erschlafften, so wenig zu finden, daß er in Folge tiefer Mißstimmung von nun an nichts als Bagatellen trieb, bis sich zuletzt eine durchgreifende Geisteslähmung rettungslos seiner bemeisterte, und ihn, nach einem Zwischenspiele von Wuthanfällen, zuletzt zum völligen Blödsinn führte [1]). Einen durch die Leiden seines unglücklichen Vaterlandes und durch eine zwanzigjährige peinliche Gefangenschaft in den Kerkern des Spielberges gebrochenen, aber durch religiöses Gefühl von Wahnsinn und Untergang geretteten Charakter sehen wir in dem bekannten italienischen Dichter Silvio Pellico, von welchem ein deutscher Bewunderer seines in der „Francesca da Rimini" beurkundeten Dichtertalents, der ihn vor Jahren in Mailand besuchte, schreibt [2]): „Er zog aus einem Portefeuille einige zum Druck bereitete Manuscripte

---

1) The life of Swift by Sheridan. London 1787. Vgl. Beneke's pragm. Psych. I, 288.

2) Gutzkow's Unterh. am häusl. Herd. 1854. Nr. 10, S. 146. Als der Besuchende ihm dann ein Albumblatt reichte mit der Bitte um einige Verse der Erinnerung, so wurde er Anfangs böse, daß ihm das abscheuliche Geschäft des Versemachens, das er so lange aufgegeben, noch einmal zugemuthet würde; doch siegte am Ende seine Gutmüthigkeit, und er schrieb folgende schöne Strophe, die übersetzt etwa so lauten würde:

Herb ist der Schmerz! doch ziehn zu Gott
Die Seel' empor die Schmerzen,
Und tilgen aus dem Herzen
Der Thorheit Tand und Schein.
Herb ist der Schmerz! doch Jesus kennt
Mein Seufzen und mein Klagen.
Er litt der Menschen Plagen,
Und heiligte die Pein.

zu Gebetbüchern. Dieses, fuhr er fort, ist jetzt meine einzige Beschäftigung. Alles andere ist Kinderei; auch würde die Zeit mich und ich die Zeit nicht verstehen. Ich habe nun, Dank der Gnade des Herrn, das Licht der echten Wahrheit erkannt, und nichts ist mir lästiger, als die Erinnerung an das, was ich ehemals geschrieben habe und ähnliche Lappalien."

Endlich giebt es auch einseitige oder eintönige Charaktere, nämlich Menschen, welche eine gewisse Seite ihres Naturells stärken, pflegen und ausarbeiten, dabei aber alles übrige brach und wild liegen lassen, so daß sie sich von einer bestimmten einzelnen Seite her höchst energisch und consequent, von allen übrigen aber kindisch und charakterlos zeigen. So z. B. war der im Geschäftsleben gänzlich charakterlose Baco von Verulam in Beziehung auf wissenschaftliches Streben nicht ein bloßes herumfahrendes und sophistisches Talent, sondern ein wirklicher Charakter von leidenschaftlichem und glühenden, nur auf ein einziges großes Ziel gerichteten Streben, ähnlich Spinoza, und es ist nicht zu bezweifeln, daß er, wenn es die Sicherung dieser einen Leidenschaft, welche den ganzen Mann ausfüllte, gegolten hätte, dazu aller erdenkbaren Aufopferungen und Mühseligkeiten fähig gewesen wäre. Aber das Schwelgen in den berauschenden Genüssen der Theorie hatte seine Seele so gefangen genommen, daß er in jenen gefährlichen Schwindel kam, das praktische Leben mit seinen moralischen Ordnungen für Bagatell, für bloßes Mittel zum Zweck, für bloßes Untergestell der Wissenschaft zu halten; für eine bloße Goldpumpe, oder, um in Hippel's Worten zu reden, für die fade „Hafergrütze" der Lebenspraxis, auf welche nur der einen ernsthaften Werth legen kann, welcher den nährenden „Rindsbraten" des Studiums niemals gekostet hat[1]). Auf diese Weise kann man in Beziehung auf

1) Hippel's „Tagesdenkzettel", in Schlichtegroll's Nekrolog auf d. J. 1797. I, 282. Vgl. Beneke's pragm. Psych. II, 402.

höhere geistige Bestrebungen ein starker Charakter und dabei im moralischen Gebiete ein schwaches und pflichtvergessenes Kind sein. Indessen ist diese Sache an sich selbst gar nicht auffallender, als das Gegentheil, nämlich daß Jemand ein ganz rechtschaffener Charakter in den moralischen Beziehungen des Privatlebens sein kann, während er doch in Beziehung auf wissenschaftliche Meinungen, religiösen Glauben, politische Parteiungen, ästhetische Geschmacksbildung und sämmtliche höheren Interessen ohne allen bestimmten Charakter ist. Von den letzteren Fällen wird nur darum kein Aufheben gemacht, weil die Gesellschaft der zusammen lebenden Menschen zwar das unmittelbarste Interesse daran hat, daß jeder ein Mann von moralischer Zuverlässigkeit, ein Bezahler seiner Schulden u. dgl. sei, nicht aber daran, daß er einen ästhetisch gereinigten Geschmack habe, oder in wissenschaftlichen Streitigkeiten ehrlich und ohne Hinterlist zu Werke gehe. Man würde also in dieser Hinsicht wohl mit Nutzen auf die Ausdrucksweise Fourier's eingehen können, welcher einen Unterschied zwischen eintönigen und vieltönigen Charakteren machte. Baco z. B. war ein ganz in wissenschaftlicher Glühhitze aufgehender eintöniger Charakter, welcher im Uebrigen nicht nur pausirte, sondern sich positiv charakterlos zeigte. Ein zweitöniger Charakter von ungewöhnlicher Stärke war z. B. Robespierre. Im Privatleben von an's Pedantische streifender Rechtschaffenheit, Gewissenhaftigkeit und moralischer Sauberkeit, verband er damit einen strengrepublikanischen Römersinn, wie ihn die Schriften des Helvetius und Rousseau zu wecken fähig waren, und zwar das letztere nicht erst von der Zeit der Revolution an, wo man damit glänzen konnte, sondern von früher Jugend her. Denn als der so eben in Rheims gekrönte Ludwig XVI. in der Mitte des Juni 1775 in Paris von allen Körperschaften empfangen wurde, fiel auf Robespierre als den damals 16jährigen Zögling des Collegiums Louis le Grand die Ehre, den König im Namen seiner Mitschüler anreden zu dürfen. Als der Rector, der Abbé Proyard, die von ihm gefertigte Anrede gelesen hatte, gab er ihm das durch Streichen und Corrigiren furchtbar verstümmelte Manuscript mit den Worten zurück: „Dieses wäre sehr gut, mein Herr Römer, sehr gut für den Volkstribunen Tiberius Gracchus, der den eben zum Consul gewählten Nasica anredete. Ei, ei, junger Mann, was für ein Republikaner aus Euch werden wird!" In diesen zwei Tönen ging Robespierre's ganzer Charakter dermaßen auf, daß er sogar für die gewöhnliche Unterhaltung selten zu Hause war. „Meine Tanten und ich" — schreibt seine Schwester hierüber in ihren Memoiren — „tadelten ihn darüber, daß er bei unserem Zusammensein so oft zerstreut und anderswie beschäftigt sei; in der That, sobald man Karten spielte oder über gleichgültige Dinge sprach, zog er sich in eine Ecke des Zimmers zurück, warf sich in einen Sessel, und hing seinen Gedanken nach, als ob er allein wäre." [1]) Als ein ausgezeichneter Charakter von drei Tönen glänzt uns das Vorbild Goethe's. Denn eine künstlerische Productivität von Alles übertreffender Harmonie und Grazie verband sich in ihm mit einer höchst consequent durchgeführten Leidenschaft für wissenschaftliche Forschungen einer bestimmten damit zusammenhängenden Art, und einer praktischen Rechtschaffenheit, welche sich besonders nach der Seite eines allem Guten und Tüchtigen auf Erden zu gewährenden treuen Beistandes höchst kräftig bethätigte. Im specifisch Politischen, wie im specifisch Religiösen pausirte der Goethe'sche Charakter, jedoch keinesweges so, daß er sich in diesen Gebieten charakterlos gezeigt hätte, sondern vielmehr so, daß die Anlagen zu höchst entschiedenen und bedeutenden Charakterausbildungen auch von dieser Seite im Stillen entwickelt wurden, aber nur vorbereitungsweise und wie im Embryo. So wie man die kostbaren Altargemälde in den großen Kathedralen für's gewöhnliche durch hölzerne Läden mit

---

1) Leben Maxim. Robespierre's von Elsner. Stuttgart 1838. S. 33.

bloßer durchbrochener Arbeit oder auch mit Bildern niedern Ranges verhüllt, so offenbart sich auch die politische und religiöse Tiefe des Goethe'schen Charakters nur an gewissen, mehr versteckten Orten seiner Schriften, und für den, welcher hier zu lesen versteht, verwandelt sich jener dreitönige Charakter dann sogar in einen fünftönigen. Aber fürs Leben kamen die beiden letzten Töne zu gar keiner Bedeutung.

Werfen wir nun den Blick zurück auf die charakterlosen Menschen, welche sich zum bloßen Spielwerk ihres Naturells herabsetzen, auf die unreifen Charaktere, welche niemals gänzlich zum Abschluß gelangen, auf die zerbrochenen Charaktere, welche, während sie bereits zum Abschlusse gelangt sind, wieder rückwärts geworfen werden, und endlich auf die ein-, zwei-, drei- und mehrtönigen Charaktere, so fällt in die Augen, daß diese sämmtlichen Unterschiede nicht im Naturell begründet sind, sondern durch die Art und Weise gebildet werden, wie der freie Wille des Menschen in die Eigenschaften seines Naturells befördernd, hemmend, pflegend, Richtung gebend und Ziel steckend eingreift. Denn alle diese Unterschiede können bei jeglicher Art des Naturells, so wie auch bei jeder Art und Abstufung von Verstand und Talenten im Menschen statt finden. Je mehr sich der den Charakter erzeugende, ihn gleichsam aus dem Flachsrocken des Naturells herausspinnende Wille innerhalb der vorgeschriebenen Grenzen dieses Naturells zu halten versteht, desto mehr Sicherheit ist vorhanden, daß ein mehrtöniger Charakter von solider und harmonischer Art entspringt. Je mehr der charakterspinnende freie Wille und geflissentliche Vorsatz die vom Naturell vorgeschriebenen Grenzen zu überspringen trachtet, desto größer ist die Gefahr, daß der Charakter entweder zeitlebens ein unreifer bleibt, oder daß er zu Stande kommt und hinterher zerbricht, oder daß das Naturell sich gänzlich empört und in ein charakterloses und wildes Thun ausartet.

Aber unsere Zeichnung der Charaktere bleibt so lange noch

immer ein unvollständiges Gemälde, als wir nur auf die Gesetze ihres Zustandekommens Acht haben, und nicht auch zugleich auf den lebendigen Stoff der Affekte und Triebe mit reflectiren, aus welchem sie Fleisch und Blut bekommen, und welcher bei ihnen fortwährend den materiellen Gehalt bildet, während die bisher betrachteten Typen die Form ihrer Organisation ausmachen. Denn der Charakter ist nicht nur ein Willensproduct, sondern er ist ein unter der Pflege des Willens gewachsenes Naturproduct. Wenn das bloße Naturell die erste Natur des Menschen zu nennen ist, so ist der Charakter die zweite, die umgeschaffene, die selbstgeschaffene Natur des Menschen zu nennen. Diese innere und selbstgeschaffene Natur ist nun von dreifacher Art:

Entweder drehet sich das ganze Dichten und Trachten des Menschen um sein eigenes Ich. Charakter des Egoismus und der Kraft.

Oder es herrscht über den Egoismus die Neigung vor, mehr in Anderen als in sich selbst zu leben, die Schicksale Anderer sich zu Herzen zu nehmen wie seine eigenen. Charakter der Geselligkeit, der natürlichen Güte und Sympathie.

Oder endlich es wird der Mensch vom Interesse an gewissen Dingen so gänzlich eingenommen und ausgefüllt, daß er darüber die Theilnahme sowohl an den Schicksalen seiner eigenen Person, als an den Schicksalen Anderer in hohem Maße verliert. Charakter der Selbstvergessenheit und der sachlichen Interessen, unpersönlicher Charakter.

Reiner Egoist zu sein, ist ein Tadel. Denn der Egoismus als solcher ist das Schlechte, und der Mensch ist nur in dem Grade von Herzen gut, als er sein Herz den Gefühlen des Wohlwollens und der Theilnahme am Wohl und Wehe Anderer öffnet. Aber die bloße Gutherzigkeit giebt dem Charakter wenig Widerhalt, und diejenigen sind im Irrthum, welche glauben, daß wenig dazu gehöre, ein energischer und consequenter Egoist zu sein, welcher immer ein Mensch ist, vor welchem man Respekt haben darf.

Denn der egoistische Charakter ist der, welcher seine eigene Person über das Niveau der gewöhnlichen Menschen nachhaltig groß zu machen, welcher

Immer der Beste zu sein und hervorzuragen vor Andern

das consequente Bestreben hat, und stark genug ist, sowohl den Lockungen des geselligen Vergnügens, als der Behaglichkeit eines ohne Anstrengung gesicherten Lebens die Spitze zu bieten. Reichthum und Geselligkeit sind die Todfeinde des wahren und männlichen Egoismus. Nicht jeder Mensch hat auch den Muth, sich unabhängig zu machen von den vielerlei blinden Einflüssen, womit falscher Modegeschmack, falscher Anstand, falsches Point d'honneur, falscher Respekt vor vermeintlichen Autoritäten täglich blenden und plagen. Freilich ist zwischen Egoismus und Egoismus ein großer Unterschied. Denn es kommt darauf an, was das für ein Ich ist, dem alles Uebrige geopfert wird. So z. B. verhält sich Napoleon der Große zu Friedrich dem Großen wie ein kupferner Egoist zu einem goldenen. Denn das Ich, welchem Napoleon opferte, war eine Familie von Brüdern, für deren Festsetzung auf die Throne Europa's die Principien der Freiheit und des Bürgerthums mit Füßen getreten, und dem verlassenen und gedemüthigten Papst aufs neue die dreifache Krone zusammengeleimt wurde. Das Ich, welchem Friedrich opferte, war sein persönlicher despotischer Wille, erfüllt von den Principien der Aufklärung, der Philosophie, der pünktlichen Ordnung und Geschäftstreue, verbunden mit glühendem Haß gegen schlechte Wirthschaft, Heuchelei und Aberglauben. Kurz, Friedrich war ein egoistischer Principienmensch, Napoleon ein Räuber im großen Stil.

Sobald der Egoist ein großes Vertrauen auf seine eigenen Kräfte hat, ist er der Stolze, der seinen Werth kennt, und daher nicht erst aus dem Lobe oder Beifall Anderer denselben zu erfahren hat. Und umgekehrt, je eitler, je gefallsüchtiger, je gespannter auf das Lob und den Beifall Anderer der Egoist ist, desto mehr hat er das Bedürfniß, sein Selbstvertrauen durch seine

Geltung in der Gesellschaft zu verstärken. So wie der Stolz uns unabhängig und frei macht, so macht die Eitelkeit uns unfrei und abhängig von Andern, weshalb Bulwer sie im „Ernst Maltravers" als moralischen Pauperismus bezeichnet. Aber auch selbst in der Ruhmbegierde und dem Ehrgeiz, so wie in der Herrsch- und Befehlsucht ist, so stolz und unabhängig diese Neigungen auch aussehen, dennoch immer ein Tropfen jener moralischen Abhängigkeit enthalten. Denn auch der Ehrgeizige und Herrschsüchtige schöpft sein Lebensgefühl nicht aus solider Quelle, nicht aus seinem eigenen Ich, sondern trinkt einen Taumelkelch, welcher bewirkt, daß er, wie der Trinker vom Getränk, so vom Lächeln seines Glücks und dem Treubleiben seines schmeichlerischen Lebenssternes abhängig wird, um nicht, sobald diese äußeren Hülfen weichen, in sich selbst zusammenzubrechen. So war z. B. Napoleon I. nach seiner Erhebung zum Kaiser beinahe unfähig, Widerspruch zu ertragen oder unangenehme Wahrheiten zu hören. Dies ging so weit, daß seine Generale ihm die Verluste, welche sie erlitten hatten, lieber gar nicht meldeten, indem sie befürchten mußten, daß sie dann ihre Commando's verlieren würden [1]).

Wie die Eitelkeit ein schlechtes Surrogat des Stolzes ist, eine Art von Cichorien- und Gersten-Kaffee, so ist der Eigensinn ein Surrogat des egoistischen Charakters überhaupt, welches in gänzlicher Ermangelung des Selbstgefühls ergänzend eintritt. Selbstgefühl und Stolz sind perennirende Gewächse, Eitelkeit und Eigensinn sind bloße Sommerpflanzen von vorübergehender Natur. Die launischesten und wetterwendigsten Menschen sind häufig die eigensinnigsten, während der strengste und constanteste Egoist häufig nachgiebig und großmüthig in Nebendingen erfunden wird, weil es ihm immer nur um Hauptsachen zu thun ist. Der launische Eigensinn kennt den Unterschied zwischen Hauptsachen

---

1) Alison, History of Europe etc. IX, 306. Vgl. Beneke's pragm. Psychol. II, 51.

und Nebensachen niemals, weil er überhaupt nur Nebendinge kennt und diese als Hauptsachen behandelt. An Ceremoniell, Titulaturen und ähnlichen Lappalien eigensinnig festhalten, ist eben so kleinlich, als solche Dinge mit Eigensinn verweigern. Eigensinn tritt gewöhnlich an Stellen hervor, wo der Charakter sich noch unsicher fühlt. Wer einen Charakter behaupten möchte, und es nicht recht anzufangen weiß, der capricirt sich eigensinnig auf die wenigen Gesten und Manieren, welche ihm im Augenblicke davon zu Gebote stehen. So copirte Kaiser Soulouque mit eigensinnigem Pedantismus den Kaiser Napoleon I. und hielt sich für einen großen Mann. So sind nach Rosenkranz' richtiger Bemerkung alle Dilettanten und Kleinmeister eigensinnig auf die Nebendinge einer Wissenschaft erpicht, während der eigentliche Charakter und Großmeister ohne Eigensinn in Worten und Manieren immer sogleich in die Sache selbst eingeht, und sich zum Eigensinn des rechthaberischen Wortgefechts nur ungern herabläßt.

Der egoistischen Richtung des Charakters entgegen steht das vorherrschende Bedürfniß nach Liebe und Freundschaft, welches um Anderer Glück vorzugsweise bekümmert ist, und fähig, für Anderer Wohlfahrt die eigene hinzugeben. So weit ein Mensch von Natur gut sein kann, ist er es auf diese Weise und durch die Cultur dieses Naturells, während der egoistische Charakter niemals an sich selbst gut ist, sondern nur immer so weit, als er die Grundsätze der Gerechtigkeit und des Gemeinwohls an seine eigene Person festknüpft. Ist der Egoist gut, so ist er es aus Grundsatz und Ueberzeugung, während der freundschaftliche Charakter aus wahrem Herzensbedürfniß gut und hülfreich gegen Jedermann erfunden wird. Das weibliche Naturell und die weibliche Stellung leisten im Leben, der Ausbildung des Charakters reiner Herzensgüte einen weit größeren Vorschub, als das männliche Naturell und die männliche Stellung; und da es dem Dichter wohl verstattet ist, in einer symbolisch andeutenden Sprache die Grenze zwischen Naturell und Charakter zu verwischen, so hat dieser

Umstand Goethe'n die Veranlassung zu der Sentenz im Faust gegeben, daß es „das ewig Weibliche“ sei, das uns hinan ziehe. Hierbei ist jedoch Verwahrung dagegen einzulegen, daß dem männlichen Naturell damit nicht der Zutritt zum Charakter wahrer Herzensgüte zugesperrt werde, ein Fehler, in welchen Schiller in seinem Gedicht „Würde der Frauen“ verfallen ist. Sollte dieses geschehen, so würden die Frauen der Ausgleichung wegen auf allen Eigenwillen verzichten müssen, welcher ihnen doch so liebenswürdig steht, und welchen Schiller in seiner schönen Beschreibung ganz vergessen hat. Nein, auch der Mann darf sich um den Charakter der natürlichen Herzensgüte und echten Humanität mitbewerben, ohne darum Gefahr zu laufen, mit dem Herrn Legationsrath Gentz verwechselt zu werden, welcher einst in einer vertraulichen Mittheilung an Rahel schrieb, wie er sich so ganz als Weib, und die Fähigkeit zu einer unwiderstehlichen weiblichen Liebenswürdigkeit in sich fühle.

Um den Charakter des Wohlwollens und der Herzensgüte in sich zu pflegen und auszubilden, dazu gehört die Pflege einer gewissen Behaglichkeit in den Gewöhnungen seiner eigenen Person. Denn wer selbst in unbehaglichen Lagen bei sich kein Unbehagen empfindet, der wird es auch einem Andern bei sich nie behaglich zu machen verstehen. Wer z. B. selbst nicht raucht, wird nicht leicht daran denken, dem Andern eine Cigarre, und wer selbst nicht frühstückt, dem Andern ein Frühstück anzubieten. Es ist schwer, sich in Bedürfnisse Anderer hineinzufühlen, die uns schlechterdings fremd sind. Wer im größten Unbehagen behaglich zu sein, unter Lärm und Störung zu arbeiten, unter widrigem Geschick Muth und Fassung zu bewahren sich gewöhnt hat, dessen Charakter muß immer eben so viel an Ausbildung nach der sympathetischen Seite hin verlieren, als er an Freiheit und Stärke gewinnt. Denn Freundschaft und Geselligkeit sind nur für menschliche, für bedürftige Naturen. Der Stoiker, welcher sich des Bedürfnisses entäußert, überspringt die Grenze der Humanität, und ist daher an menschlichen Fäden nicht mehr zu halten. In diesem Geheimniß beruhet die Stärke des Egoismus.

Von dem Wohlwollen, welches aus dem Charakter der Herzensgüte entspringt, ist die schonungsvolle Behandlung Anderer in ihren Schwächen und Thorheiten verschieden, von welcher Helvetius sagt[1]: „Die Schonung wird immer die Wirkung des Verstandes sein. Denn der Mann von Geist weiß, daß die Menschen das sind, was sie sein müssen; daß aller Haß gegen sie ungerecht ist; daß ein Dummkopf Dummheiten hervorbringt, wie ein wilder Stamm herbe Früchte; daß ihn verspotten heißt dem Eichbaum vorwerfen, daß er Eicheln und nicht Oliven trage." Helvetius räth daher, die Menschen mit dem Auge zu betrachten, womit ein Mechaniker dem Spiele einer Maschine zusieht, und glaubt durch ein Wohlwollen von dieser Art die wahre Herzensgüte ersetzen zu

1) Helvetius, De l'esprit, pag. 93: L'homme d'esprit sait que les hommes sont ce qu'ils doivent être; que toute haine contre eux est injuste; qu'un sot porte des sottises, comme le sauvageon des fruits amers; que l'insulter, c'est reprocher au chêne de porter le gland plutôt que l'olive; que si l'homme médiocre est stupide à ses yeux, il est fou à ceux de l'homme médiocre: car si tout fou n'est pas homme d'esprit, du moins tout homme d'esprit paraitra toujours fou aux gens bornés. L'indulgence sera donc toujours l'effet de la lumière, lorsque les passions n'en intercepteront pas l'action. — Ibid. pag. 288: Le seul Sage peut être constamment bon, parce que lui seul connoit les hommes. Leur méchanceté ne l'irrite point: il ne voit en eux, comme Démocrite, que des foux ou des enfans, contre lesquels il seroit ridicule de se facher, et qui sont plus dignes de pitié que de colère. Il les considere enfin de l'oeil, dont un Méchanicien regarde le jeu d'une machine: sans insulter à l'humanité, il se plaint de la nature, qui attache la conservation d'un être à la destruction d'un autre; qui, pour se nourrir, ordonne à l'autour de fondre sur la colombe, à la colombe de dévorer l'insecte; et qui de chaque être a fait un assassin.

können; aber er ist darin im Irrthum. Denn während die wahre Herzensgüte immer belebend und erwärmend auf uns wirkt, so daß uns dabei immer selbst das Herz aufgeht, wehet uns das Wohlwollen und die Nachsicht des Helvetius überall, wo sie uns begegnet, fröstelnd an. Der wirklich sympathetische Charakter ist auch niemals so schonend gegen Andere, wie dieser wohlwollende Egoismus; sondern gerade die sympathetischen Charaktere sind es, welche sich tödtlich und bis aufs Blut zanken, eben weil sie so tief in einander hinein zu empfinden vermögen.

Was die dritte Classe von Charakteren, nämlich die unpersönlichen, betrifft, so mag darüber Beneke'n, dem Psychologen, das Wort gegönnt sein. „Es giebt Menschen", — so schreibt er[1]) — „welche allerdings nicht gerade viel Interesse für Andere haben, aber die man sehr ungerecht des Egoismus anklagt, weil sie eben so wenig und vielleicht noch weniger ihre eigenen Interessen stark empfinden und begehren. Sie leben in ihren Büchern oder in ihren Sammlungen oder ihren historischen, philologischen Untersuchungen, Collectaneen u. s. w. Das Genie vollends vergißt über Einem alles Andere, hat, in dem Enthusiasmus für dieses Eine, für alles Andere weder Kraft, noch Wohlgefallen, noch Interesse übrig." Als Beispiel solcher unpersönlichen Charaktere führt er Mozart an, welcher schon in seiner Kindheit von der Zeit an, wo er mit der Musik bekannt wurde, allen Geschmack an den gewöhnlichen Spielen und Zerstreuungen der Kindheit verlor, und so sein ganzes Leben hindurch ununterbrochen nur allein mit Tönen beschäftigt war; des Morgens beim Waschen, bei Tisch, im Wagen, beim Billardspiel, wo einige seiner schönsten Musikstücke entstanden. Aber so wie dieser seltene Mensch früh schon in seiner Kunst Mann wurde, so blieb er hingegen fast in allen übrigen Verhältnissen beständig Kind. Er lernte nie sich selbst regieren; für häusliche Ordnung, für gehörigen Ge-

1) Beneke's pragm. Psychol. II, 102. Vgl. I, 334.

brauch des Geldes, für Mäßigkeit und vernünftige Wahl im Genuß hatte er keinen Sinn. Immer bedurfte er eines Führers, eines Vormundes, der an seiner Statt die häuslichen Angelegenheiten besorgte [1]).

Die unpersönlichen Charaktere gleichen den Paradiesvögeln der Fabel, welche keine Füße haben und nie den Boden berühren, sondern über den Wolken auf Passatwinden zwischen Indien und den australischen Inseln hin und her schwimmen. Sie unterscheiden sich dadurch sowohl von den Egoisten, welche den Baumstämmen gleich ihre Wurzeln möglichst tief in die Erde zu treiben suchen, als von den Sympathetikern, welche der Turteltaube gleich eine unüberwindliche Sehnsucht zu ihres Gleichen zieht, während der Unpersönliche in der Regel ein Liebhaber der Einsamkeit ist. Weil er, sobald er nur das Geschäft, auf welches seine Leidenschaft geht, treiben kann, gänzlich in sich befriedigt ist, so ist er bei aller Freiheitsliebe, welche einen Grundzug seines Charakters ausmacht, doch auch wieder der Genügsamste, und von allem Jagen nach Glück, Erwerb und Auszeichnung, welches den Egoisten durchaus beseelt, und beim Sympathetiker sich als etwas nicht zu Vermeidendes mit einstellt, am allerweitesten entfernt. Caroline von Wolzogen sagt von Schiller [2]): „Zu dem, was man in der Welt sein Glück machen nennt, hatte er gar keine Anlage. Eines äußeren Motives wegen etwas zu thun, was seiner Ueberzeugung, ja oft nur seiner momentanen Stimmung widersprach, war ihm unmöglich. Freiheit und ein unbeschränktes Leben in seiner Ideenwelt gingen ihm über Alles. Einen günstigen Moment zu ergreifen, wo das Glück sich fassen ließ, hielt ihn eben dieses Uebergewicht des inneren über das äußere Leben ab."

Indem ich hier den durch Beneke in die Wissenschaft eingeführten Begriff des unpersönlichen Charakters erläutere, liegt

1) Schlichtegroll's Nekrolog auf d. J. 1791. Bd. II. Vergl. Biographie Mozart's von Nissen. 1828.

2) Schiller's Leben, von Caroline von Wolzogen. Bd. II.

es mir nahe, Beneke'n selbst als Charakter anzuführen. Denn auch er gehörte in hohem Maße zu diesen Unpersönlichen, indem sein ganzes Leben einzig und allein in einem unablässigen Streben nach Ausbildung und Erweiterung einer neuen psychologischen Forschungsmethode dahinfloß, wie seine zahlreichen Schriften bezeugen. Noch klingt in meinen Ohren dieser Ton seiner melodiösen und sanften Stimme, womit er stets ohne Leidenschaft und Heftigkeit auch die empfindlichsten Invectiven gegen seine Behauptungen im Gespräche beantwortete. Das persönliche Anschließen und Coteriemachen war ihm eben so fremd und unverständlich, als das persönliche Anfeinden. Uebrigens kannte er seine vereinzelte und verlassene Stellung innerhalb aller wissenschaftlichen Parteien sehr gut, blieb aber mit der zähesten und sanftesten Hartnäckigkeit dabei, daß es der Wahrheit gezieme, sich durch keine anderen Mittel Bahn zu brechen, als nur allein durch sich selbst. Und so ist er davon gegangen, ohne daß die Welt seinen Verlust sehr gemerkt hat, weil er lebte, ohne daß die Welt von seiner Person viel Notiz nahm. Er verstand es wenig, sich persönlich geltend zu machen, und seine eigene Person lag ihm wenig am Herzen. Zurücksetzungen und öffentliche Vernachlässigungen, welche bei Anderen Zorn und Groll erregt haben könnten, verklangen in seiner harmonischen Seele mit dem Gefühle der Trauer über die Verblendung, mit welcher das Zeitalter sich noch im Ganzen gegen eine Wissenschaft verschloß, von deren Vervollkommnung doch der Menschengeist die vorzüglichste Arznei für seine Wunden und Gebrechen zu erwarten hat. Aber obgleich kein Zorngefühl in seiner Seele jemals Platz gewann, so kannte sie doch auch eben so wenig eine Nachgiebigkeit gegen das Schicksal oder eine Versöhnlichkeit gegen die herrschenden Geistesrichtungen. Man kannte lange Zeit die Ursache seines Verschwindens nicht. Indem er, wie späterhin entdeckt wurde, seiner Laufbahn selbst ein Ziel gesetzt hat, so ist auch dieses ohne zurückgelassenen Vorwurf gegen seine Feinde, ohne allen Aufschluß über seine

Beweggründe, überhaupt so geschehen, daß die Welt auch hierbei mit seiner Persönlichkeit möglichst wenig beschäftigt wurde. Desto längere und fruchtbarere Beschäftigung wird sie noch lange nach seinem Tode in seinen Schriften finden, und wenn einst die Menschheit mit vereinigten und volleren Kräften zum Tempel der Selbsterkenntniß aufsteigen wird, so wird sie auf dem Thore desselben mit leuchtenden Lettern auch seinen Namen in unsterblicher Schönheit erblicken.

Nach allem diesen komme ich zuletzt noch einmal auf die Frage zurück, ob denn der Mensch wirklich Gewalt über seinen Charakter habe, und wie weit dieselbe reiche. So viel auch Eigensinn und Verstellung vermögen, so werden sie doch nicht hinreichen, alle diejenigen unmöglichen Anforderungen zu erfüllen, welche die Menschen täglich an sich selbst stellen, weil sie die Grenzen der Freiheit ihres Willens nicht kennen. „Ein Mensch habe sein Leben in Geschäften zugebracht; die Geschäfte haben ihn verschlossen und behutsam gemacht; dieser Mensch begebe sich in die große Welt, sogleich verlangt man, daß er hier jene freie Miene annehme, deren die Nöthigung seiner Lebenslage ihn verlustig gemacht hat. Ein Anderer ist von einem offenen Charakter, und hat uns eben durch seine Offenheit gewonnen: man verlangt von ihm, daß er sofort seinen Charakter ändere und sich behutsam und verschlossen zeige eben im Moment, wo man es wünscht. Man verlangt immer das Unmögliche." [1]) Seinen Charakter überspringen kann aber Niemand, und gelingt es ihm auch, sich von

1) Helvetius, De l'esprit, pag. 495: Un homme a passé sa vie dans les négociations; les affaires dont il s'est occupé l'ont rendu circonspect: que cet homme aille dans le monde, on veut qu'il y porte cet air de liberté que la contrainte de son état lui a fait perdre. Un autre homme est d'un caractere ouvert; c'est par sa franchise qu'il nous a plu: on exige, que changeant tout-à-coup de caractère, il devienne circonspect au moment précis qu'on le desire. On veut toujours l'impossible.

einem dem seinigen ganz entgegengesetzten Charakter plötzlich und willkührlich etwas anzueignen, so besteht dies doch nur immer in einem Surrogat, einer Form, am häufigsten einer Fratze.

Setz' dir Perücken auf von Millionen Locken,
Setz' deinen Fuß auf ellenhohe Socken:
Du bleibst doch immer, der du bist.

Aber wenn der atlantische Ocean auch nicht übersprungen werden kann, wie ein Graben, so kann man ihn doch überschiffen, und obgleich man dem Columbus versicherte, daß das nicht angehe, und daß Jeder, der es versuche, nothwendig umkomme, so that er es doch, und kam nicht um. In ähnlicher Art sind Umwandlungen des Charakters möglich, freilich nur innerhalb der Schranken eines gewissen gegebenen Naturells, und auch hier fordert die Ausführung immer viel Zeit, Muth, Beharrlichkeit und Arbeit. So selten aber auch die großen Umwandlungen der Charaktere gleich den großen Seereisen wirklich gewagt und glücklich durchgeführt werden mögen, so gehen dagegen kleine Veränderungen jährlich, täglich, ja stündlich in einem jeden Charakter vor. Es geht mit den Charakteren in dieser Beziehung wie mit den Gletschern. So wie eine genaue Beobachtung gelehrt hat, daß der scheinbar unbeweglich ruhende Gletscher in einer unaufhörlichen Veränderung seiner Lage, in einer Art von fortwährender Wanderschaft begriffen ist, so ist auch der Charakter des Menschen niemals in einer vollkommenen Ruhe und Stillstand, sondern in steter unmerklicher Umwandlung begriffen. Seine Veränderung unterscheidet sich aber von der des Gletschers dadurch, daß sie nicht bloß von blinden Naturgewalten abhängt, wie jene, sondern daß in das Naturgesetz noch ein zweiter Factor, nämlich die freie Willkühr, als eine im Augenblick zwar fast unmerkliche, aber in ihren Folgen höchst wirksame Gewalt eingreift.

Und so gewinnt sich das Lebendige
Durch Folg' auf Folge neue Kraft;
Denn die Gesinnung, die beständige,
Sie macht allein den Menschen dauerhaft.

Fünfter Vortrag.

Ueber die Temperamente.

Selig, welchen die Götter, die gnädigen, vor der Geburt schon
Liebten, welchen als Kind Venus im Arme gewiegt,
Welchem Phöbus die Augen, die Lippen Hermes gelöset,
Und das Siegel der Macht Zeus auf die Stirne gedrückt.

Schiller.

Jedermann führt die Namen der vier Temperamente im Munde. Jeder redet von sanguinischen Hoffnungen, melancholischem Trübsinn, cholerischer Hitze und phlegmatischer Ruhe, ohne jedoch in der Regel deutliche Begriffe damit zu verbinden.

Mancher wird vielleicht denken, daß es damit doch so schlimm wohl nicht sei, daß Niemand sich z. B. bei einem melancholischen Temperamente etwas Fröhliches, und eben so wenig bei einem sanguinischen etwas Düsteres denken werde. Dies kann nicht geleugnet werden. Das Vorherrschen fröhlicher Stimmungen ist es, was Jedermann unter dem sanguinischen, das Vorherrschen trauriger Stimmungen, was Jedermann unter dem melancholischen Temperamente versteht.

Je tiefer man aber eingeht, desto mehr verwickelt sich die Sache. Man zeigt uns z. B. heitere Menschen, vortreffliche Gesellschafter, welche Alles mit dem Glanze ihres Geistes und Witzes erfüllen, immer in gehobener Stimmung erscheinen und daher, wohin sie kommen, Heiterkeit und Frohsinn um sich verbreiten, und wir müssen uns gefallen lassen, in ihnen Musterbilder des sanguinischen Temperaments gepriesen zu sehen; bis wir dieselben Menschen zufällig im Stillen oder im engeren Familienkreise beobachten dürfen, und nun vielleicht gewahr werden, wie dieselben ihre sanguinische Munterkeit hinterher mit eben so großem Trübsinn bezahlen. Solche Beispiele kennt auch Jedermann.

12

Was ist nun hier vorhanden? das sanguinische oder das melancholische Temperament? das leichte oder das schwere Blut?

Man kann freilich auf diese Frage eine neue Antwort in Bereitschaft haben. Hier ist eben, kann man sagen, ein drittes Temperament im Spiele, nämlich das des Aufgeregten oder Cholerikers, dessen Wesen darin besteht, maßlos zwischen beiden Extremen hin und her geworfen zu werden.

Dadurch wird die Sache aber nicht gerade heller. Die cholerische Beschaffenheit soll verurtheilt sein, ihre Heiterkeit immer mit einem entgegengesetzten Maße Trübsinns zu erkaufen, während die sanguinische die Freude umsonst hat, und nicht erst zu bezahlen braucht. Kann sich Jemand im Ernste so etwas vorstellen? Müssen wir nicht in jedem Sanguiniker gewisse Zeiten der Abspannung und des Trübsinns vermuthen, die er nur vielleicht nicht merken läßt? Müssen wir nicht bei jedem Melancholiker darauf gefaßt sein, daß seine mürrische Laune aus Ueberdruß an sich selbst eine willkommene Gelegenheit ergreife, einen sanguinischen Spaziergang ins Vergnügen zu machen? Wenn sich aber dieses so verhält, so giebt es nur Seelenstimmungen, die sich nach äußeren Umständen richten, und durchaus keine von Natur und im Geblüte angelegte Temperamente.

Eins zwar scheint stehen zu bleiben als von Natur gegeben, der Gegensatz des lebhaften oder aufgeregten Blutes einerseits und des ruhigen oder phlegmatischen andererseits. Einige Menschen erscheinen als von Natur erweckten und munteren Geistes, voll Leben und Feuer; man braucht sie nicht zu bewegen, sie bewegen sich selbst. Andere erscheinen als von Natur träge, schläfrig, lieben die Ruhe; es scheint ihnen an Thatkraft zu mangeln, und zwar darum, weil ihr Blut von Natur träger in den Adern fließt. Jedermann nennt sie die Phlegmatiker.

Aber hierbei geräth man erst recht vom Regen in die Traufe. Die Erfahrung lehrt, daß beim Menschen eine nach außen gerichtete Ueberlebendigkeit, wie sie aus einem starken Spiele von

Lust- und Unlust-Affekten entspringt, einem kräftigen, planmäßig und unermüdlich auf feste Ziele hingerichteten Handeln am wenigsten günstig ist; daß zu einem solchen vielmehr ganz besonders eine gewisse ruhige Kaltblütigkeit erfordert wird. Die kaltblütigen Phlegmatiker sind daher häufig die ausdauernden und selbständigen, die hitzigen Choleriker eben so häufig die beweglichen und wankelmüthigen Naturen. So lehrt es die tägliche Erfahrung. Sucht man nun diese Anlage zu größerer Selbständigkeit und kaltblütiger Energie aus einem Mangel an Lebendigkeit und innerem Feuer abzuleiten, so grenzt das in der That sehr ans Absurde.

Man sieht hieran, daß es in der Temperamentenlehre immer finsterer vor Augen wird, je genauer man hineinblickt. Aber dadurch läßt man sich im gemeinen Leben nicht irre machen, von den Temperamenten als etwas Allgemeinverständlichem zu reden, und zwar so als ob es diese vier wirklich als ursprüngliche Anlagen gäbe, und als ob es grade nur diese vier gäbe, nicht mehr und nicht weniger.

Psychologen, welche an der Zahl Vier Anstoß nahmen, weil sie im Leben eine weit größere Mannichfaltigkeit fanden, haben wohl dann und wann mehr Temperamente aufgestellt, wie z. B. Grohmann[1]) einst deren dreizehn vorgeschlagen hat. Das

---

1) Grohmann gab in seinen Aphorismen über Zeugung in Moritz' Magazin für Erfahrungsseelenkunde folgende nach physiologischen Rücksichten entworfene Eintheilung der Temperamente: A. Das knochenreiche Temperament. 1) Das römisch feurige. Gedrängter Knochen mit scharfen eckigen Umrissen. 2) Das römisch männliche. Gedrängt, stark, mit runden gewölbten Umrissen. 3) Das grobe prahlende. Aufgedunsen, locker, mit scharfen hervorspringenden Umrissen. 4) Das böotische. Aufgedunsen, locker, mit runden, abgeschlissenen Umrissen. B. Das blutreiche Temperament. 5) Das cholerische. Blut mit feurigen elementarischen Theilen angefüllt, in heftigem Umlauf. 6) Das sanguinische. Blut mit weniger feurigen abgekühlteren Theilchen angefüllt, in leichtem geschwinden Umlauf. 7) Das leichte weibliche. Blut mit den vorigen Theilchen, in langsamem stillen Umlauf. 8) Das leichte phlegmatische.

hat aber noch keinem Menschen auf die Dauer gefallen wollen, sondern man ist immer bei der alten Vierzahl geblieben.

Andere Psychologen haben, um der Sache eine anschaulichere empirische Grundlage zu geben, die Temperamente in Nationalunterschiede übersetzt. Sie haben den Choleriker als einen Spanier voll Grandezza und Leidenschaft, den Melancholiker als einen spleenbegabten Engländer, den Sanguiniker als einen französischen Tanzmeister, und den Phlegmatiker als einen Deutschen in Schlafrock und Pantoffeln beschrieben. Obgleich ihnen hierdurch die Gelegenheit geboten war, in demselben Stil ein italienisches, ein polnisches, ein irländisches, ein russisches Temperament zu entwerfen, so haben sie doch dieser Versuchung widerstanden, und sich bei diesen vier Nationaltypen vollkommen beruhigt. So groß war der Respect vor der alten Vierzahl auch von dieser Seite.

Man hört häufig die Klage, daß unserer Zeit die rechte Kraft zum Glauben abhanden gekommen sei. In diesem Punkte hat sich noch nichts davon gezeigt. In diesem Punkte hat für das Ehrwürdigste bis heute auch das Aelteste gegolten. Es ist die

---

Blut mit wässrigen Theilen angefüllt in langsamem stillen Umlauf. 9) Das grobe phlegmatische. Blut mit groben, dicken Erdtheilen angefüllt, in schwerfälligem Umlauf. C. Das ätherische Temperament. 10) Das melancholische oder trocken unruhige. Der Nervensaft leicht, ätherisch mit ungehinderter freier Thätigkeit. 11) Das ätherische oder leichte, trockne, ruhige. Der Nervensaft leicht, ätherisch, mit periodisch lebhafter unruhiger Thätigkeit. 12) Das hektische. Nervensaft leicht, wenig ätherisch, mit gichtischer zuckender Bewegung. 13) Das schwindsüchtige. Nervensaft leicht, wenig ätherisch, mit schwacher, unmerklich verschwindender Thätigkeit. Grohmann glaubte aus dieser Eintheilung zugleich gewisse Prognostica für die Kindererzeugung schöpfen zu können. Ist z. B. der Vater = 6 oder auch = 8, die Mutter aber = 10, so sollen sie mit lauter Töchtern, ist hingegen der Vater = 8, die Mutter = 1 oder 2 oder 3 oder 4, mit lauter Söhnen gesegnet sein. U. s. w.

heilige Tetraktys der Pythagoräer [1]), die Vierzahl der Elemente: Wasser, Feuer, Luft und Erde, woran bei den Temperamenten noch immer verborgenerweise geglaubt wird, obgleich die Chemie dieselben bis auf eine Zahl von 63 und darüber zerkleinert hat.

Die aus der Chemie vertriebenen vier Elemente haben sich also, wie es scheint, den Menschen in die Seele geflüchtet, sind ihnen gleichsam aufs Gewissen geschlagen, und scheinen sich, umgewandelt in Gemüthseigenschaften, hier darauf zu verlassen, daß man ihnen nicht so ungestüm, wie dort, mit Tiegeln und Retorten zu Leibe gehen könne. Vor dieser Gefahr haben sie nun auch freilich Ruhe. Dagegen schweben sie nun, entblößt von ihrer stofflichen Grundlage, als bloße Ideen in der Luft, und müssen es sich gefallen lassen, daß man, mit Hintansetzung alles physio-

1) Tetraktys oder Vierzahl war bei den Pythagoräern der Name der Natur als des aus den Processen der vier Elemente bestehenden Weltalls. Diese vier Elemente wurden jedoch von den ältesten Philosophen nicht bloß im physikalischen Sinne verstanden, sondern zugleich als göttliche Mächte verehrt, welche in den Naturprocessen zur Sichtbarkeit gelangten. So z. B. nannte Empedokles das Feuer Zeus, die Luft Here, die Erde Aidoneus und das Wasser Nestis (*περὶ φύσεως*, V. 26 ff.):

Τέσσαρα τῶν πάντων ῥιζώματα πρῶτον ἄκουε·
Ζεὺς ἀργής, Ἥρη τε φερέσβιος, ἠδ' Ἀϊδωνεύς,
Νῆστίς δ' ἣ δακρύοις τέγγει κρούνωμα βρότειον.

Unter den Elementen galt allgemein das Feuer für das active oder männliche, das Wasser aber für das passive oder weibliche Princip. Im Organismus aber galt als Repräsentant des Feuers die schwarze Galle (*ἡ μέλαινα χολή*), als Repräsentant des Wassers der Schleim (*τὸ φλέγμα*), wie es z. B. bei Plato heißt im Timäus (ed. Fic. pag. 549. E.), „Aber der scharfe und salzige Schleim ist die Quelle aller Krankheiten welche nach Art der Durchflüsse (Katarrhe) entspringen, und er verursacht gemäß den verschiedenen Orten, in welche er fließt, verschiedene Krankheiten. Wenn es aber heißt, daß Theile des Körpers sich entzünden, so geschieht dies immer durch einen Brand und eine Erhitzung, welche die Galle verursacht. Wenn dieselbe nämlich einen Ausweg findet, so treibt sie nach außen brennende Geschwulste empor; bleibt sie hingegen inwendig eingesperrt, so erzeugt sie mancherlei hitzige Krankheiten.“

logischen und chemischen Apparats, sie als innere, von tieferen und im Folgenden näher zu untersuchenden Ursachen abhängige Gemüthsstimmungen behandelt.

Der Urheber der Lehre von den Temperamenten ist Aristoteles, oder, genauer geredet, derjenige unbekannte Aristoteliker, welcher die berühmte dreißigste Section der Probleme [1]) verfaßt hat, in welcher bewiesen wird, daß alle ausgezeichneten Genies nothwendig Melancholiker seien. Geht man näher auf diese Auseinandersetzung ein, so findet man, daß hier allerdings von einer gesunden und einleuchtenden Grundidee ausgegangen wurde, welche zwar mit dem späteren auf ihr errichteten ausgekünstelten System sehr wenig übereinstimmt, dafür aber dasselbe auch so weit übertrifft, als immer die Künstelei von der natürlichen Einfachheit übertroffen wird. Störend ist in dieser Stelle bei Ari-

1) Die Probleme des Aristoteles sind ein interessantes Magazin von ungelöseten wissenschaftlichen Aufgaben, deren Lösung mit mehr oder weniger Zuversicht, und auch mit mehr oder weniger Geschick darin versucht wird. Zuweilen werden zur Erklärung eines interessanten Falles verschiedene Hypothesen herbeigebracht, ohne daß zwischen ihnen entschieden wird; zuweilen aber auch, wie in dem Falle, welcher uns hier näher beschäftigt, auf dogmatische Art eine vollständige Theorie vorgetragen. Die 38 Sectionen, aus denen die Probleme bestehen, haben einen sehr verschiedenen Inhalt. Sie beziehen sich auf Medicin, Diät, Seelenzustände, Sinne und Sinneseindrücke, Gerüche, Farben, Musik, Astronomie, Physik, Botanik u. s. w. Daß Aristoteles selbst solche Probleme verfaßt hat, ist gewiß, da er sich in seinen ächten Schriften wiederholt auf dieselben bezieht, und ihr Titel auch in den antiken Verzeichnissen der ächten Schriften des Aristoteles vorkommt. Der Verdacht hingegen, daß die Sammlung der Probleme, welche wir besitzen, nicht die ächte und ursprüngliche sein möge, gründet sich darauf, daß von den sieben oder acht Verweisungen des Aristoteles auf seine Probleme sich nichts genau Entsprechendes in unserer gegenwärtigen Sammlung findet, und daß von den Anführungen bei anderen Schriftstellern des Alterthums nur etwa der dritte Theil mit unserem Texte übereinstimmt. Vgl. Chr. Aug. Brandis, Aristoteles, seine akademischen Zeitgenossen und nächsten Nachfolger. Berlin 1853. S. 121.

stoteles nichts weiter, als die auch hier schon getriebene seltsame Spielerei mit der schwarzen Galle (μέλαινα χολή), von welcher man nachsichtig abstrahiren muß, wenn man sich das Gesunde aus dem Grundgedanken aneignen will.

Es ging hier, wie es manchmal in der Wissenschaft gegangen ist. Durch eine bequeme Wortformel fürs Gedächtniß, worin man den Gedanken faßte, wurde derselbe allmählich so verschoben und verzerrt, daß er sich zuletzt kaum mehr ähnlich sah.

Der Grundgedanke in jener Stelle der Probleme besteht darin, daß unter dem Namen der Melancholiker von den übrigen Menschen eine Classe ausgesondert wird, welche sich unterscheidet durch ein stärker aufgeregtes Blutleben und damit verknüpfte größere Disposition zu allen Arten von Affekten, nicht nur den traurigen und niedergeschlagenen, sondern eben so sehr den fröhlichen, mitleidigen, zornigen u. s. w. in entweder rascherer oder langsamerer Folge. Aristoteles weiß diese Melancholiker besonders dadurch interessant zu machen, daß er die vornehmsten der Dichter, Philosophen, Staatsmänner und Heroen, überhaupt alle ausgezeichneten Genies, zu ihnen zählt. Von Phlegmatikern, Sanguinikern und Cholerikern weiß Aristoteles noch nichts. Der aristotelische Melancholiker ist vielmehr der aufgeregte Mensch überhaupt. Er zerfällt aber in einen warmen Aufgeregten, welcher mehr zu den rüstigen und heftigen, und einen kalten Aufgeregten, welcher mehr zu den schmelzenden und niedergeschlagenen Affekten hinneigt. Weiter geht der Gedanke bei Aristoteles nicht.[1])

---

1) Aristoteles fährt am angeführten Orte, nachdem er das Gleichniß vom Wein, wovon weiterhin die Rede sein wird, ausgeführt hat, in folgender Art fort (Tom. II. pag. 1010 seq. ed. Pac.): Die Flüssigkeit, welche die schwarze Galle genannt wird, kann sich den Bestandtheilen des ganzen Leibes vermischen. Alle Mischung aber geschieht entweder auf warmem oder auf kaltem Wege; wie denn auch die schwarze Galle heiß und kalt angetroffen wird. Denn zu beiden ist sie fähig, ähnlich wie das

Später wurde dieser Gegensatz stärker betont. Man nannte den warmen Aufgeregten den Choleriker, und beschränkte den Namen der Melancholie auf die kalte Auf-

---

Wasser, obwohl an sich kalt, sobald es durch Erhitzung siedet, heißer als die Flamme selbst empfunden wird. Auch Stein und Eisen, obwohl von Natur kalt, werden heißer als glühende Kohlen. Aehnlich die schwarze Galle, welche auch von Natur kalt ist. Wenn nun diese ihr Maß übersteigt, so macht sie die Menschen scheu, niedergeschlagen, ängstlich oder furchtsam; wenn sie sich aber stark erhitzt, so erzeugt sie Sorglosigkeit und Frohsinn, auch wohl Geistesverwirrung, Ausbruch von Geschwüren und ähnliche Zufälle. Denn bei einigen Menschen verändert sie die Gemüthsart nicht, sondern erzeugt nur die schwarzgalligen Krankheiten. Andere hingegen werden im Gemüthe erregt. Z. B. die, welche viele und kalte schwarze Galle haben, werden leicht trübsinnig und träge; welche aber viele und heiße haben, aufgeregt und geistreich, geneigt zu aller Leidenschaft und Begierde, einige auch redselig. Andere gerathen dann auch in Wahnsinn und Ekstase, woraus die Sibyllen und Bachantinnen entstehen, und alle, welche von göttlichen Eingebungen erregt geglaubt werden. Marakos, ein Bürger von Syrakus, war ein besserer Dichter, wenn er geistesabwesend war. Bei welchen nun diese Hitze zum Mittelmaße abgedämpft ist, die sind zwar auch Melancholiker, aber auf verständigere Art; obgleich sie in einigen Stücken vielleicht zurückbleiben, ragen sie dafür in anderen vor allen übrigen hervor, einige in wissenschaftlichen Studien, andere in Künsten, andere in der Staatsverwaltung. Auch die großen Unterschiede in Unternehmung von Gefahren gehören hierher. Wenn eine erschreckende Nachricht kommt, so wird ein ungewöhnlich kalter Zustand der Galle der Furcht den Zugang öffnen. Denn die Furcht ist erkältender Natur, wie man bei denen sieht, welche vor Furcht zittern. Wenn daher die Wärme steigt, so wird auch der Mensch zur Unerschrockenheit zurückkehren. Wo also der reine schwarzgallige Zustand ist, da wird in eine heftige Melancholie ausgewichen; wo aber dieser Zustand gemäßiget ist, da giebt es ausgezeichnete und originelle Naturen, welche jedoch, wenn sie wenig auf ihre Gesundheit achten, leicht den schwarzgalligen Uebeln unterliegen. Einige fallen in Epilepsie, andere werden menschenscheu oder ängstlich und furchtsam, wieder andere übermäßig zuversichtlich und hoffnungsvoll, wie es beim Archelaos, dem Könige von Macedonien, der Fall gewesen sein soll. Solches geschieht, je nachdem der Zustand ein kalter oder warmer ist.

regung. Man setzte sodann der kalten und warmen Aufregung symmetrisch eine kalte und warme Ruhe entgegen. Die Aufregung zehrt und trocknet den Menschen aus, die Ruhe macht ihn vollsaftig und fett, ist von wässeriger und phlegmatischer Art. Daher stellte man nun den kalten und nassen Phlegmatiker in schroffen Gegensatz gegen den heißen und trocknen Choleriker, in den Gegensatz des nassen und kalten Wassers gegen das trockne und heiße Feuer. Der heiße und trockne Choleriker war der feurige Mensch als der Hitzkopf. Der nasse und kalte Phlegmatiker war der wässerige Mensch als der Aufgedunsene. Der zwar nasse, jedoch warmgewordene Mensch war der Sanguiniker, der Mann der Luft, der Windbeutel. Endlich war der trockne und kalte Mensch der erdige Melancholiker, dessen Gemüth finster ist, wie die Tiefe der Erde.

Lassen wir diese Spielerei bei Seite, und werfen wir die ernsthafte Frage auf, was sich die heutige Psychologie aus der Lehre von den Temperamenten anzueignen vermöge. Hierbei bietet ein näheres Eingehen auf den aristotelischen Grundgedanken uns die beste und sicherste Handhabe.

Dieser Grundgedanke hat besonders darin etwas Ansprechendes und Klares, daß er sich auf ein Experiment stützt. Man könne die Zustände unregelmäßiger Aufregung, welche Aristoteles die melancholischen nennt, auf willkührliche Art nachahmen, und zwar durch den Wein: so wird hier behauptet. Denn der Wein bringe ähnliche Wirkungen hervor, und wenn man die Trinker beobachte, so könne man an ihnen die verschiedenen Arten und Grade der aus Aufregung oder Beunruhigung des Blutes entstehenden geistigen Symptome studiren. Der eine werde vergnügt, der andere weinerlich, der dritte heftig u. s. f., und andererseits gebe es eine Stufenfolge in den Graden der Aufregung: zuerst komme die heitere Laune, dann die Ausgelassenheit und der Muthwille, zuletzt entweder die Stumpfheit oder das Delirium. In ganz ähnlicher Weise finde man auch die von Natur aufgeregten

Menschen afficirt, entweder so, daß einer einen bestimmten dieser Zustände für gewöhnlich in sich darstelle, oder so, daß er unter verschiedenen Zuständen dieser Art abwechsele. Da gebe es unter den Aufgeregten weinerliche, geschwätzige, mitleidige, zänkische, schwärmerische, lustige Menschen, ähnlich wie der Wein ebenfalls weinerliche, geschwätzige, mitleidige, zänkische, schwärmerische und lustige Menschen hervorbringe. In diese Klasse der Aufgeregten, obgleich in einer gemäßigten Weise, hätten nun aber alle Heroen gehört, wie überhaupt mehr oder weniger alle großen Genies. In alter Zeit seien Herakles, Ajas und Bellerophon von dieser Art gewesen, später Empedokles, Sokrates, Plato und der größere Theil der Dichter.

Der Gedanke von einem Zusammenhange der genialen Schöpferkraft im Menschen mit Zuständen eines aufgeregten Blutes ist wohl der Aufmerksamkeit werth. Das erklärende Mittelglied ist nicht schwer zu entdecken. Alle Zustände der Blutaufregung, wie das Fieber, die Affekte der Freude und Betrübniß, versetzen die Phantasie in eine ungewöhnlich hohe Thätigkeit, die Phantasie aber ist das hervorbringende Vermögen in uns, ohne dessen lebendige Thätigkeit kein hervorragendes Genie in irgend einer Art denkbar ist. Beim Fieber geht die Aufregung vom Blute aus, und theilt sich von hier aus der Phantasie mit. Bei Freude und Betrübniß geht die Aufregung von Sinnenempfindungen aus, und theilt sich von hier einestheils der Phantasie, anderentheils dem Blute mit. Beim Genie endlich geht die Aufregung von der Phantasie als dem bilderzeugenden Vermögen der Seele selbst aus, wobei das Blut ebenfalls hinterher in Mitleidenschaft gezogen wird, nach den Worten des Dichters:

> Aber die Freude, sie ruft nur ein Gott auf sterbliche Wangen.
> Wo kein Wunder geschieht, ist kein Beglückter zu seh'n.

Das Wunder nämlich ist die Erregung der schöpferischen Phantasie von innen her, die höchste Freude, die einem Menschen zu Theil werden kann, weil sie ein unmittelbares göttliches Geschenk und selbst das Band ist, welches unsere Existenz an eine höhere festknüpft.

Aber obwohl ein jedes Genie auf dem Grundvermögen einer leicht erregbaren Phantasie beruhet, so ist doch ein phantastischer Mensch noch kein Genie, und eine verwilderte Phantasie wird keinerlei Art Großes leisten. Sondern sie muß geregelt sein durch ein klares Denkvermögen, und sie wird dies auch immer sein, wenn sie wirklich von innen heraus erregt ist. Dagegen ist die von Seiten eines aufgeregten Blutes bloß von außen oder gewaltsam erregte Phantasie die verwilderte und zügellose, welche die Bewegungen des Verstandes nicht erleichtert, sondern erschwert. Auf der anderen Seite aber führt eine große Erregbarkeit der Phantasie durch äußere Einflüsse immer viel leichter die Stimmungen herbei, in denen die inwendige Schöpferkraft derselben sich entwickelt, während eine schwer von außen her zu erregende Phantasie auch immer schwerer zur inneren Selbstthätigkeit gelangen wird.

Die Vernunft als das höchste Vermögen des Menschen schwebt über zwei Erfordernissen, wie ein Gebälk, das von zwei Säulen getragen wird, deren keine fehlen darf, wenn es nicht sinken soll. Sie bedarf eben so wohl einer klaren Auffassung der Außenwelt, als eines Schöpfungsvermögens neuer Begriffe. Wenn daher Aristoteles das Genie den phantasiereichen Menschen zuzählt, so ist dies richtig, aber einseitig. Denn es gehört, sobald es ein wahres Genie ist, in eben so hohem Grade in die Klasse der receptiven Naturen, der klaren Spiegel, welche fähig sind, getreue und unverfälschte Bilder ihrer selbst und der Außenwelt wiederzugeben.

Es tritt folglich der productiven oder schöpferischen Anlage eine receptive oder auffassende gegenüber, und zwar so, daß beide zusammenwirken müssen, wenn sich das Genie als die höchste Vernunftanlage des Menschen entwickeln soll.

Ich bin nun der Meinung, daß, wenn wir auf diese Weise

den Aristotelischen Grundgedanken, welcher zwar richtig, aber unausgeführt ist, durch das nöthige Mittelglied einer receptiven Anlage ergänzen, derselbe fähig ist, uns noch heute zum gesunden Fundamente einer Lehre von den Temperamenten zu dienen.

Nennen wir den phantastischen oder aufgeregten Menschen nach des Aristoteles Vorgange den Berauschten, so ist das Gegentheil von ihm der Nüchterne; und beruhet in der Berauschung als einer Aufregung der Phantasie die productive Anlage, so wird die Stärke des Nüchternen in der aufmerksameren Auffassung der Außenwelt, in der größeren Receptivität bestehen.

Weil der bloß Receptive Alles von außen empfängt und nichts aus sich dazu erzeugt, so muß er den Eindrücken der Außenwelt stärker unterliegen, als der Productive. Denn er besitzt kein eigenes inneres Leben, vermöge dessen er Widerstand leisten könnte gegen seine Umgebung, ihre Sitten, Anforderungen, Begriffe oder Empfindungen. Er ist also nur das, wozu seine Umgebung ihn macht, ein Gegentheil aller Originalität.

Dagegen ist der productive Mensch angelegt zum Original, welches in seiner productiven Phantasie den Quell einer unendlichen Widerstandskraft gegen die Außenwelt trägt. Diese kann sich sowohl durch Bekämpfung der Außenwelt, als durch Absonderung von ihr geltend machen. Die Absonderung tritt aber gewöhnlich erst nach gemachten üblen Erfahrungen ein, nachdem sich der Hitzkopf, in dessen Innerem es beständig gährt und kocht, bereits die Hörner abgelaufen hat. Die Feuerseelen, wie man sie sowohl in Lust- als Trauerspielen gewöhnlich als Helden gebraucht, großmüthig und jähzornig, unternehmerisch, rasch handelnd und erfinderisch in augenblicklichen Mitteln und Wegen, die sogenannten Choleriker oder Brauseköpfe, welche sich niemals den Umständen fügen, immer herrschend über ihnen stehen, niemals sich vernünftig in sie schicken wollen, gehören hierher.

Suchen wir zunächst von diesen beiden einseitigen Grundanlagen, der receptiven und der productiven, über denen das Genie in der Mitte schwebt, ein anschaulicheres Bild zu gewinnen.

Der rein Receptive als der von seiner Umgebung gänzlich Gefesselte ist der Beobachter der Sitte und des Herkommens, welchem nicht leicht ein Verstoß gegen Ceremoniell und Ordnung unbemerkt entgeht. Er zählt auf den Gesichtern die Sommersprossen und an den Gamaschen die Knöpfe. Er ist berechnet in allen seinen Bewegungen, vollendeter Virtuose im Nachahmen. Voll Geschick und Anstelligkeit, aber ohne allen Schwung, liebt er vor Allem das fehlerlos Triviale, dünkt sich groß als feinspürender Kritiker ohne Illusion, als blasirter Ironiker und urbaner Spötter. Die Chinesen werden uns vorzugsweise als solche Naturen geschildert. Friedliebend, nachahmerisch, anstellig, prosaisch, nüchtern und erwerbsam. Die Formen der äußeren Sitte sind bei ihnen aufs feinste ausgebildet. Die Feinheit des Betragens ist bis zur vollkommenen Heuchelei zugespitzt. Der Chinese hat alle Naivität gründlich abgethan. Er ist ein durchaus reflectirter Mensch. Er wird nie sagen, was er denkt, immer aber, was sich zu sagen ziemt. Er ist nüchtern und beobachtend. Ein Anflug von Schwärmerei würde ihn in allen jenen kleinen Aufmerksamkeiten hindern, welche er unaufhörlich sowohl seinem eignen Vortheil, als auch Anderen schuldig ist. Nichts entgeht ihm. Die Stärke seiner poetischen Literatur besteht in feinen und sauberen Abzeichnungen theils aus der Natur, theils aus der Gesellschaft. Dabei versteht er die Wege und Schliche des Verkehrs, des Handels, der Diplomatie, der Intrigue wie kein Anderer, und am Europäer erscheint ihm keine Eigenschaft verächtlicher, als die Naivität, womit er sich durch die Lebhaftigkeit augenblicklicher Affekte zu unüberlegten Aufwallungen, raschen Entschlüssen und auffallenden Aenderungen im Betragen hinreißen läßt. Den Gegensatz zum Chinesen bildet der Afrikaner oder Aethiope.

Der Aethiope ist reiner Hitzkopf und Phantast. Er zeigt von Receptivität und Bildungsdrang wenig Spuren. Er ist voll Unruhe und Unternehmungsgeist, aber weil ihm die Talente der Ausführung und die kleinen Geschicklichkeiten des Fleißes mangeln, so bleibt das Können häufig hinter dem Wollen zurück, und die Aufregungen endigen dann in Großsprecherei und hohlem Pathos. Der Geselligkeitssinn, welcher die Friedensliebe und die Künste der Civilisation erzeugt, steht zurück hinter einem Hange zur heroischen Ueberhebung der stärkeren Individuen über ihres gleichen, wovon eine unabreißliche Kette von Empörungen und Gewaltthaten die Folge ist. Denn der Phantast ist der geborne Mißvergnügte und Unruhestifter. Eine gemäßigte Beimischung dieser Anlage ist es, was die europäische Civilisation vom Stillstande der chinesischen unterscheidet. Aber in Afrika ist diese wilde Art einseitig, und darum in verderblicher Weise vorhanden. Die Phantasie des Aethiopen ist erfüllt von Schwärmerei und Aberglauben, weil er die Verhältnisse der Natur und des Lebens nie auffaßt, wie sie in Wirklichkeit sind, sondern immer wie sie sich in seinen Leidenschaften spiegeln. Er lebt, gleich den Helden Homers, im Umgange mit Göttern und Dämonen. Er erträgt das Leben nur, wenn er es wie im Rausche verbringen kann, und sucht seine trunkene Phantasie, wenn sie ermatten will, durch einen blutigen Opfercultus aufzuwiegeln. Und wenn der Rausch der Gefahr und der Unternehmung vorüber ist, so erfaßt ihn der Hang zur Einsamkeit, und er verfällt in ein trübes Brüten und Contempliren über das, was ihn nach überstandenem Todesabenteuer erwartet. Oder die Nüchternheit eines alternden Lebens ergreift ihn mit solchem Ekel, daß er das Abenteuer vor der Zeit aufsucht und zum Stricke greift. Daher nun ist der Aethiope der stärkste Choleriker sowohl, als Melancholiker, der Mann des Aberglaubens, des Spleens, des Umgangs mit Geistern, der Isolation, der Auflehnung und der Gewaltthat.

Der phantastische Mensch wird folglich, sobald es ihm an

receptiver Anlage gebricht, je weiter desto mehr in die Melancholie getrieben, und sollte er auch von Anfang als reiner Sanguiniker angelegt gewesen sein. Nur durch eine starke Beimischung von Receptivität kann es dem Phantasten gelingen, die sanguinische Gemüthsstimmung einer blühenden, lachenden und rosigen Phantasie sich ein ganzes Leben hindurch zu bewahren.

Ueberlassen wir nun die beiden Extreme, den nüchternen Chinesen und den heißen Aethiopen, sich selbst, und wenden uns in die Höhe zum Genius, welcher über beiden schwebt, so finden wir, daß hier die Vereinigung wiederum auf zweifache Weise erfolgen kann, entweder mehr nach der receptiven oder mehr nach der productiven Seite hin.

Der receptive Genius ist der, dessen Thatkraft sich ganz auf die Außenwelt richtet. Der productive Genius ist der, bei welchem dieselbe sich mehr von der Welt ab- und nach innen hinwendet.

Wo die Macht der Seele stark nach außen, auf das Wahrnehmen gerichtet ist, da bildet sich in Folge dessen ein reichhaltiges und lückenloses Gedächtniß aus. Denn je ungestörter aufgemerkt wird, ein desto reicherer und vollständigerer Schatz von Erinnerungen wird vorbereitet. Wer aber reichere Erinnerungen hat, der wird auch stärker in ihnen leben. Die Menschen, welche erlebte Begebenheiten gern und mit höchster Genauigkeit wiedererzählen, sind von dieser Art.

Eine lebendige Geselligkeit stützt sich ganz auf diese Eigenschaft, und ist ohne sie nicht möglich. Wer sich in Andere hineinleben, sich in fremde Individualitäten versetzen, sie durchschauen und leiten oder auch geschäftlich mit ihnen unterhandeln will, der darf nicht in seinen Phantasieen leben, sondern muß seine Fühlfäden nach außen strecken. Er muß sein Blut beruhigen, aber seine Gesichts- und Gehörsnerven schärfen. Er muß die Triebe der Phantasie unterdrücken, aber den Trieb der Neugier aufs höchste spannen. Und umgekehrt ist der Mensch der genauen Erinnerung der vortreffliche Erzähler, der unerschöpfliche Unterhalter, und wegen seiner Rücksichtnahme auf jede Kleinigkeit, deren keine ihm unbemerkt bleibt, der taktvollste und gewandteste Mann für den Umgang.

Da bei den Franzosen die Geselligkeit auf eine anderswo unerreichte Art ausgebildet ist, so sind sie am besten geeignet, uns das receptive Genie zu veranschaulichen. Frau von Staël sagt in ihrem Buche über Deutschland[1]): „Nichts kommt dem Zauber einer Erzählung bei einem geistreichen und gebildeten Franzosen gleich. Alles sieht er vorher, Alles schont er; und doch opfert er nie auf, was Interesse erregen könnte. Seine Physiognomie, weniger ausgesprochen, als die des Italieners, verkündigt Heiterkeit, ohne der Würde in Haltung und Manieren Abbruch zu thun; er hält inne, wenn es nöthig ist, und erschöpft nie die Belustigung; er belebt sich, und gleichwohl hält er die Zügel des Geistes, um ihn sicher und schnell zu führen. Jetzt mischen sich auch die Zuhörer in die Unterhaltung; und nun ist es an ihm, Diejenigen geltend zu machen, die ihm Beifall gezollt haben. Ihm entschlüpft kein glücklicher Ausdruck, den er nicht hervorhöbe, kein treffender Scherz, den er nicht fühlte; und für den Augenblick wenigstens genießt und gefällt man sich unter einander, als ob Alles Eintracht, Einheit und Sympathie in der Welt wäre."

Es hängt hiermit aber auch eine gewisse Abhängigkeit zusammen, in welcher sich die in Folge ihrer starken Receptivität nach außen gezogene Person von der Meinung der Gesellschaft fühlt. „Der Franzose" — sagt hierüber ein neuerer Schriftsteller aus diesem Volke[2]) — „der Franzose setzt die Meinung, die man

---

1) A. L. G. de Staël-Holstein, De l'Allemagne. Londres 1813. Vgl. E. Beneke's pragmatische Psychologie I, 117.

2) Alfred Michiels, Histoire des idées littéraires au 19me siècle. Paris 1842. Vgl. E. Beneke's pragm. Psych. I, 116.

von ihm hat, über Alles; er opfert ihr seine Ruhe, sein Wohl, selbst sein Leben. Er weiset die Wahrheit zwar nicht von sich; aber die Mehrzahl muß sie angenommen haben; er muß sicher sein, dafür gelobt zu werden, und darf sich nicht dem Spott aussetzen, wenn er ihr das Wort redet. Ueberall ist ihm der Schein der wesentliche Zweck und die Hälfte — was sage ich? drei Viertheile — seines Glücks. Darum werden auch die Erfinder in Frankreich immer schlecht aufgenommen werden: denn unerbittlich verfolgt die Menge Alle mit ihrem Spotte, die von der Gewohnheit abweichen; und Keiner möchte ihre Gefahr und Erniedrigung theilen. Christus hätte bei uns nicht einmal heuchelnde Schüler gefunden; Niemand hätte ihn auf dem Todeswege begleitet. Nur in der Mode läßt man sich in Frankreich Neuerungen gefallen, weil sie die ganze Nation zugleich annimmt."

In dieses Selbstbekenntniß eines Franzosen greift ein, was Frau von Staël erzählt[1]): „Man hat die Revolution in Frankreich im Jahre 1789 gemacht durch Absendung eines Curiers, welcher von einem Dorfe zum andern rief: Bewaffnet euch, denn das benachbarte Dorf hat sich bewaffnet; und alle Welt fand sich erhoben gegen alle Welt, oder vielmehr gegen Niemand. Wenn man das Gerücht verbreitete, daß eine gewisse Anschauungsweise allgemein herrschte, so würde man Einstimmigkeit erlangen gegen das Gefühl eines Jeden; Jeder würde dann so zu sagen das Geheimniß der Komödie bei sich behalten. Denn Jeder würde sich insgeheim gestehen, daß Alle Unrecht haben. In den geheimen Abstimmungen hat man Abgeordnete ihre weiße oder schwarze Kugel gegen ihre Meinung abgeben sehen, bloß weil sie glaubten, die Majorität befinde sich in der entgegengesetzten Meinung, und weil sie, wie sie sagten, ihre Stimme nicht unnütz abgeben wollten. Die Franzosen sind nur allmächtig in Masse, und ihre Männer

1) De l'Allemagne, 1re partie, Ch. XI. Vgl. E. Beneke's pragm. Psych. I, 119.

von Genie selbst nehmen immer ihren Standpunkt in den angenommenen Ansichten, wenn sie sich über dieselben erheben wollen."

Dies ist receptive Anlage als Abhängigkeit von äußerlichen Eindrücken, verbunden mit dem hervorragenden Talent, Eindrücken von außen offen zu sein, und Eindrücke praktisch zu verwerthen. Zwar ist diese Eigenschaft bei den Franzosen mit einem großen Phantasiereichthum gepaart, und tritt daher bei ihnen keinesweges in ihrer Nacktheit hervor, jedoch ist nicht zu leugnen, daß gewisse Hindernisse, welche die schöpferischen Kräfte durch eine vorwiegende Receptivität erfahren, hier fühlbar werden. „Schriftsteller z. B." — sagt dieselbe Frau von Staël [1]) — „Schriftsteller, welche das Verlangen beseelt, der Gesellschaft zu gefallen, bequemen sich natürlicher Weise nach den Forderungen dieser Gesellschaft, während einsam lebende Schriftsteller sich mehr ihren eigenen Eindrücken überlassen. Die ersten setzen sich vor, ein Unternehmen zu vollbringen; die anderen sind nur darauf bedacht, ihr innerstes Gefühl kund zu geben. Jene haben einen wohlüberlegten Plan auszuführen; diese wollen den reichhaltigen Stoff ihrer Gedanken verwenden. Daher kommt es, daß in der französischen Literatur die Eleganz der Formen, in der deutschen die Wahrheit der Gefühle vorwaltet. Die Franzosen denken und leben in Anderen, zum wenigsten unter dem Gesichtspunkte der Eigenliebe, und man fühlt, in der Mehrheit ihrer Werke, daß ihr hauptsächlicher Zweck nicht der Gegenstand ist, welchen sie behandeln, sondern die Wirkung, welche sie hervorbringen. In Deutschland" — fügt sie hinzu — „gibt es in Betreff keiner Sache einen festen Geschmack; Alles ist unabhängig, Alles ist individuell. Man urtheilt über ein Werk nach dem Eindruck, welchen man davon empfängt, und nicht nach Regeln, weil es keine allgemein zugestandene giebt; jeder Schriftsteller ist frei, sich eine neue Sphäre zu schaffen. Ein deutscher Schriftsteller bildet

---

1) Beneke's pragm. Psych. I, 116. 117. 121.

sein Publikum, während in Frankreich das Publikum die Schriftsteller beherrscht". Und sie schließt: „Welches Unheil würde dieser Geist der Nachahmung bei den Deutschen anrichten! Ihre Stärke besteht gerade in der Unabhängigkeit des Geistes, in der Liebe zur Zurückgezogenheit und in der Originalität des Individuums."

Zwischen Goethe und Eckermann[1]) kam der von Guizot (in dessen Histoire générale de la civilisation en Europe) aufgestellte Satz zur Sprache, daß die Gallier die Idee der persönlichen Freiheit von den Germanen erhalten hätten, indem sie diesem Volke besonders eigen gewesen sei. Goethe bemerkte hierzu: „Ist dies nicht sehr artig, und hat er nicht vollkommen Recht, und ist nicht diese Idee noch bis auf den heutigen Tag unter uns wirksam? Die Reformation kam aus dieser Quelle, wie die Burschenverschwörung auf der Wartburg Auch das Buntscheckige unserer Literatur, die Sucht unserer Poeten nach Originalität, und daß Jeder glaubt, eine neue Bahn machen zu müssen, so wie die Absonderung und Verisolirung unserer Gelehrten, wo jeder für sich steht und von seinem Punkte aus sein Wesen treibt, Alles kommt daher. Franzosen und Engländer halten weit mehr zusammen, und richten sich nach einander. In Kleidung und Betragen haben sie etwas Uebereinstimmendes. Sie fürchten von einander abzuweichen, um sich nicht auffallend oder gar lächerlich zu machen. Die Deutschen aber gehen jeder seinem Kopfe nach; jeder sucht sich selber genug zu thun; er fragt nicht nach den Anderen: denn in jedem lebt, wie Guizot richtig gefunden hat, die Idee der persönlichen Freiheit."

Die Deutschen sind folglich mehr productive Phantasiemenschen, die Franzosen mehr receptive Wahrnehmungsmenschen. Der Deutsche muß dem Franzosen häufig überschwänglich und

---

1) Im zweiten Bande der Gespräche Goethe's mit Eckermann. Vgl. Beneke's pragm. Psych. I, 310.

phantastisch, der Franzose dem Deutschen häufig kalt und äußerlich vorkommen. Aeußerlich z. B. klingt dem Deutschen seine accentlose und etwas durch die Nase tönende Conversation, kalt erscheint ihm die graziöse Tournüre, welche durch nichts zu überraschen ist, welcher bei jeder Emotion und jedem Außerordentlichen von vorn herein die richtigen Bewegungen zu Gebote stehen. Phantastisch erscheint dem Franzosen deutscher Händedruck, deutsche Empfindlichkeit und deutscher Weltbürgersinn.

Da der Mangel an Receptivität den phantasievollen Menschen fast immer in die Melancholie treibt, so muß umgekehrt die starke Receptivität des französischen Naturells es einem phantasievollen Menschen ganz besonders leicht machen, sein ganzes Leben hindurch das zu bleiben, was jeder in der Regel von Kindheit auf ist, nämlich Sanguiniker oder Mensch von heiterem Sinn. Man hat das lange bemerkt, und daher die Franzosen Sanguiniker von Haus aus genannt. So ohne Weiteres hingestellt, unterliegt der Satz großem Zweifel, indem das cholerische Feuer in diesem Volke von jeher eine eben so große Rolle gespielt hat. Faßt man den Satz aber nicht im Sinne einer Nothwendigkeit, sondern nur in dem Sinne auf, daß im französischen Naturell die heitere Gemüthsart auf die mindesten Hindernisse stößt und daher am ungestörtesten zur Entwickelung gelangen kann, so ist er vollkommen richtig.

Der receptive Genius ist vorzugsweise auffassender Nerv, der seine Fühlfäden in die Außenwelt streckt; seine Seele ist vorzugsweise in die Sinnorgane herabgesunken, während die Seele des productiven Genius mehr isolirt über den empörten Wellen seines Blutes wie der Geist Gottes über Fluthen schwebt. Dieser Gegensatz bildet einen Unterschied in der psychischen Anlage. Die Seele findet sich im einen und anderen Falle gegen die Welt in eine andere Lage gerückt, im einen Fall mehr in die Welt und ihre Organe versenkt, im anderen mehr aus denselben emporgehoben und zur Selbstthätigkeit befreit, nach den Worten des Dichters:

Zwei Seelen wohnen ach! in meiner Brust.
Die eine hält in derber Liebeslust
Sich an die Welt, mit klammernden Organen;
Die andre hebt gewaltsam sich vom Dust
Zu den Gefilden hoher Ahnen.

Was die erste dieser Seelen betrifft, so möge über sie das Bisherige genügen. Was die zweite betrifft, so ist dieselbe jetzt näher ins Auge zu fassen als der productive Genius, welcher sich von der Welt abwendet, um sich grüblerisch in seine eigenen Tiefen zu versenken.

Der Gegensatz zwischen dem receptiven oder nach außen hin offenen und dem grüblerischen oder nach außen hin verschlossenen Genius ist uns von Goethe in einem bekannten Liede [1]) höchst anmuthig gezeichnet, worin sich zwei Menschen von ideal gehobener Stimmung unterreden. Oberflächlich angesehen spricht ein Heiterer zu einem Traurigen, genauer angeschaut springen die Züge der Receptivität und Productivität in meisterhafter Darstellung ins Auge.

Der Heitere ruft den Traurigen auf, Theil zu nehmen an der Gegenwart, an der schönen Außenwelt und der zerstreuenden Geselligkeit:

Die frohen Freunde laden dich,
O komm an unsre Brust!
Und was du auch verloren hast,
Vertraue den Verlust.

Der Heitere zeigt, indem er so redet, daß er die Stimmung des Traurigen nicht versteht. Denn das Gefühl des Verlustes oder Schmerzes, worüber der Traurige brütet, ist so dunkel und diesem selbst noch so unverstanden, daß sein einziges Verlangen darin besteht, es nur noch länger ungestört und ungefragt in seiner Brust zu verschließen, weil es nur auf diesem Wege zu einer Ge-

1) Trost in Thränen. Goethe's Werke, Taschenausgabe, 1840. I, Seite 69.

staltung gelangen kann. Das Gefühl ist noch unreif, und das noch nicht Aussprechbare aussprechen zu sollen, eben die größte Qual.

> Ach nein, verloren hab' ich's nicht,
> So sehr es mir auch fehlt.
> Ach nein, erwerben kann ich's nicht,
> Es steht mir gar zu fern.
> Es weilt so hoch, es blinkt so schön,
> Wie droben jener Stern.

Und daher eben jenes Verlangen, das Gefühl in sich zu verschließen:

> Und hab' ich einsam auch geweint,
> So ist's mein eigner Schmerz —

Mit unübertrefflicher Grazie eignet sich der Receptive aus der Antwort das an, was er sich einzig aneignen kann, den schönen melancholischen Stern, und vor seine mit lauter deutlichen Bildern gefüllte Phantasie tritt die klare Sternennacht:

> Die Sterne, die begehrt man nicht,
> Man freut sich ihrer Pracht,
> Und mit Entzücken blickt man auf
> In jeder heitern Nacht.

Warum der Receptive der Gesellige und Mittheilsame ist, warum der Productive der Einsame und Grüblerische, warum der Receptive vorherrschend heiter ist, warum der Productive zur Selbstquälerei hinneigt, hier erfahren wir es, der Dichter sagt es uns. Die Ursache ist, weil der Receptive lauter deutliche Eindrücke empfängt, welche sich mit Leichtigkeit fassen und wiedergeben lassen, woraus Mittheilsamkeit entspringt, und, weil sowohl das Auffassen als das Wiedergeben ohne Mühe vor sich geht, Heiterkeit. Wogegen der Productive inneren Conceptionen nachjagt, welche er sich erst selbst zu verdeutlichen trachtet, welche ihm keine Ruhe lassen und auch keine Befriedigung geben, ihn daher quälen, und, weil er sie in dieser unfertigen Gestalt Niemandem mittheilen kann, vereinsamen.

Was nun auch die innere Arbeit der Verdeutlichung des Undeutlichen zum Zwecke hat, sei es, wie in diesem Liede angedeutet ist, ein persönliches Gefühl, beruhend auf Verhältnissen der Freundschaft und Zuneigung, die uns wegen ihres schwankenden Charakters quälen, sei es eine Idee, an der wir bilden, ein dunkler Lebensplan, an dem wir schmieden, ein Argwohn, über dem wir brüten und vergeblich nach einer inneren Entscheidung suchen, oder sei es, daß wir Bücher schreiben oder Verse machen: der Zustand wird immer in der uns vereinsamenden Arbeit bestehen, unklar empfangene Gedanken und Gefühle in unserer Seele zur Klarheit zu bringen.

„Ich glaube" — schrieb Schiller einst an Körner [1]) — „ich glaube, es ist nicht immer die lebhafte Vorstellung des Stoffes, sondern oft nur ein Bedürfniß nach Stoff, ein unbestimmter Drang nach Ergießung strebender Gefühle, was Werke der Begeisterung erzeugt. Das Musikalische eines Gedichtes schwebt mir weit öfter vor der Seele, wenn ich mich hinsetze, es zu machen, als der klare Begriff vom Inhalt, über den ich oft kaum mit mir einig bin."

Goethe zwar scheint anders gearbeitet zu haben. Er wurde allgemein für den immer klaren, heiteren, in deutlichen, objectiven Anschauungen sich bewegenden, insofern mehr receptiven Geist gehalten. Aber man darf diese Behauptung nicht auf die Spitze treiben. Sonst treten uns Selbstbekenntnisse entgegen, welche beweisen, daß er in allen den Lebensstimmungen, wo er sich als Dichter fühlte, mehr dem Grübler glich, welcher das suchte, was er weder verloren hatte noch erwerben konnte, als dem Heiteren, welcher sich der Pracht der Sterne freut, ohne ihrer zu begehren. „Man hat mich immer" — so äußerte er im Jahre 1824 gegen

---

1) Schillers Briefwechsel mit Körner, im zweiten Bande. Vgl. Beneke's pragm. Psych. I, 302.

Eckermann [1]) — „als einen vom Glück besonders Begünstigten gepriesen; auch will ich mich nicht beklagen und den Gang meines Lebens nicht schelten. Allein im Grunde ist es nichts als Mühe und Arbeit gewesen ..... Mein eigentliches Glück war mein poetisches Sinnen und Schaffen. Allein wie sehr war dieses durch meine äußere Stellung gestört, beschränkt und gehindert! Hätte ich mich mehr vom öffentlichen und geschäftlichen Wirken und Treiben zurückhalten und mehr in der Einsamkeit leben können, ich wäre glücklicher gewesen."

Meine Dichtergluth war sehr gering,

schrieb er ein andermal,

So lang ich dem Guten entgegen ging;
Dagegen brannte sie lichterloh,
Wenn ich vor drohendem Uebel floh.
Zart Gedicht, wie Regenbogen,
Wird nur auf dunklem Grund gezogen:
Drum behagt dem Dichtergenie
Das Element der Melancholie.

Daraus folgt, daß der productive Genius, obgleich er über dem hellen Chinesen und dem dunkeln Aethiopen in der Mitte schwebt, doch nicht im hellen, sondern im dunkeln Boden seine Wurzeln schlägt, und immer eine Neigung hat, mehr nach der äthiopischen als nach der chinesischen Seite hin auszuschweifen.

Aber nicht nur der Dichter, sondern überhaupt jeder erfinderische Geist kommt leicht in einen isolirten Zustand, indem das Sinnen und Brüten ihn nach innen kehrt, und nun aus flüchtigeren Auffassungen der Außenwelt auch unvollkommnere Erinnerungen hervorgehen, welche ihn von der Welt abschneiden und wie auf eine Robinsoninsel versetzen. Ein solcher kann sich mitten in der Gesellschaft so vereinsamt sehen, als wohnte er auf einer Oase in der Wüste Sahara. Er gleicht einem emporstrebenden Ballon,

---

1) Goethe's Gespräche mit Eckermann, im 1. Bd. Vgl. Beneke's pragm. Psych. I, 305.

dessen Seile, welche ihn an den Boden ketten, zu schwach sind, und alle Augenblicke zu reißen drohen. Der Naturforscher Priestley erzählt in seinen Memoiren [1]), daß er Personen und Dinge, mit denen er verkehrt hatte, leicht gänzlich vergaß, in dem Maße, daß in seinen eigenen Schriften ihm beim Wiederlesen oft dieses oder jenes als neu erschienen sei, und er mehr als einmal Experimente von neuem angestellt habe, deren Ergebnisse er selber schon früher bekannt gemacht hatte. „Aber" — fügt er mit richtigem psychologischen Blicke hinzu — „mein Fehler in Betreff der Erinnerung, welcher in einem Mangel an genügendem Zusammenhange in den Associationen gehabter Eindrücke bestehen dürfte, entspringt vielleicht aus einer geistigen Anlage, welche neue Associationen mehr begünstigt, so daß das, was ich in Hinsicht des Gedächtnisses verloren habe, aufgewogen sein mag durch eine vergrößerte Combinations- oder Erfindungsgabe."

Jeder productive Genius wird nur groß durch eine gewisse Vereinsamung, welche der receptive Mensch niemals erreicht. Wo diese nicht erworben wird, da können die inwendigen Productionen eben so wenig hervortreten, als ein feiner Geigenton zwischen Trompetenmusik oder die Sternbilder am Tageshimmel. Die Einsamkeit und Ungestörtheit ist das einzige Geschenk, welches die Welt dem Genius machen kann. Denn seine Natur besteht eben darin, daß seine Quellen nicht von außen, sondern nur allein von innen fließen, und von außen nichts anderes empfangen, als Anregungen. Darin eben besteht der unendliche Reiz genialer Schöpfungen, daß sie schlechterdings unberechenbar und daher immer überraschend sind. Das Geheimniß liegt darin, daß sie nicht nur den Hörer überraschen, sondern daß der Hörer nur zum zweitenmale dieselbe Ueberraschung theilen darf, welche zum erstenmale ihrem Schöpfer begegnete. Dieses aber ist nicht nur beim

1) Vgl. Beneke's pragm. Psych. I, 304.

Produciren im dichterischen Sinne der Fall, sondern auch eben so sehr und in vollkommen so hohem Grade beim Auffassen.

Obgleich nämlich der geniale Geist selten so vollständig auffaßt, wie der bloß receptive, so faßt er dagegen weit lebhafter, charakteristischer und interessanter auf, als dieser. Denn die Phantasie ist das Vermögen, welches den Anschauungen die Frische und den Schmelz ertheilt. Der Productive bekommt farbige Gemälde, der Receptive Bleistiftzeichnungen. Dann aber auch erhält die Aufmerksamkeit, vom Hauche der Phantasie gehoben, eine größere Freiheit, von einem Gegenstande zum anderen, von alten Erinnerungsreihen zu neuen Combinationen, von der Vergangenheit zur Zukunft hinwegzukommen, womit die Erfindungsgabe eintritt, sobald nur das Material an den wenigen ausgewählten Punkten, auf welche es allein ankommt, mit Vollständigkeit herbeigeschafft worden ist. Eben durch diese Auswahl von höheren Gesichtspunkten aus zeichnet sich der Productive aus vor dem Receptiven, welcher leicht für die Zwecke der Erfindung zu viel Material herbeischafft, und das Wesentliche nicht vom Unwesentlichen zu unterscheiden versteht. Alle Receptiven ertrinken im Material. Unter der unendlichen Fülle desselben das wenige Taugliche auszuwählen, den Ballast aber über Bord zu werfen, ist die Sache des Genies.

Das sinnige und wissenschaftliche Beobachten seiner selbst und der Welt gelingt immer nur von einem Standpunkte aus, welcher nicht in der Welt und ihren Interessen befangen ist, sondern gewissermaßen über ihnen schwebt, und sich ihnen mit einer gewissen kindlichen Verwunderung gegenüber stellt. Schiller hat dieses als die angeborene Naivetät des Genius bezeichnet [1]). Eine productive Seele ist aber in ihrem Beobachten und

1) Schiller behauptet in seiner Abhandlung über naive und sentimentalische Dichtung unter anderm (Werke, Taschenausg. 1838. XII, S. 181 ff.): Naiv muß jedes wahre Genie sein, oder es ist keines. Seine

Handeln darum von dieser immerwährenden Frische, Neuheit und Naivetät, weil nur sie in den neuen Eindrücken das wirklich Neue, Interessante und Eigenthümliche auffaßt, während sich dem Phantasielosen überall sogleich die fertigen Schablonen der trivialen Begriffe unterschieben, welche sich aus vergangenen Lebensbeziehungen und Bedürfnissen hierfür im Gedächtniß gesammelt haben. Der Receptive ist sogleich mit Allem fertig als ein Mann der geläufigen Redensart, ein Mann der Phrase. Der Productive

---

Naivetät allein macht es zum Genie, und, was es im Intellectuellen und Aesthetischen ist, kann es im Moralischen nicht verläugnen. Unbekannt mit den Regeln, den Krücken der Schwachheit und den Zuchtmeistern der Verkehrtheit, bloß von der Natur oder dem Instinkt, seinem schützenden Engel, geleitet, geht es ruhig und sicher durch alle Schlingen des falschen Geschmacks, in welche, wenn es nicht so klug ist, sie schon von Weitem zu vermeiden, das Nichtgenie unausbleiblich verstrickt wird. Nur dem Genie ist es gegeben, außerhalb des Bekannten noch immer zu Hause zu sein und die Natur zu erweitern, ohne über sie hinauszugehen. Aus der naiven Denkart fließt nothwendiger Weise auch ein naiver Ausdruck sowohl in Worten als Bewegungen, und er ist das wichtigste Bestandstück der Grazie. Mit dieser naiven Anmuth drückt das Genie seine erhabensten und tiefsten Gedanken aus: es sind Göttersprüche aus dem Munde eines Kindes. Wenn der Schulverstand, immer vor Irrthum bange, seine Worte wie seine Begriffe an das Kreuz der Grammatik und Logik schlägt, hart und steif ist, um ja nicht unbestimmt zu sein, viele Worte macht, um ja nicht zu viel zu sagen, und dem Gedanken, damit er ja den Unvorsichtigen nicht schneide, lieber die Kraft und die Schärfe nimmt, so gibt das Genie dem seinigen mit einem einzigen glücklichen Pinselstrich einen ewig bestimmten, festen und dennoch ganz freien Umriß. Wenn dort das Zeichen dem Bezeichneten ewig heterogen und fremd bleibt, so springt hier wie durch innere Nothwendigkeit die Sprache aus dem Gedanken hervor und ist so sehr Eins mit demselben, daß selbst unter der körperlichen Hülle der Geist wie entblößt erscheint. Eine solche Art des Ausdrucks, wo das Zeichen ganz in dem Bezeichneten verschwindet, und wo die Sprache den Gedanken, den sie ausdrückt, noch gleichsam nackend läßt, da ihn die andere nie darstellen kann, ohne ihn zugleich zu verhüllen, ist es, was man in der Schreibart vorzugsweise genialisch und geistreich nennt.

wird von der neuen Anschauung vermöge seiner stärkeren Phantasiethätigkeit zu neuen Begriffen geführt, welche die alten verdrängen. Eine productive Seele ist daher ewig jung, ewig ein Kind in der Neuheit des Auffassens. Es hat immer unbeschriebene Tafel im Gemüthe. Ihm wird die Welt nie alt. Ihm sinken die Erinnerungen zurück wie Gewölk ohne es zu plagen; es trinkt beständig aus Lethe, um immer neu, immer frisch, immer wieder wie vom ersten Schöpfungstage an zu leben.

Je mehr die Phantasie einen lebhaften Antheil an der Auffassung der Außenwelt gewinnt, je lebhafter, farbenreicher und frischer in Folge dessen diese erscheint, desto leichter wird es dem Gemüthe, ein Interesse an der Welt *ohne alle eigennützigen Zwecke* zu gewinnen, ein Interesse an ihrer *Schönheit*, ihrem *wundervollen Bau*, ihrer *erhabenen Gesetzlichkeit*. *Schopenhauer* preiset mit Recht dieses uneigennützige Interesse als eine der höchsten Gaben der Menschheit, indem er in ihm ein Freiwerden des Intellects vom Willen oder von der niederen Bedürfnißnatur des Menschen erkennt. Ein solcher Freigewordener kommt niemals zu Ende mit Erstaunen und Bewunderung über das große Schauspiel, das sich tagtäglich vor seinen Augen entfaltet. Die Redensart: „Was geht mich das an?" und „Wozu dieses mir?" hat für ihn ihren Sinn verloren. Denn ihn geht Alles an, er sieht sich mit Allem in enger Beziehung, er wird der Theilnehmer, Genosse, Mitempfinder, Freund aller Wesen. Ihm ist, wie dem Franz von Assisi, das Feuer sein Bruder, und das Wasser seine Schwester.

Schopenhauer sagt[1]): „Der gewöhnliche Mensch ist

---

1) *Schopenhauer*, Die Welt als Wille und Vorstellung. 2. Aufl. I, 211 ff. Besonders verdient auch *Schopenhauer's* Erklärung über die dem Genius unentbehrliche Phantasiethätigkeit hervorgehoben zu werden. Er sagt darüber a. a. O. S. 210: Man hat als einen wesentlichen Bestandtheil der Genialität die Phantasie erkannt, ja sie sogar bisweilen für mit jener identisch gehalten: ersteres mit Recht; letzteres mit

einer uninteressirten Betrachtung, welches die eigentliche Beschaulichkeit ist, nicht anhaltend fähig: er kann seine Aufmerksamkeit auf die Dinge nur insofern richten, als sie irgend eine Beziehung auf seinen Willen haben. Daher weilt der gewöhnliche Mensch nicht lange bei der bloßen Anschauung, heftet seinen Blick nicht lange auf einen Gegenstand; sondern sucht bei Allem, was sich ihm darbietet, nur schnell den Begriff, unter den es zu bringen ist, wie der Träge den Stuhl sucht, und dann interessirt es ihn nicht weiter. Daher wird er so schnell mit Allem fertig, mit Kunstwerken, schönen Naturgegenständen und dem eigentlich überall bedeutsamen Anblick des Lebens in allen seinen Scenen. Er aber weilt nicht: nur seinen Weg im Leben sucht er, allenfalls auch

---

Unrecht. Da die Objecte des Genius als solchen die ewigen Ideen, die beharrenden wesentlichen Formen der Welt und aller ihrer Erscheinungen sind, die Erkenntniß der Idee aber nothwendig anschaulich, nicht abstract ist; so würde die Erkenntniß des Genius beschränkt sein auf die Ideen der seiner Person wirklich gegenwärtigen Objecte und abhängig von der Verkettung der Umstände, die ihm jene zuführten, wenn nicht die Phantasie seinen Horizont weit über die Wirklichkeit seiner persönlichen Erfahrung erweiterte und ihn in den Stand setzte, aus dem Wenigen, was in seine wirkliche Apperception gekommen, alles Uebrige zu construiren und so fast alle möglichen Lebensbilder an sich vorübergehen zu lassen. Die Phantasie also erweitert den Gesichtskreis des Genius über die seiner Person sich in der Wirklichkeit darbietenden Objecte, sowohl der Qualität als der Quantität nach. Dieserwegen nun ist ungewöhnliche Stärke der Phantasie Begleiterin, ja Bedingung der Genialität. Nicht aber zeugt umgekehrt jene von dieser; vielmehr können selbst höchst ungeniale Menschen viel Phantasie haben. Denn wie man ein wirkliches Object auf zweierlei entgegengesetzte Weisen betrachten kann: rein objectiv, genial, die Idee desselben erfassend; oder gemein, bloß in seinen dem Satz vom Grunde gemäßen Relationen zu andern Objecten und zum eignen Willen; so kann man auch eben so ein Phantasma auf beide Weisen anschauen: in der ersten Art betrachtet, ist es ein Mittel zur Erkenntniß der Idee, deren Mittheilung das Kunstwerk ist; im zweiten Fall wird das Phantasma verwendet um Luftschlösser zu bauen, die der Selbstsucht und der eigenen Laune zusagen, momentan täuschen und ergötzen."

Alles, was irgend einmal sein Weg werden könnte, also topographische Notizen im weitesten Sinn: mit der Betrachtung des Lebens selbst als solchen verliert er keine Zeit. Der Geniale dagegen verweilt bei der Betrachtung des Lebens selbst, strebt die Idee jedes Dinges zu erfassen. Während dem gewöhnlichen Menschen sein Erkenntnißvermögen die Laterne ist, die seinen Weg beleuchtet, ist es dem Genialen die Sonne, welche die Welt offenbar macht."

Heinrich Rückert[1]) hält diese Begabung, einen freien und uninteressirten Blick in die Naturerscheinung zu thun, für einen der Hauptvorzüge des Indogermanischen Menschenstamms vor den anderen Menschenstämmen. „Die Natur" — sagt er — „ist dem Indogermanen in sich lebendig. Darum kann der menschliche Geist hier zu einer reinen Freude an der Natur um ihrer Größe und Schönheit willen gelangen, ohne dabei stets an sich, an seine Bedürfnisse und seinen Genuß zu denken. Dies wäre nicht möglich, wenn der Geist nicht unwillkührlich die ganze Außenwelt mit Hülfe der Phantasie reproducirte, und die eigene Seele in sie hineintrüge. So füllt sich die ganze Natur mit menschlichem Geist und Körper, und es gibt für diese Anschauungsweise keine Sachen, sondern nur Gestalten."

Man wird den receptiven und den productiven Menschen im Blick unterscheiden[2]). Der Blick des Receptiven ist beobachtend und spähend. Der Blick des Productiven ist offen und frei, wofern er nicht auf sinnende Art in sich selbst versinkt, wie Klopstock sagt von der deutschen Muse[3]):

— diesen Blick, der
Feurig zur Erde sich senkt, den kenn' ich!

---

1) Heinr. Rückert, Lehrbuch der Weltgeschichte in organischer Darstellung. Leipz. 1857. I, 225.

2) Vgl. hierüber ebenfalls Schopenhauer a. a. O.

3) Klopstock in der 8. Strophe der Ode: Die beiden Musen, aus d. J. 1752.

Es ist der sprechende Blick, der in die Seele dringt. Der Productive sucht beim Gespräch gern Auge in Auge Anker zu werfen. Dabei vergißt er gern sich selbst über dem Gegenstande seines Gesprächs, spricht seine Urtheile objectiver, unparteiischer und rücksichtsloser aus, als es manchmal die Klugheit erfordern würde, ein Mißgriff, welcher dem Receptiven niemals begegnet. Der Receptive ist unaufhörlich gesprächig, hauptsächlich in der Absicht, durch Mittheilung von Neuigkeiten wieder Neuigkeiten zu erfahren. Seine vorherrschende Neigung ist interessirte Neugierde. Obgleich jeder Productive im Grunde seines Herzens vom Wunsche, seine innersten Tiefen offenbaren zu dürfen, brennt, so muß er doch hierzu immer erst einen empfänglichen Boden finden, und wird daher, wo ein solcher nicht anzutreffen ist, leicht schweigsam. Denn die stärkste Triebfeder der Gesprächigkeit, die Neugierde, mangelt ihm.

Bedenken wir nun, daß der productive Mensch die größte Fähigkeit hat, sich eine eigene innere Welt im Gegensatze zur äußeren zu erbauen, und, mit ihrer Architektur beschäftigt, in geselliger Einsamkeit zu leben, während beim Receptiven Alles auf praktische Interessen hinausläuft, und daher die Aufmerksamkeit fester ins auffassende Sinnorgan eingewachsen ist, ohne sich von demselben lösen zu können, so ist kein Zweifel, daß die productive Anlage in einem freieren und entbundeneren Spiele der Seelenkräfte besteht. So wie Raben und Papageien dadurch Sprachfähigkeit erlangen, daß ihnen die Zunge gelöset wird, so erlangt die Seele dadurch Schöpferkraft, daß ihr an den einzelnen Sinnorganen klebender Zustand gelöset wird, wodurch sie ein freieres Spiel ihrer Bewegungen im Sensorium commune gewinnt. Die receptive Seele ist die festgewachsene Seele, die productive die in ihrer Freiheit schwärmende Seele.

Diese productive Seele nun in ihrer völligen Unmittelbarkeit ohne alle Beimischung der beruhigenden oder receptiven Gemüthsart ist der aufgeregte Mensch des Aristoteles auf welchen wir jetzt wieder den Blick zurück zu werfen haben. Des Aristoteles Meinung über ihn, daß er die Grundlage zur Genialität in sich enthalte, haben wir zwar nur zur Hälfte, aber in Beziehung auf diese Hälfte in ganz vorzüglichem Maße bestätiget gefunden. Aristoteles nennt ihn den Melancholiker; besser ist der Ausdruck des Phantasten, des Aethiopen, des heißblütigen Menschen. Denn in ihm kann eben sowohl die heitere oder sanguinische, als die finstere oder melancholische Seelenstimmung vorherrschen, nur daß, wenn nicht durch eine starke Ausbildung der receptiven Anlage das receptive Genie sich einstellt, die sanguinische Stimmung von keiner Dauer sein wird. Aber eben so wenig kann man sagen, daß ihm von Natur die trübe oder melancholische Stimmung beiwohne. Denn die Melancholie ist bei ihm nur Folge des passiven und menschenscheuen Zustandes, in welchen er leicht durch den Widerstand, welchen er von allen Seiten zu finden pflegt, gestoßen wird. Von Natur ist er vielmehr Choleriker, ein Mensch der Thatkraft, welche aber weniger von vernünftiger Consequenz und Grundsätzen, als von phantastischen Affecten und Leidenschaften geleitet wird. Wo man auf leidenschaftliche Spieler, Glücksjäger, Duellanten, Speculanten, Schwindler oder Charlatans trifft, da darf man darauf rechnen, es mit äthiopischen Naturen zu thun zu bekommen. Schiller's Räuber packten die äthiopische Anlage der deutschen Jugend mit unwiderstehlicher Gewalt. In Wallenstein's Lager hat er ein von demselben Geiste beseeltes Soldatenleben in den Zauber der Idealität getaucht.

Die Receptivität tritt dem wilden Feuer des äthiopischen Temperaments wie ein abkühlendes Phlegma entgegen. Sie gibt Ruhe, Besonnenheit, Nüchternheit, Vorsicht, Aufmerken, Besorgniß, Nachahmungstrieb, Neugierde, List und Ironie, mit einem Worte Zahmheit. Der Receptive ist inwendig kalt, prosaisch und nüchtern. Er kann dabei äußerlich ein beweglicher, alerter Mensch sein. Er kann eine Menge von Erfahrungen sammeln, Gelehrsamkeit aufhäufen, alle Sprachen Europa's lernen, sich die feinsten Manieren, den besten Conversationston aneignen, ohne daß jemals dadurch Feuer auf seinen inwendigen Heerd käme. Denn ohne Productivität, ohne schöpferische Phantasie giebt er weder Witz noch Urtheil. Ein solcher bleibt daher bei aller Vielgeschäftigkeit inwendig fischkalt, und diese Kälte ist das inwendige oder eigentliche Phlegma. Wenn Hamlet schmerzvoll ausruft: O Fleisch, wie bist du verfischt! so meint er dieses Temperament. Wenn es in den Evangelien heißt: Lasset die Todten ihre Todten begraben, so wird man dabei an dieses Temperament erinnert. Wenn man die Sage hatte von Undinen als wunderschönen Meermädchen voll Beweglichkeit und Anmuth, aber schade, es fehlt ihnen nur eines, sie hatten keine Seele: so wußte die Sage wohl, woran sie dabei dachte.

Aber hiermit ist der Begriff dessen, was man mit dem Worte Phlegma bezeichnet, noch lange nicht erschöpft. Denn eben so oft, als an dieses innere oder eigentliche Phlegma, denkt man bei dem Ausdrucke auch an Eigenschaften, welche sehr weit von diesem entfernt sind, und welche man zum Unterschiede vom inneren Phlegma wohl das äußere Phlegma nennen könnte.

Von diesem äußeren Phlegma muß zuletzt noch näher die Rede sein. Es ist dies ein Temperament, welches, so lange man es nur obenhin betrachtet, wohl leicht als das geringste und noch tief unter der bloßen Receptivität stehend erscheinen kann, welches dagegen, sobald man es näher untersucht, in seinen verborgenen Tiefen Schätze zeigt, die sich dem oberflächlichen Blicke verbergen.

Das äußerliche Phlegma besteht entweder in einem Mangel an Entwicklung oder in einer langsamen Entwicklung, entweder in Stumpfheit oder Langsamkeit. Beides ist verwandt, aber nicht eins und dasselbe.

Stumpfheit kann entweder von Natur vorhanden sein

oder sich durch gelegentliche Ursachen einstellen. Wo sie von Natur vorhanden ist, besteht sie in einer zu schwachen ursprünglichen Kraft, sei es der Receptivität, sei es der Productivität. Der Stumpfe bringt entweder nichts Ordentliches zu Stande, oder er fängt mit Anstrengung vernünftig an, geräth aber aus Ermüdung bald in die Irre. Etwas Aehnliches wird auch kräftigen Geistern überall dort begegnen, wo sie die Anstrengungen übertreiben, wie es z. B. Jean Paul bei seiner dichterischen Thätigkeit ergangen ist. Den Schwachen begegnet dasselbe auf der Stelle oder nach geringer Anstrengung.

In den Fällen, wo die Stumpfheit nicht ursprünglich vorhanden ist, sondern durch Ueberanstrengung entsteht, darf man sie einen Seelenschlaf nennen. Denn die Seelenthätigkeiten gerathen hier theilweise in denselben Zustand, in welchen sie im gewöhnlichen Schlafe auf vollständige Weise gerathen. Daher gehört auch die Altersschwäche hierher, welche nichts weiter, als ein sich ins Große steigerndes Schlafbedürfniß ist. So wie die Anstrengungen des Tages sich summiren zu einer Erschöpfung, welche uns gegen die Nacht hin stumpfer und untauglicher zur geistigen Thätigkeit macht, so summiren sich die Anstrengungen des Lebens zu einer Erschöpfung oder einem Phlegma im Alter, wo die Thätigkeiten des angestrengten Wachens immer schwerer ertragen werden, weshalb denn auch Menschen von einer übertrieben angespannten Thätigkeit immer früher altern und stumpf werden als andere.

Ein dritter Fall ist der, wo vorhandene und vielleicht sehr starke Kräfte bloß darum in einem fortwährenden Schlafe liegen, weil, um sie aus demselben zu wecken, die Anregungen bisher nicht stark genug waren. Dann wird zwar auch der Anschein von Stumpfheit entstehen, aber nur darum, weil Kräfte, welche eines stärkeren Anstoßes bedürfen, um ins Spiel zu kommen, ihre Bewegungen, wenigstens zu Anfang träger und langsamer verrichten, als solche, welche leicht und durch geringe Anstöße zur

Thätigkeit zu wecken sind, sowohl im Receptiven, als im Productiven.

Es giebt Fälle, wo die größere Langsamkeit der Entwicklung nicht ein geringeres, sondern ein größeres Maß von ursprünglicher Kraft anzeigt, als bei der rascheren Entwicklung vorgefunden wird. Ein größeres Pendel bewegt sich langsamer, als ein kleineres, und ein Linienschiff kann den raschen Bewegungen einer Jacht nicht nachkommen. Aehnlich gehen tiefere Denkbewegungen langsamer vor sich, als oberflächlichere, und religiöse Musiksätze haben einen langsameren Tact, als Tänze.

Wir finden höchst kräftige, ja gewissermaßen überkräftige Naturen, bei denen die ganze Lebensentwicklung nach einem ungewöhnlich langsamen Tacte geht, schon von der Geburt an. Sie bekommen spät die Zähne, lernen spät sprechen, spät laufen, vertreten spät die Kinderschuhe, lernen langsam, aber gut, und erreichen spät die Erfolge, nach denen sie in ihrem Leben zielen, welches sie dann in der Regel bis in ein hohes Alter ausdehnen.

Aeußerlich genommen ist diese Langsamkeit dem Kräftigen, der damit behaftet ist, immer eine Last. Denn da er langsamer faßt und hervorbringt, so wird er augenblicklich immer in den Schatten gestellt von allen, welche schneller fassen oder hervorbringen, als er, nicht nur von denen, welche mit ihm an Talent auf gleicher Stufe stehen, sondern auch von denen, welchen er an Talent überlegen ist. Denn dort, wo z. B. auf der Stelle die Antwort gegeben werden muß, ist der, welchem sie eine Minute zu spät einfällt, eben so schlimm daran, als der, welchem sie gar nicht einfällt.

Innerlich genommen aber wiegt sich dieser äußere Nachtheil durch andere Umstände auf. Weil eine rasche Thätigkeit überall leichter erschöpft, als eine langsame, so sind die langsamen Naturen unter den Kräftigen zur Ausdauer in ihren Beschäftigungen am

14*

meisten befähigt. Was bei Vollendung von Werken und Unternehmungen die rascheren Naturen ihnen mit blendendem Glanze unter Zujauchzen einer begeisterten Menge voran springen, wird von ihnen hinterher durch Unverdrossenheit nachgeholt und überholt. Wer sich an die Feldarbeit mit raschen Bewegungen begäbe, der würde zwar von einem unkundigen Zuschauer für den besten und geschicktesten Arbeiter gehalten werden. Der ächte Bauer aber, der einem solchen zusähe, würde nur lächeln. Denn er weiß, daß er dieses nicht lange wird aushalten können.

Aus diesem Grunde sind die langsamen Naturen die stärksten und unermüdlichsten Arbeiter. Und zwar gilt dieses nicht nur von mechanischen und untergeordneten Beschäftigungen, sondern auch von den höchsten Werken der Erfindung in Kunst und Wissenschaft. Bei diesen tritt zu dem angegebenen Grunde noch ein neuer hinzu. Der Rasche und Lebhafte sieht alle seine Bemühungen in der nächsten Gegenwart von ungleich größeren Erfolgen gekrönt, als der Langsame. Seine Erfolge geben ihm daher sowohl eine größere innere Befriedigung, als auch eine größere äußere Weltstellung. Beides dient in der Regel nicht als ein größerer Stachel der Thätigkeit. Denn die innere Befriedigung schafft Beruhigung, und die äußere Stellung bringt Zerstreuungen mit sich, nach dem Sprüchworte: Wenn ein Mensch einmal der Welt etwas zu Danke gemacht hat, so weiß sie dafür zu sorgen, daß er es nicht zum zweitenmale thut. Beides fällt beim Langsamen weg. Dieser arbeitet sowohl sich selbst als Anderen selten zur augenblicklichen Genüge, und die eigene Unzufriedenheit sowohl, als die Kritik Anderer, sind seinem Gemüthe ein nie aufhörender Stachel, die Thätigkeit unermüdlich fortzusetzen und in ihren Wirkungen zu steigern, sie als eine Lebensaufgabe zu betrachten, über welche nicht wir herrschen, sondern von welcher wir beherrscht werden. Und ist dieser Standpunct erst erreicht, dann lassen sich auch mit langsamen Kräften große Dinge verrichten.

Weil langsamere Bewegungen die Kräfte weniger schnell consumiren, so erlauben sie auch einem geringeren Maße derselben eine vollere Wirksamkeit, während, je lebhafter und ungeduldiger das Temperament ist, desto eher und desto auffallender die Blößen, sei es im Auffassen, sei es im Hervorbringen, hervortreten werden. Die überschnellen Auffassungen bei schwachen Kräften werden voll Blendungen und Irrthümer erscheinen, die überschnellen Hervorbringungen werden in Verworrenheit und Unklarheit ausarten. Und, was in diesen Fällen das Schlimmste ist, die Lebhaftigkeit des Temperaments wird nicht die Geduld zulassen, durch ein wiederholtes Zusehen die Irrthümer zu zerstreuen, die Verworrenheiten aufzuklären. Man sieht hieraus, daß die Lebhaftigkeit des Temperaments nicht in jeder Beziehung eine wünschenswerthe Gabe ist, daß vielmehr für die Bildungsfähigkeit der Menschen in Masse genommen oder als Volk betrachtet, das langsame Temperament das günstigste ist, weil bei ihm nicht nur die starken, sondern auch die minder starken Seelenkräfte die Hoffnung zu einer größeren Emporbildung haben, als ihnen eine lebhaftere Anlage in der Regel verstattet. Und daher werden Völker von einem langsamen Lebensrhythmus, an allgemeiner Durchbildungsfähigkeit alle übrigen übertreffen. Sie werden, obgleich ihre Entwickelung langsam ist, doch zuletzt an allgemeiner Bildungshöhe über den anderen stehen. Die phlegmatischen Völker sind als Völker genommen die zu den höchsten Zielen bestimmten.

Ein anderer Maßstab freilich gilt in Beziehung auf den einzelnen Menschen. Die einzelne Person wird durch dasselbe zum höchsten Gipfel der Genialität erhoben, was einer Nation die Höhe gleichmäßiger Durchbildung zu erreichen schwerer macht. Das Feuer und die Raschheit der inneren Antriebe ist, wie Aristoteles richtig bemerkte, den großen Genies unentbehrlich. Wäre dieses Feuer auch den Nationen im Ganzen zu ihrer Durchbildung günstig, so würden in Afrika und Australien die gebildetsten Völker leben. Die Bildung der Völker ist an einen langsamen, systematischen und ausdauernden Rhythmus geknüpft. Auf die Raschheit kommt hier wenig an. Nur wer am längsten ausdauert bei seinen Entwicklungen, gewinnt das Spiel. Die Bildung wohnt aus diesem Grunde im Norden, und hat sich, je weiter die Weltgeschichte fortgeschritten ist, desto höher in den Norden gezogen. Sie entwickelte sich zuerst ein ganzes Weltalter hindurch in Aegypten, zog im Alterthum einen Grad höher nach Griechenland, streckte im Mittelalter von Rom aus ihre Arme nordwärts, und betrachtet in der Neuzeit nur noch den Norden als ihre eigentliche Heimat.

Die langsameren Bewegungen in der Entwickelung des nordischen Menschen hängen zusammen mit seiner langsameren Erregbarkeit durch alle Arten von Eindrücken, welche anzeigt, daß hier das Nervensystem im Ganzen von vorzüglicher Kraft und Gesundheit ist. Denn je stärker der Nerv ist, desto stärkere Eindrücke fordert er, um heftig erschüttert zu werden, desto langsamer zu bewegen oder desto phlegmatischer in diesem Sinne wird er daher erscheinen. Die Nervenstärke bildet standhafte, feste, männliche Naturen, und leistet so der Charakterstärke großen Vorschub, indem sie der äthiopischen Blutaufregung wohlthätig entgegen wirkt und eine größere Gleichmäßigkeit der Stimmung möglich macht. Denn durch ein vorzüglich starkes Nervensystem wird auch ein vorzüglich normales und gesundes Blut bereitet, und zwar in großer Fülle, weshalb das langsame Temperament auch das der Gesundheit genannt zu werden verdient. Denn es ist eben so weit entfernt von der fieberhaften Aufregung des Bluts, als von einer durch Blutmangel erzeugten reizbaren Nervenschwäche.

Obgleich der nordische Phlegmatiker gegen den südlichen Choleriker sich ausnimmt wie Kälte gegen Hitze oder wie Nüchternheit gegen Berauschung, so hebt sich dieser Unterschied doch auf, sobald der schlummernde Löwe geweckt wird. Man könnte den nordischen Phlegmatiker einen Choleriker im Futteral, einen Degen in der Scheide nennen. Dieser Ausdruck wäre um so passender, als auch das südländische Temperament des aufgeregten Blutes sich aus seinen unregelmäßigen und abenteuerlichen Aufwallungen nur dann zum Ideal eines Cholerikers, nämlich zur Männlichkeit einer consequenten Thatkraft erhebt, wenn ihm ein Tropfen des an sich haltenden Phlegma's beigemischt ist, von welchem der Norden das Magazin besitzt. Denn wo alle vorhandene Kraft in der Seele von Anfange an in voller Aufregung ist, da wird die zum energischen Handeln erforderte ruhige Ausdauer viel schwerer gewonnen, als wo es mehr in des Menschen Gewalt ist, einen überflüssigen Theil der Kraft in vorübergehenden Schlaf sinken zu lassen, oder die Ausgaben der Gegenwart zum Besten der Zukunft zu beschränken. Nordische Helden sind hierin manchmal sehr weit gegangen. Wilhelm III. von England z. B. besaß nach der Schilderung, welche Macaulay von ihm giebt, gerade so viel geistige Productivität, als die höchst schwierige Lage, worin er sich befand, in Anspruch nahm. Aber er erlaubte sich auch zur Entschädigung dafür, daß er mit seltener Vorsicht das Gleichgewicht Europa's in seinen Händen balancirte, ein rücksichtsloses Phlegma in seinem ganzen Privatleben[1]).

1) In Macaulay's Geschichte Englands (übers. von Fr. Bülau. Leipz. 1856. 3. Bd. S. 49) heißt es vom Privatleben Wilhelms III.: „Der Geselligkeit ermangelte Wilhelm gänzlich. Er kam selten aus seinem Cabinet heraus, und wenn er sich in den öffentlichen Gemächern zeigte, so stand er unter dem Gedränge der Hofleute und Damen, ernst und abgezogen, keinen Scherz äußernd und Niemand zulächelnd. Seine frostige Miene, sein Schweigen, die trockenen und kurzen Antworten, die er ausgab, wenn er das Schweigen nicht länger bewahren konnte, verdrossen Adelige und Gentlemen, die gewohnt gewesen waren, von ihren königlichen Gebietern auf den Rücken geklopft, Jack oder Harry gerufen, über Wettrennbecher beglückwünscht, oder mit Actricen aufgezogen zu werden. Die Frauen vermißten die ihrem Geschlecht gebührende Huldigung. Sie

Wenn also eine Seele zu schlafen scheint, so hat man immer wohl zuzusehen, ob sie sich nicht etwa nach gewissen Richtungen hin in einen künstlichen Schlaf begeben hat, um nach der Einen Richtung hin, worauf es ihr allein ankommt, desto stärker wach sein zu können. Und wer diese Oekonomie seiner inneren Kräfte am meisten in seiner Gewalt hat, so daß er die, welche er will, mit der größten Leichtigkeit wecke und dafür andere in den Schlaf sinken lasse, ein solcher eben ist der freieste Mann. Wie soll aber der Aethiope jemals zu dieser Verfassung gelangen, bei welchem die Seele in einem steten Aufruhr ist, und keine der Kräfte, welche wachen, jemals in einen heilsamen Schlaf sinken will?

Der Norden ist der Boden, welcher durch seine innere Beschaffenheit geistige Befreiung am meisten begünstigt. Der Norden wurde bereits von den ältesten Völkern für eine bevorzugte Gegend gehalten. Die Indier glaubten, daß vom Berge Meru im Norden alle Wunder und Offenbarungen niederstiegen; ihre Eremiten wandten sich, wenn sie in die Wildniß zogen, am liebsten den nördlichen Gebirgen zu.

Der Norden giebt nichts ohne Arbeit her, nichts ohne Ausdauer, und spannt daher die Kräfte aufs höchste an. Hier wird ohne Heldenthum nichts gewonnen. Hier reicht keine Kraft aus, wie sie die Natur von selbst giebt, hier ist Erziehung zum Höheren unentbehrlich, wie sonst nirgends. Aber weil

---

bemerkten, daß der König selbst zu der Frau, der er so viel verdankte und die er aufrichtig liebte und achtete (nämlich zu seiner Gemahlin Maria, der Tochter Jakobs II.), in einem etwas herrischen Tone sprach. Es ergötzte und ärgerte sie, zu sehen, wie er, als die Prinzessin Anna (die Schwester Maria's) bei ihm speisete und die ersten grünen Erbsen des Jahres auf die Tafel gesetzt wurden, das ganze Gericht verzehrte, ohne ihrer königl. Hoheit einen Löffel voll anzubieten, und sie erklärten, daß dieser große Soldat und Politiker nichts besseres, als ein niederländischer Bär sei."

hier nur Selbsterziehung zum Ziele führt, so giebt dies auch wieder den Anreiz, selbst die geringsten Kräfte zu entwickeln, und nichts verloren gehen zu lassen. Da der Mensch hier nur das ist, was er aus sich macht, so tritt hier Alles unter den Gesichtspunkt der Kraft und des Entschlusses. Auf den Norden paßt, was der Dichter sagt[1]):

Triumph! die Paradiese schwanden!
Wie Flammen aus der Wolke Schooß,
Wie Samen aus dem Chaos, wanden
Aus Stürmen sich Heroen los.

Das nordische Phlegma ist unentwickelte Kraft. Solche aber ist gesparte Kraft, welche sich entwickeln läßt. Der Norden ist das Menschenmagazin, die Welt der Zukunft. Und weil er zu seiner Entwicklung oder Genialisirung beständig der südlichen Einflüsse bedarf, so ist er dadurch genöthigt, alles Leben der Menschheit aus Vergangenheit und Gegenwart in sich zu versammeln und aufzunehmen, und so, was die andern in Vereinzelung darstellen, in eine Einheit zu bringen.

Nur Geistesarmuth kann der Winter morden;
Kraft fügt zu Kraft und Glanz zu Glanz der Norden.

Aus dem Allen ziehe ich nun folgendes Resultat:

Es giebt ein auswendiges und ein inwendiges Phlegma. Das auswendige ist das nordische Phlegma der unentwickelten Kraft, das inwendige ist das chinesische der reinen Receptivität.

Gegenüber steht die phantastische oder productive Anlage, welche von Aristoteles als die melancholische bezeichnet worden ist, die Anlage des aufgeregten Blutlebens.

Dieselbe begründet in Verbindung mit der receptiven Anlage das Genie, welches nach der receptiven Seite hin mehr zur sanguinischen Geselligkeit, nach der productiven Seite hin mehr zur melancholischen Einsiedelei neigt.

---

1) Hölderlin im Gedichte: Das Schicksal, 3. Strophe.

Für sich allein hingegen bildet sie das cholerische Temperament.

Das nordische Phlegma, mit beruhigtem Blute und starken Nerven versehen, ist fähig, alle übrigen Temperamente aus sich zu entwickeln, sowohl das receptive, als das phantastische, und folglich ebenfalls das geniale als die Einheit beider.

Das cholerische Temperament des Aethiopen ist zwar die Anlage zum Heldenthum, aber diese ist von der Art, daß sie auf ihrem eigenen Boden schlecht gedeihet, und nur durch eine Zumischung von nordischem Phlegma wirklich zu ihrem Ziele gelangt.

Das geniale Temperament gedeihet in einem phantasievollen Geiste, wenn ein solcher sich receptiv genug nebenbei zu halten weiß. Aber zu dieser Geduld kommt der Aethiope eben nur dann, wenn ihm eine hinreichende Zugabe von nordischem Phlegma hierbei zu Hülfe kommt.

So ist denn dem reinen Choleriker oder Aethiopen die Weiterentwickelung sehr schwer gemacht. Er besitzt zwar ihren eigentlichen Nerv. Weil er aber nichts weiter besitzt, als diesen, so kann er ihn nicht verwerthen.

Scheinbar am leichtesten wird sie dem receptiven Temperament, dessen ganze Thätigkeit im Auffassen und Nachahmen besteht. Aber hier ist die ganze Fortentwickelung auch nur eine scheinbare, eine bloße Dressur, welcher die innere Wärme fehlt.

Wenn wir nun den bisherigen Auseinandersetzungen folgen, so sind die Temperamente keine angeborenen Naturbeschaffenheiten, welche nicht abgeändert werden könnten, sondern gelegentliche Gemüthszustände, welche durch ein Zusammenspiel einer receptiven mit einer productiven Grundthätigkeit in der Seele hervorgebracht werden, deren jede entweder mehr in den Schlaf sinken oder mehr zur Wirksamkeit erwachen kann. Jeder Mensch hat der Anlage nach alle Temperamente, bildet aber in der Regel nur eines in sich aus, während er in die übrigen wie der Tonkünstler in entlegene Tonarten nebenher ausweicht. Man kann daher auch vieles thun sowohl zur Veredelung als zur Verschlechterung seines Temperaments. Man kann sowohl Menschen als Thiere bösartig cholerisch machen dadurch, daß man sie unaufhörlich zum Zorn reizt. Man kann einen jungen Menschen dadurch zum Melancholiker verschüchtern, daß man ihm Alles auf sophistische Art bestreitet, ihm keine fröhliche Bewegung in Aeußerung seiner Meinungen und Ansichten vergönnt, ihn gewaltsam in sein eigenes Innere drängt. Es giebt Mittel, sich übermäßig receptiv und reizbar zu machen durch Kummer, Sorgen, Nachtwachen und Ueberanstrengung. Und um hiergegen wieder der Productivität Vorschub zu leisten, dient die ansehnliche Quantität geistigen Getränks, welches bei civilisirten Völkern consumirt wird, und welches durch eine heilsame Blutaufregung täglich die Phantasie in einem guten Flusse erhält. Es giebt endlich Mittel, sich abzuhärten, wodurch man um einen Grad äußerlich-phlegmatischer, nervenstärker, grobfühliger und ruhiger wird.

Im vorigen Jahrhundert strebte der Deutsche, sich in jeder Beziehung zu verfeinern und zu vergeistigen. Er strebte aus dem phlegmatischen Typus in den genialen. Heutzutage strebt er umgekehrt aus der Schwachnervigkeit in die Starknervigkeit zurück. Seine Wasserheilanstalten, Abhärtungskuren, Turnübungen, Bemühungen um Kräftigung der Nahrungsmittel fürs Volk zielen darauf hin.

Ein großer Theil der diätetischen Vorschriften bei Moses läßt sich unter den Gesichtspunkt stellen, daß die Organismen eines ungebildeten Volks receptiver gemacht werden sollten durch Fasten, Enthaltung von gewissen Speisen, durch Studien und Nachtwachen. Aehnlich bei den Pythagoräern. Die Unbeweglichkeit der Indischen Jogi's scheint nichts als eine phantastische Uebertreibung solchen Thuns zu sein, wobei sie Frost, Hitze und alle Arten von Unbequemlichkeit mit zu Hülfe nahmen, um ihr Nervensystem zu erschüttern. „Du siehst“ — sagt der König

Duschmanta in der Sakontala [1]) — „du siehst einen frommen Jogi unbeweglich stehen und sein dickes sträubiges Haar halten, die Augen auf die Sonnenscheibe gerichtet. Sein Leib ist halb bedeckt mit einem Termitengebäude von Lehm; eine Schlangenhaut vertritt die Stelle der priesterlichen Schnur und gürtet zum Theil seine Lenden; viele knotige Pflanzen umwinden und verwunden seinen Hals, und ringsum verbergen die Vogelnester seine Schultern."

Der Unterschied von Hellenen und Barbaren, wie ihn die Griechen machten, gründete sich darauf, daß sie sich andern Völkern gegenüber als genialer fühlten. Die Uebung des Denkens wirkte auf ihre Nerven zurück, gab ihren Gesichtern und Gestalten ein spirituelles Aussehen.

---

1) So lautet diese Stelle in der aus der englischen Uebersetzung von Jones (Calcutta 1789) gemachten deutschen von G. Forster (1791 2. Ausg. von Herder 1803) im 7. Act S. 166. In der dem Original entstammten Uebertragung Rückerts lautet sie (Aus Friedr. Rückerts Nachlaß, herausgeg. von Heinr. Rückert. Leipz. 1867, S. 394):

Dort, wo in den Ameisenhaufen, halb versteckten Leibes,
mit Schlangenhaut die Brust geschnürt,
Von altgewordner Schlinggewächsspang' an dem Halse
nicht allzusehr gepeiniget,
Dort, mit dem Haargeflechte, das, die Schultern überwuchernd,
von Vogelnestern ist besetzt,
Dort, wo der Büßer baumsteif, unbeweglich
den Blick zur Sonnenscheibe kehrt.

Aehnliche Beschreibungen solcher die Organisation verfeinernder Nervengymnastik kommen in der Indischen Literatur nicht selten vor. So z. B. begegnen wir in den von Böhtlingk herausgegebenen „Indischen Sprüchen" (3 Thle. Petersburg 1863—65) folgender Sentenz (I, S. 242):

„Vögel stehen furchtlos auf dem Schooße der Glücklichen, die, in Bergeshöhlen wohnend, mit ihren Gedanken in das höchste Licht sich vertieft haben, und trinken die durch die höchste Wonne erzeugten Thränentropfen; uns dagegen schwindet das schöne Leben dahin im Genuß von Palästen, Seeufern, Lusthainen, Spielen und Festlichkeiten, die die bloße Phantasie uns vorzaubert."

Ein anderes Bewußtsein war das des welterobernden Römers. Der Krieg härtet den Menschen ab, stählt den Muth, macht das Temperament rauh, den Nerven stark, treibt in das nordische Phlegma. Nerven, welche zum Kriege taugen sollen, müssen etwas aushalten können. Nach überstandener Todesgefahr bekommt das Auge einen eigenthümlich stechenden Blick, den Blick der gestählten Kraft. Kampfgeübte Arme bekommen andere Muskeln, als unthätige.

Die Bildung der antiken Welt, welche in *feineren Nervensystemen* und unter den Bewegungen eines *stürmischeren Blutes* gereift war, wurde in das Phlegma des germanischen Nordens versenkt, um hier eine breitere Unterlage, einen derberen Boden, ein härteres Erdreich zu gewinnen. Was dort auf Palmblätter geschrieben war, wurde hier in Fels gegraben; was dort wachsender Nerv war, wurde hier tragender Knochen. Aber nicht um in Fels und Knochen versenkt zu bleiben. Auch nicht um aus dem wieder erwachten Aether des Alterthums einige neue Zauberblüthen zu treiben, und hinterher sogleich erschöpft in den alten Felsenzustand zurück zu sinken. Sondern um der Aetherflamme aus jener Welt einen dauernden Heerd zu gründen, einen Heerd für Theorie und contemplatives Wissen, für Glauben und Schönheit, wo das Kreuz von dem Oelbaum umschlungen sei, und, geschirmt von den besänftigenden Einflüssen einer phlegmatisch verlangsamenden Natur, die Gluth der südlichen Temperamente die höchsten Menschenschöpfungen veranlasse.

Sechster Vortrag.

Ueber den Instinkt.

Πάντα γὰρ ἴσθι φρόνησιν ἔχειν καὶ νώματος αἶσαν.
Wisse, die ganze Natur hat Vernunft und Theil am Gedanken.

Empedokles.

Wenn von Instinkt die Rede ist, so denkt man zwar dabei zunächst an die Instinkte der Thiere. Aber auch bei den Menschen spielt der Instinkt oder unbewußt wirkende Trieb im Leben eine nicht minder wichtige Rolle. Wie würden wir wohl in so vielen Lebenslagen fertig ohne gute Instinkte, ohne Takt, Zartgefühl, Schönheitssinn, Geschmack, besonders aber ohne jene Fähigkeit, uns unmittelbar in die Person Anderer zu versetzen, ihre Gedanken, ehe sie noch ausgesprochen werden, aus feinen Kennzeichen zu errathen, und danach die Tonarten unserer Gesprächs- und Handlungsweise zu stimmen! Wie grob und hölzern würde unser Leben sein, wenn wir überall nur auf das angewiesen wären, was wir uns mit dem Verstande verdeutlichen und im Bewußtsein zur Helligkeit bringen! wenn nicht die dunkleren Triebe, welche das Bewußtsein stützen und tragen, überall hülfreich bei der Hand wären, um das Leben des Verstandes zu ergänzen, und in seine Lücken ausfüllend einzutreten!

Was das Instinktleben der Thierwelt anbetrifft, so hat dieses von jeher sowohl bei Psychologen als bei Naturforschern wegen seiner großen Dunkelheit für ein verhaßtes Thema gegolten. Denn dasselbe gehört zu den Punkten, an denen sich der Stolz der in anderen Gebieten so siegreichen Naturwissenschaft immer am meisten gedemüthigt fand. In Ermangelung wirklicher Erklärungen der Sache diente der Ausdruck des Instinkts gewöhnlich nur als ein Wort, durch dessen Aussprache man sich das nähere

Nachfragen über die Natur der Sache selbst ersparte, für eine todte Formel, durch die man sich, mit Umgehung der einzelnen höchst verschiedenartigen Fälle, des Begriffs der Sache sogleich im Großen zu bemächtigen suchte.

„Der Instinkt" — sagt Scheitlin[1]) — „ist der wahre Dietrich oder Universalschlüssel zur Seele der Thiere. Frißt der Hund Fliegen, die, von Gift betäubt, am Boden herumschweben, so thut er es aus Instinkt; frißt er Spitzgras, um Knochensplitter einzuwickeln und von sich zu geben, so thut er es auch aus Instinkt. Sucht er seinen Herrn stunden- und tagelang, will er aus dem Glase trinken oder auch nicht trinken, so hat er es doch nur aus Instinkt gethan. So ist auch die Meßkunst der Bienen, der Haß des Calcutterhahns gegen die rothe Farbe, die Nachahmung der Stimmen anderer Vögel durch die Drossel, die Freundlichkeit des Elephanten gegen die Kinder, das Zusammenhalten der Ratten, die Versammlung der Störche und Dohlen, die Dankbarkeit des Löwen des Androklus eitel Instinkt."

Und was ist dieser Instinkt? Man erklärt ihn gewöhnlich für eine ungelernte Kunst, oder für eine angeborene Geschicklichkeit, von selbst oder aus freien Stücken zweckmäßige, zur Selbsterhaltung und zur Erhaltung des Geschlechts dienliche Handlungen auszuüben. Aber diese Erklärung paßt nicht durchaus. Denn nicht in allen Fällen ist diese Geschicklichkeit angeboren, und nicht in allen Fällen wirkt sie zweckmäßig. Es giebt sowohl erworbene Instinkte, als irrende Instinkte[2]). Die Anhänglichkeit des Löwen an den Androklus war nicht angeboren, sondern erworben. Man kann das Naturell der Hunde durch Dressur veredeln und verderben, ihnen gute und schlechte Instinkte anerziehen. Das An-

---

1) Scheitlin's Versuch einer vollständigen Thierseelenkunde, 1840, im 2. Bde. S. 324.

2) Ueber das Irren der Instinkte vgl. H. S. Reimarus, Allgemeine Betrachtungen über die Triebe der Thiere 1760. S. 183. § 101.

geborensein paßt also nur auf gewisse Arten von Instinkt. Und welchen Zweck erreicht wohl der Calcutterhahn durch seinen Groll gegen die rothe Farbe, welchen Zweck der Hund durch sein Schnappen nach Fliegen, die ihn nicht sättigen, ihm auch schwerlich wohl schmecken? Und wenn die Motte von der hellen Lichtflamme angezogen aus Instinkt in dieselbe fliegt, wenn die summende Wespe sich den Kopf an der Fensterscheibe zerstößt, weil sie trotz unaufhörlich wiederholter Erfahrung immer nicht merkt, daß ein Hinderniß des Hinausfliegens vorhanden sei, so wirkt der Instinkt nicht nur auf zwecklose, sondern sogar auf zweckwidrige Art.

Die Schwierigkeit in dieser Sache besteht hauptsächlich darin, daß die Instinkte oder dunklen Triebe der Thierwelt keine unmittelbare Beobachtung gestatten. Nur allein unsere eigene Seele ist es, in welcher wir das Spiel von Instinkten und Trieben beobachten können. Wir meinen z. B. am gereizten und bissigen Hunde zu beobachten, daß er zornig sei. Aber diese Beobachtung ist keine sichere zu nennen. Sein Beißen ist es, was wir beobachten, den Zorn legen wir unter. Wir sind gewohnt, den wüthenden Hund zornig zu nennen, die wüthende Flamme nicht. Könnte aber nicht die Wuth des Hundes vielleicht mit der Wuth der Flamme mehr Aehnlichkeit haben, als mit der Wuth des Menschen? Darüber ist nicht von vorn herein abzusprechen, sondern die Sache verdient einer näheren Untersuchung unterworfen zu werden.

Dagegen giebt es kein dankbareres Thema für genaue und weit führende Beobachtungen, als die Triebe unserer eigenen Natur. Suchen wir uns daher besonders in dieser hellen Gegend umzusehen. Die dunkle Kammer der Instinkte des Thierlebens wird dann von selbst erleuchtende Streiflichter mit empfangen.

Alles Instinktleben in unserer eigenen Seele beruhet auf einer Art von Zeichensprache oder Semiotik, welche wir mit der größten Geläufigkeit verstehen, und welche sich von der Sprache der Vernunft dadurch unterscheidet, daß sie eine sinnliche Sprache der unmittelbaren Empfindung und der blind wirkenden Triebe, nicht eine Begriffssprache des Denkens und der freithätigen Ueberlegung ist. Sie besteht aber in einer doppelten Wirksamkeit, einerseits Zeichen zu gewissen unwillkührlichen Antrieben von außen her zu empfangen, andererseits Zeichen für eben solche zu geben, welche von Anderen verstanden werden können. Gelingt es uns, in die Grundsätze dieser Zeichensprache einzudringen, gelingt es uns, zugleich zu zeigen, daß an ihrer Ausübung, obgleich dieselbe erst im Menschen in ihrer ganzen Fülle hervortritt, doch auch schon in einem beschränkteren Umfange die Thiere mit Theil nehmen, so wird dadurch innerhalb dieses Umfangs und für diese Thiere der Grad ihrer Menschenähnlichkeit und folglich auch ihrer Beseeltheit sich mit Genauigkeit feststellen lassen. Denn daß in der sinnlichen Zeichensprache der Instinkte die Zeichen richtig verstanden werden, dieses setzt außer den Eindrücken der äußeren Sinnwerkzeuge immer zugleich noch einen inneren Sinn mit Merkbildern voraus, welche die äußerlichen Zeichen in Anregung setzen oder durch sie in Anregung gesetzt werden. Und da die Anregungen durch die sinnlichen Zeichen immer gewisse Strebungen oder Triebe zur Folge haben, und da das gegebene sinnliche Zeichen vom Instinkte immer verstanden wird als ein Zeichen zu irgend einer blindlings erfolgenden Handlung, so sind dieses lauter Vorgänge, welche nur in einem inneren Sinn erfüllt von Vorstellungen und mehr oder weniger menschenähnlichen Trieben ihre Erklärung finden.

In unseren Kindermährchen wird zuweilen gerühmt, daß weise Männer die Natursprache, die Sprache der Thiere, der Vögel, des Wildes verstanden hätten. War die Kenntniß der Zeichengebung oder Semiotik hierunter verstanden, welche beim Instinktleben der Natur vorkommt, so haben die Mährchen hiermit sagen wollen, daß diese Männer treffliche Thierpsychologen gewesen seien, und dieses ist nichts Geringes. Denn wer die Zeichensprache der

Instinkte von Grund aus verstände, der besäße damit auch zugleich den Schlüssel zur ganzen Psychologie.

Obgleich nun aber Hirten, Jäger und alle Leute, welche mit Thieren in einem näheren Umgange stehen, sich mit ihnen aufs geläufigste unterhalten und aufs beste von ihnen verstanden werden, so wird es gewiß Mancher dennoch paradox finden, dort von einer Sprache und ihrem Verständniß reden zu wollen, wo kein Denken vorhanden ist. Aber die Sprache geht nicht aus dem Denken, sondern das Denken geht aus dem Instinkt und seiner Zeichensprache hervor. Auch ist die Sprache des Wildes und der Vögel nicht etwas diesen Thieren Eigenthümliches, welches der Mensch nicht ebenfalls besäße, und in das er sich erst künstlich hineinzugewöhnen hätte. So ist die Sache nicht. Sondern die Sprache der Instinkte bildet auch beim Menschen selbst die Unterlage für die Begriffssprache; sie wird daher auch von den Menschen unter einander beständig gesprochen und verstanden, und sie ist auch im Menschengeschlechte nothwendig die ursprüngliche gewesen, aus welcher sich erst allmählich die Begriffssprache des Denkens entwickeln konnte.

Es giebt nämlich in der menschlichen Seele eine Fülle von dunklen Vorstellungsspielen, welche Denken zu sein scheinen, ohne es doch schon wirklich zu sein. Die älteren Psychologen nannten sie die Thätigkeiten der Ideenassociation; die Hegelsche Schule bezeichnet sie als ein unbewußtes Denken, Fries als den niederen Gedankenlauf, Herbart als die Vorgänge unterhalb der Schwelle des Bewußtseins. Und da wir für dieselbe Sache schon so vielerlei Ausdrücke besitzen, so schadet es wohl nicht, wenn wir hier noch den neuen einer Natursprache oder eines Sprachvermögens der Instinkte hinzufügen.

Das Instinktleben unserer eigenen Seele ist nicht so vom Denken unterschieden, daß jenes dort aufhörte, wo dieses anfängt, sondern vielmehr so, daß das Leben der Instinkte innerhalb des bewußten Denkens immer noch fortdauert und mitwirkt. Dieses ist der glückliche Umstand, durch welchen es möglich wird, diese dunkle Gegend der eigenen Seele mit künstlichen Mitteln aufzuhellen, welche sonst auch uns selbst immer eben so dunkel bleiben würde, als sie es den Thieren fortwährend ist. In der denkenden Selbstbeobachtung werden in unserer Seele mit den höheren Processen des Denkens auch die niederen Processe der Instinkte erleuchtet. Es sind dieses aber dieselben Processe, welche ebenfalls im thierischen Dasein nach denselben Gesetzen ihre Arbeiten verrichten, hier aber wie in finsterer Nacht, als das fühlende Getriebe einer Sehnsucht, in welche nie das Licht des Denkens fällt, als der Drang eines in ewigen Kreisen sich umwälzenden Verlangens, welches selbst niemals das weiß, was es will.

Daß aller Instinkt oder Trieb durch das Verständniß einer gewissen Zeichensprache wirkt, kommt daher, weil jedem Triebe das Ziel, welches er entweder erreichen oder vermeiden möchte, in einem Bilde vorschwebt. So schwebt dem hungrigen Thiere die Speise vor, die es essen möchte, und dem schüchternen Thiere der Feind, den es vermeiden möchte. Und nun kommt es hierbei immer auf das Verständniß der Zeichen an, welche entweder unmittelbar oder mittelbar zu erkennen geben, daß die Speise oder der Feind in der Nähe sei.

Ich unterscheide in Beziehung auf das Verständniß dargebotener Zeichen die *unmittelbaren* Zeichen von den *mittelbaren*. Die *unmittelbaren* sind die *bildlichen* oder die Zeichen der *Erinnerung*. Die *mittelbaren* sind die *persönlichen* oder die Zeichen der *Anempfindung*.

Die Auseinandersetzung des Einzelnen muß näher zeigen, was hiermit gemeint ist.

Der einfachste Fall der *unmittelbaren* Zeichen oder *Erinnerungszeichen* ist der, wo eine Empfindung einen einst gehabten Schmerz aufs neue weckt. Man darf sie die Zeichen der Furcht und Besorgniß vor drohendem Schmerze nennen. Das gebrannte Kind scheuet das Feuer, mit welchem das ungebrannte leichtsinnig spielt. Dem letzteren erscheint in der lieblichen Flamme nur das ergötzende Phänomen, das erste bekommt bei ihrem Anblick die Nachempfindung seines gehabten Schmerzes, welche ihm die Schönheit des Phänomens ganz zudeckt. Ihm wird nun die Flamme zum Zeichen der Flucht. Wer die Seekrankheit überstanden hat, dem erregt der Anblick eines auf den Wellen geschaukelten Schiffs eine Empfindung, von welcher er früher nichts wußte. Wer sich noch niemals einen Zahn hat ausnehmen lassen, der schaut die Instrumente des Chirurgen noch mit vollkommener Gemüthsruhe an.

Nun geben sich aber die nachklingenden Spuren ehemaliger Schmerzeindrücke bei vielen Thieren auf eben so starke Weise kund. Der Hund weicht vor dem erhobenen Stocke scheu zurück. Würde er dieses thun, wenn sich in ihm nicht der Schmerz ehemaliger Schläge erneuerte? Dieser Schmerz, vor dem er flieht, ist nicht ein gegenwärtiger, sondern ein Schmerz in der Vorstellung. Der Hund besitzt daher nicht allein Eindrücke der Sinnwerkzeuge, sondern auch Vorstellungen von gehabten Schmerzen. Er hat folglich einen inneren Sinn oder eine Seele. Denn unter Seele wird der innere Sinn mit seinen Vorstellungsspielen verstanden. Einem Kapuzineraffen schloß man (nach Renggers Beobachtung) in die ihm häufig gereichte Zuckerdüte einst eine lebendige Wespe ein, welche beim Oeffnen sumsend ihm in's Gesicht fuhr und ihn stach. Von da an öffnete er die Zuckerdüte niemals, ohne sie erst ans Ohr zu halten, ob auch wieder die Wespe darin sumse[1]). So lehrte ihn sein Instinkt, ohne Denken. Um unsere Gemüsefelder vor Sperlingen zu schützen, stellen wir Vogelscheuchen auf. Anfangs fürchten sich die Thiere davor, allmählich gewöhnen sie sich daran. Aber vor der ausgestreckten

1) Vgl. Bastian: Der Mensch in der Geschichte. Leipz. 1860. I. S. 75, woher außerdem noch viele unter den später angeführten Beispielen entnommen sind.

Hand des Menschen entfliegt bei uns jeder Vogel. Er fühlt sich schon ergriffen, nicht zwar im äußeren, wohl aber im inneren Sinn oder im Instinkt. Anders fand man es bei der ersten Ankunft auf der öden Insel Ascension, und (nach Martius' Bericht) in den Wäldern Brasiliens. Hier, wo die Vögel die Menschen noch nicht kennen gelernt hatten, flogen sie auch vor ihnen nicht fort, griffen sie vielmehr selbst an, und ließen sich von ihnen ergreifen. Aber der Instinkt der Menschenfurcht, dessen Mangel sie schmerzlich empfinden mußten, kam ihnen allmählich durch Erfahrung. Wer Kibitze schießen will, muß als Bauer gekleidet gehen und die Flinte verstecken, da der Vogel vor Jedem, der eine Flinte trägt, flieht. Die Mexikaner versteckten beim Entenfange ihre Köpfe in Kürbisse. So auf dem Flusse schwimmend zogen sie die wilden Enten bei den Beinen ins Wasser, welche, wenn sie Menschengesichter gesehen hätten, entschwommen wären.

Dieses alles beruhet auf Erinnerungszeichen der unangenehmen Art. Ihnen stellen sich zunächst die Erinnerungszeichen von angenehmer Natur entgegen.

Ein Gegenstand, welcher mit angenehmen Erlebnissen in Beziehung stand, wird uns dadurch leicht lieb und theuer werden, selbst wenn er damit auch in gar keiner andern Verbindung stand, als daß er ebenfalls überhaupt mit dabei war. So entsteht eine Anhänglichkeit an Quellen, Thäler, Berge, Wege und hundert an sich gleichgültige Gegenstände unserer Heimath, bloß weil dieselben Zeugen unserer Jugendspiele und kindlichen Freuden waren. Wenn wir sie wiedersehen, wird uns ihr an sich gleichgültiges Bild überdeckt von dem stärkeren Eindruck einer einst bei ihnen gehabten Freude und Lust, welche wir in ihrem Wiederklingen aufs neue genießen. Aus solchen Anfängen erwächst der Instinkt des Heimwehs. Auf dieselbe Art gelangen aber auch alle unsere natürlichen und künstlichen Gewohnheiten zur Ausbildung. Der Raucher, welcher zur gewohnten

Stunde nach der Pfeife, der Tänzer, welcher am festlichen Tage nach den Rhythmen des rauschenden Orchesters verlangt, und nicht minder der alte Schullehrer, welcher aus süßer Gewohnheit des Docirens das Ende der Ferien nicht abwarten kann, sie alle sind getrieben von Erinnerungsbildern angenehmer Zustände. Auf diese Weise bahnen sich auch durch die Spaziergänger in freier Natur von selbst und ohne Ueberlegung die Fußsteige zu den Punkten der schönsten Aussichten. Denn die angenehmen Erinnerungsbilder ziehen sie immer aufs neue zu den schönsten Orten. Und in der Wildniß wo keine Menschen sind, bahnen sich die Wegespuren der Elephanten, Löwen und Leoparden in Beziehung auf ihre Tränken und bequemen Lagerplätze in völlig derselben Weise.

Die Kuh, welche von der Weide kommt, braucht nicht in ihren Stall getrieben zu werden. Sie findet ihn von selbst, weil das Lustbild der Ruhe und des sicheren Schlafs ihr den Weg weiset. Es hält dem Reiter auf der Landstraße häufig schwer, sein Pferd vor dem Wirthshause vorbeizulenken, in welchem er sonst einzukehren pflegte. Die Eindrücke einst gehabter Lust klingen in seiner Seele nach. Man hat beobachtet, wie Affen abgebildete Käfer aus Bilderbüchern zerrten und zu verzehren suchten. Sie griffen nach Merkbildern wohlbekannter Lust. Bastian zog vor den Augen eines Affen auf Papier eine Linie mit einem Bleistift. Der Affe folgte eifrig mit den Augen, versuchte den Strich wie einen Faden aufzuheben, und nahm, da es nicht gelang, den Bleistift in die Hand, um ihn an seiner Spitze zu betrachten.

Hierher gehört auch das Abrichten der Thiere. Dasselbe besteht in einer künstlichen Bereicherung ihres Gedächtnisses mit Erinnerungsbildern der Lust, indem man dem hungrigen Thiere den Genuß seines Futters oder anderer Annehmlichkeiten so an die Ausübung irgend einer Fertigkeit knüpft, daß das eine immer zum Zeichen für das andere wird. So lernen Kanarienvögel das Pfeifen von Melodien, Pudel das Apportiren, Stieglitze das

Wasserschöpfen, Bären das Tanzen. So richtet man Karpfen im Fischteiche ab, auf den Klang einer Glocke zu hören, indem man, so lange die Glocke tönt, die Thiere füttert. Sie versammeln sich dann immer auf den Klang der Glocke, welcher durch die daran sich knüpfenden Erinnerungsbilder der Lust zum Zeichen wird, sich zum neuen Schmause einzufinden.

Nicht alle Thiere lassen sich zu etwas abrichten. Es gehört dazu eine gewisse Auffassungsgabe, ein gewisser Grad von Aufmerken, in manchen Fällen auch ein gewisser Grad des Nachahmungstriebes, von welchem später noch näher die Rede sein wird. Bis jetzt leuchtet nur so viel ein, daß wir gegründete Ursache haben, nach der Analogie der erworbenen Instinkte, deren Ursprung wir kennen, die angeborenen Instinkte, deren Ursprung wir nicht kennen, ebenfalls mit zu beurtheilen. Denn erstlich zeigt sich auf diesem Gebiete bei genauerer Beobachtung sehr Vieles als erworben, was wir Anfangs aus bloßer Unkunde für angeboren hielten, so daß es hier an einer sicheren Grenze der Unterscheidung mangelt; zweitens sehen wir den Instinkt, vor dem Anblicke des Menschen zu fliehen, oder sich durch eine gewisse geschickte Bewegung sein Futter zu verschaffen, ganz auf dieselbe Weise wirken, mag nun die Menschenfurcht eine angeborene oder eine durch Erfahrung erworbene sein, mag das Thier die Geschicklichkeit seiner Bewegungen mit auf die Welt bringen, oder erst durch künstliche Abrichtung erlernen. Die Regel, nach welcher der Instinkt wirkt, ist in jedem dieser Fälle das Zusammentreffen des durch den äußeren Sinn empfangenen Merkzeichens oder Kennzeichens mit der im inneren Sinn angelegten Gruppe von Bewegungsbildern, wohinein die Merkzeichen passen.

Das Höchste, was durch das Wirken der Erinnerungsbilder hervorgebracht wird, ist das Probiren oder Experimentiren der höher begabten Thiere, wodurch sie aus freien Stücken sich in Geschicklichkeiten vervollkommnen, oder auch etwas Neues lernen: was man wohl als ein Abrichten oder eine Dressur bezeichnen könnte, die die Thiere an sich selbst vollziehen. Der Hund z. B., welcher lange vergebliche Sprünge gemacht hat, um einen hochhängenden Gegenstand zu erreichen, macht den nächsten immer geschickter, als den vorigen, bis er ihn zuletzt erlangt. Dies wird durch ein Anhäufen von lauter angenehmen Erinnerungsbildern bewirkt. Denn ein jeder vergeblich gemachte Sprung führte in die nächste Nähe des begehrten Gegenstandes, und ließ dadurch ein angenehmes Bild von ihm in der Erinnerung, welches zur Wiederholung und Steigerung der Anstrengungen antreibt. Aehnlich sah man Elephanten, welche am Tage dressirt worden waren, auf einem Seile zu schreiten zum Zweck eines Schauspiels im Römischen Circus, sich während der Nachtzeit auf eigenen Antrieb darin fortüben. Die Erinnerungsbilder halbgelungener Anstrengungen wirkten in ihnen als Lustbilder fort.

Hier befinden wir uns nun in dem Gebiete, wo Vieles, was die vollkommneren Thiere thun, uns mit dem falschen Scheine einer vernünftigen Ueberlegung täuscht, und wo wir bei genauerer Beobachtung finden, daß so Manches von dem, was wir nur durch Denken glauben verrichten zu können, auch von uns selbst durch bloßen Instinkt verrichtet wird. Wenn ich z. B. einen Krahn öffne, um Wein zu zapfen, oder den Schwengel einer Pumpe hebe, um Wasser zu bekommen, und ich bekomme zu viel auf ein Mal, so ist mir dieses ein Zeichen, die Bewegung zu mäßigen. Bekomme ich dann zu wenig, so ist dies wiederum ein Zeichen, sie zu verstärken, bis mir das gewünschte Maß in das Gefäß strömt. Zu solchem Probiren oder Experimentiren scheint Denken zu gehören. Und dennoch verrichten Thiere dergleichen zuweilen ohne alles Denken. Ein Kapuzineraffe z. B. zerschlug (nach Renggers Beobachtung) zum ersten Male ein Ei, so daß Alles herauslief, dann öffnete er es sorgfältiger, zuletzt pickte er mit der Spitze nur ganz sachte an einen harten Körper, und nahm die Schalenstückchen mit den Fingern weg. Er versuchte es mit leiseren Bewegungen, weil die früher gemachten ungestümen unangenehme

Bilder in der Erinnerung gelassen hatten. Da diese Erinnerungsbilder ihm die Zeichen wurden zur Vermeidung der ungestümen Bewegungen, und er doch zum Inhaltes des Eies gelangen wollte, so blieben ihm nur die sanften und zarten Bewegungen übrig.

Ein Pudel (erzählt Bastian) in San Francisco wußte in den belebten Straßen dieser Stadt den Weg nach dem Wharf zu der richtigen Stunde zu finden, um mit dem Dampfschiff nach St. Sacramento zu fahren, wenn es ihm in den Sinn kam, einen dortigen Freund oder Freundin zu besuchen. Er brauchte hierzu kein Denken, sondern es reichte zu solchem Thun vollkommen der Umstand hin, daß das Bild von der Abfahrt des Schiffes sich mit dem Gefühl vom Herannahen einer gewissen Tagesstunde so associirt hatte, daß mit diesem wiederkehrenden Gefühl auch immer jenes Bild wiederkehrte, welches nun als einfaches Lustbild die Wiederholung der Besuche in St. Sacramento bewirkte.

Die bis hierher erwogenen Erscheinungen erklären sich alle durch das Wirken bloßer Erinnerungszeichen, zuerst der Zeichen der Unlust und der Furcht, dann der Zeichen der Lust und des Verlangens, und zuletzt durch ein vereinigtes Verständniß und Zusammenwirken beider Zeichen in den Zuständen der Gewöhnung, der Abrichtung und des Probirens. Diese Zeichen bestehen sämmtlich in einfachen Erinnerungsbildern, welche unmittelbar gewisse Triebe des Abscheu's oder der Zuneigung in Aufregung setzen. Man darf sie daher Erinnerungszeichen oder einfache Bildzeichen nennen.

Ihnen entgegengesetzt sind die mittelbaren oder persönlichen Zeichen, die Zeichen der Anempfindung, von denen jetzt genauer die Rede sein möge. Auf ihnen beruhen die Nachahmungstriebe, die Geselligkeitstriebe, die Mitgefühle, das taktmäßige Handeln und die Verstellungskünste. Das einfachste und vornehmste durch sie erklärbare Phänomen ist der Nachahmungstrieb.

Beim Nachahmungstriebe geht eine Uebersetzung vor, aus den Zeichen des äußeren Sinnes in die Thätigkeiten des inneren. Es wird durch das Zeichen in unserer eigenen Person die gliederbewegende Thätigkeit erweckt, von welcher dasselbe in der andern Person hervorgebracht wurde. Dies könnte nicht geschehen, wenn nicht die eine das, was z. B. der Arm oder der Finger der anderen vornimmt, immer so auffaßte, als ob ihr eigener Arm oder Finger dasselbe zu gleicher Zeit mit vornähme. Das Zeichenverständniß des Nachahmungstriebes ist daher ein weit künstlicheres, als das der Erinnerungszeichen. Denn an dem Nachahmungszeichen hängt nicht unmittelbar ein Trieb, sondern es ist der innere Zustand der zeichengebenden Person, welchen wir uns mittelbar durch das Zeichen aneignen. Erst durch unsere Fähigkeit, uns in den Zorn des Anderen hineinzuempfinden, wird seine geballte Faust und sein stampfender Fuß uns das Zeichen, daß er zornig sei. Daher gründet sich das Verständniß der Nachahmungszeichen auf eine Fähigkeit, unsere eigene Person bis auf einen gewissen Grad mit der anderen in der Einbildung zu verwechseln, oder uns in die andere hineinzuempfinden. Die Stärke dieses Hineinempfindens richtet sich bei vorhandener Anlage dazu nach der Menge und Stärke der Zeichen, welche dazu gegeben werden. Und da lebhaftere Gemüthszustände mehr und stärkere Zeichen geben, so werden die auf lebhafte Freude, lebhaften Schmerz, Zorn u. dgl. deutenden Zeichen am lebhaftesten von uns als solche empfunden, und am leichtesten unwillkührlich in unserm Innern nachgeahmt.

Daher kommt es, daß die jovialischen, immer zu Scherz und Munterkeit aufgelegten Naturen, oder auch die leicht zum Zorn erregbaren, und noch mehr die Choleriker, welche immer von Liebe in Haß und von Haß in Liebe springen, uns am leichtesten in instinktartige inwendige Nachahmung versetzen. Vermöge der großen Deutlichkeit der Eindrücke, welche sie uns entgegen bringen, bewegen sie uns leicht, auch so zu empfinden, wie sie;

sie rühren uns, ziehen uns an, reißen uns fort und imponiren uns. Hingegen der Stille, in sich Gekehrte, Schläfrige giebt wenige und nur undeutliche Zeichen seines Inneren; daher reißt er Niemand hin, bewegt Niemanden und imponirt Niemandem.

Auf diesem Umstande beruht das ganze Geheimniß der Herrschaft der dominirenden Geister. Theils empfinden sie stärker, theils empfinden und denken sie rascher, und so wird der Andere mit fortgerissen, ehe er sich es nur versieht, und zwar zu seinem eigenen Vortheil. Denn er sieht sich durch fremde Hülfe rascher zum Ziele geleitet, wenn auch manchmal mit dem Verluste eigener Selbständigkeit. Er hat also nur die Wahl, entweder zu folgen oder entgegenzukämpfen. Seine Ruhe ist dahin, so wie so. Würde auch wohl so viele unnütze Silbenstecherei und Wortklauberei in der Welt sein, wenn dieses nicht die Werkzeuge wären, welche sich immer in der Verlegenheit uns zuerst anbieten, wenn uns Einflüsse starker Empfindungen und Gedanken locken und ziehen, denen wir uns ungern hingeben mögen?

Wie bereit unser unbewußtes Instinktleben ist, eine Vertauschung unserer eigenen Person mit der Person Anderer zuzulassen, bezeugt vor allem das Mitleid, welches darin besteht, daß wir uns ganz in die Lage des Leidenden hineinfühlen, nicht weil wir wollen, sondern weil wir müssen; weil hier ein Instinkt waltet, dem wir zwar bis auf einen gewissen Grad widerstehen können, welcher aber, soweit wir ihm nicht widerstehen, uns unwillkührlich zieht. Es bezeugt es der Instinkt der Kinder- und Elternliebe, worin die Person in der anderen Person nicht eine andere, sondern sich selbst zum zweiten Male empfindet. So weit wir sehen, daß bei den Thieren Eltern für ihre Jungen sorgen, sei es, daß sie ihnen Speise zutragen, oder sie gegen Feinde und feindliche Einflüsse zu schützen suchen, so weit sehen wir bei ihnen den Instinkt der völligen Hineinversetzung des einen Wesens in die Person des anderen in Thätigkeit. Denn es ist gar kein

Zweifel, daß der Taube, welche ihre Jungen aus ihrem Kropfe füttert, die Speise der Jungen besser schmeckt, als wenn sie sie selbst genösse, und daß der Schnabel des die Jungen umkreisenden Habichts oder die Kralle der ihnen auflauernden Katze ihr in dem Furchtbilde ihres inneren Sinns weher thut, als wenn sie sie an ihrer eigenen Haut empfände.

In Hindostan giebt es eine Krankheit, welche darin besteht, daß die davon betroffene nervenschwache Person Alles nachmachen muß, was man ihr vormacht. In ähnlicher Weise zeigten sich Einwohner im hohen Norden Lapplands, welche niemals mit anderen Menschen in Berührung gekommen waren, von dem ungewohnten Anblick der Fremden, die zu ihnen kamen, so betroffen und erregt, daß sie wie unwillkührlich alle Gesten und Mienen nachmachten, die ihnen vorgemacht wurden. Das Gähnen in langweiliger Gesellschaft steckt an. Täglich sehen wir auf Schulen gute und üble Sitten sich wie durch Ansteckung weiter verbreiten. In derselben Art griff bei den Methodisten die religiöse Ekstase durch unwillkührliche Nachahmung um sich [1]).

Einem Anfänger in der Musik fällt es schwer, bei einer Begleitung von Triolen einfache Achtel oder Sechzehntel zu spielen. Er wird in das Taktmaß, das in sein Ohr schallt, unwillkührlich mit hineingerissen, obgleich das Musikstück fordert, daß er seinem Nachahmungstriebe widerstehen soll. Beim Spiel:

---

1) Vgl. hiermit das auf S. 101 über Phantasiewirkungen Mitgetheilte. Maupertuis bemerkt über diesen Punkt ebenfalls treffend (Venus physique I. partie, chap. 15): Qu'un homme qui marche devant moi fasse un faux pas; mon corps prend naturellement l'attitude que devroit prendre cet homme pour s'empêcher de tomber. Nous ne saurions guere voir souffrir les autres sans ressentir une partie de leurs douleurs, sans éprouver des révolutions quelquefois plus violentes que n'éprouve celui sur lequel le fer et le feu agissent. Ueber Ansteckung von Convulsionen im Jahre 1808 unter den Schulkindern im Amte Stolzenau berichtete das Journal der prakt. Heilkunde von Hufeland und Himly im IV. Stück von 1813.

Alle Vögel fliegen! wird es oft schwer, die Hand nicht nachahmend mit zu erheben in den Augenblicken, wo man sie nicht erheben soll. Eben so schwer hält es für den Mitsänger in einem detonirenden Chor, den richtigen Ton allein zu halten, für den Soldaten, in einer fliehenden Schaar allein zu stehen, oder auch aus einer stehenden Schaar allein zu fliehen. Keines von diesem Allen könnte stattfinden, wenn nicht ein Instinkt unwillkührlicher Nachahmung in uns thätig wäre, welchem erst widerstanden werden muß, wenn anders gehandelt werden soll, und welcher uns daher, sobald wir ihm nicht widerstehen, zu dem, was wir nicht wollen, zieht.

Wenn einige Kanarienvögel leichter eine Melodie pfeifen lernen als andere, so ist die Ursache darin zu suchen, daß sie sich leichter in die ihnen vorgepfiffene Melodie hineinempfinden. Denn die gröberen Hebel, welche bei der Abrichtung der Thiere wirken, nämlich Hunger und Furcht, sind ja bei allen dieselben, und können daher diese Unterschiede des Talents nicht hervorbringen. Dieselben bestehen vielmehr darin, daß einige dieser Thierchen schon mehr Affen sind; daß ihnen das Nachahmen mehr Lust macht. Die Unterschiede sind aber überaus groß. Die Abrichter der Kanarienvögel versichern, daß sie die schönsten Thiere, mit 3 bis 5 Thalern bezahlt, oft als unbrauchbar entlassen müssen, während oft unansehnliche Individuen, welche sie nur aus Noth und mit Mißtrauen annahmen, die besten Talente entwickeln, welches man den Vögeln niemals zuvor an irgend einem Zeichen ansehen könne. Freilich liegt im Affen noch ein höheres Nachahmungstalent, als im Kanarienvogel. Denn beim Affen erhebt sich die Lust, welche das Thier an der spielenden Erweiterung seiner Fähigkeiten hat, schon zu einem wirklichen Beschäftigungstriebe als einem Sinn für innere Vervollkommnung, nämlich einer Lust an der Erwerbung neuer Vorstellungen, Gesten und Manieren. Daher sehen wir den Instinkt des Affen, sobald Abrichtung und Dressur hinzutritt, sich den nachgeahmten Mustern oft auf das täuschendste annähern. Ein Chimpanseweibchen heizte (nach dem Berichte von Degrandpré bei Bastian) auf einem Schiffe den Ofen, wußte, wann er die gehörige Hitze habe, holte dann den Bäcker, und achtete darauf, keine Kohlen herausfallen zu lassen. Auch verrichtete es die Arbeit eines Matrosen, reffte die Segel und band sie fest. Bastian sah auf einem englischen Kriegsschiffe einen von den Matrosen gehätschelten Affen oft unter denselben sitzen und, wie sie, mit Nadel und Faden versehen, eifrig fortnähen. Auch Hamilton erzählt von einem Chimpanse, der Feuer anzumachen und mit dem Munde anzublasen verstand, sich Fische röstete und seinen Reis gekocht aß. Handlungen von dieser Art sind die Folgen der Abrichtung der Affen. Denn von selbst erreicht der Nachahmungstrieb des Affen diesen Grad nicht. So z. B. setzen sich (nach Battels Mittheilung) die Pongo's in Congo häufig Morgens an die von den Negern verlassenen Lagerplätze, um sich an den Kohlenresten zu wärmen. Aber nie hat man gesehen, daß sie das noch glimmende Feuer hätten zu unterhalten gewußt. Hierzu hätte es der Dressur bedurft.

Aber auch so steht der Nachahmungstrieb des Affen um eine Stufe höher, als die bloße Abrichtungsfähigkeit. Der Affe zeigt durch ihn, daß er sich aus eigener Neigung stark und gern in die Person des Menschen hineinempfindet, freilich nur in ihr Aeußeres und nicht in ihr Inneres. Jedes Wesen kann sich nur in so weit in ein anderes hineinempfinden, als für dessen Eigenthümlichkeit sein eigenes Innere erschlossen ist. Je höher entwickelt eine Person im eigenen Inneren ist, ein desto größerer Umkreis fremder Individualitäten wird von ihr durchschaut; je geringer entwickelt sie ist, desto kleiner ist ihr Umkreis. Kein Thier kann den Menschen durchschauen, der Mensch aber kann alle Thiere durchschauen.

Auch schon bei Vögeln tritt der Nachahmungstrieb ohne alle Abrichtung hervor. Die Spottdrossel (in Brasilien) äfft die Gesangsweisen aller Vögel im Walde nach. Finken lernen von einander neue Singweisen, so daß bald diese bald jene Melodie bei ihren Waldconcerten in die Mode kommt. Die jungen Vögel lernen von den alten durch einen Nachahmungstrieb das Fliegen, wozu sie die Fertigkeit nicht sogleich mit auf die Welt bringen.

Mit dem Nachahmungstriebe verwandt sind die Geselligkeitstriebe. Die Geselligkeit ist die Lust, sich in einander hinein zu empfinden und zu leben. Dieses geschieht immer durch Zeichengebung, durch eine Sprache von Gesten und Geberden vermöge eines Nachahmungstriebes. Alle Arbeiten und Geschäfte, welche gesellschaftlich vollzogen werden, gehen rascher und munterer von Statten. Die Arbeiten der Bienen, Ameisen und Termiten sind hierfür das lebendigste Symbol. Sie gehen durch nachahmende Anempfindung dieser kleinen Wesen unter einander vor sich, indem es ein einiger Trieb ist, welcher in allen gleichmäßig treibt, und immer dem einen durch das andere das Zeichen zu demselben Werke giebt. Das Werk muß geschehen, einerlei von wem, und so fühlt sich jedes gleich dem anderen. Das Bild, welches das eine von dem andern gewinnt, wirkt als ein Zeichen, sein eigenes Wesen an die Stelle des anderen zu setzen. Jedes gesellige Wesen empfindet sich sogleich zum zweiten Male hin, wo ihm Gelegenheit dazu gegeben wird. Jedes gesellige Wesen ist nur im äußerlichen Sinn einfaches Wesen. Im Sinn seiner Selbstempfindung fühlt es sich als Doppelwesen, welches seine zweite Hälfte hinzu fordert.

Die zahmen Thiere unterscheiden sich von den wilden sowohl durch ihre Geselligkeit, als durch ihre Gelehrigkeit. So ist der Hund zugleich gelehriger und geselliger, als die Katze; beides hängt zusammen. Denn die Geselligkeit ist dem Nachahmungstriebe verwandt, und dieser ist die gelehrige Anlage. Aber diejenige Umsicht, welche aus eigenem Beobachten entspringt, nicht dem gegebenen fremden Beispiel, sondern dem eigenen offenen Auge traut, diese hat die Katze stärker als der Hund. Daher ihr größeres Selbstvertrauen, und ihre geringere Ostentation bei allem was sie thut. Denn die Ostentation, womit der Hund beständig bellt, unnützen Lärm schlägt und wichtig thut, ist die Manier eines Helden, welcher sich nicht völlig traut, und daher den Feind immer noch lieber abzuschrecken, als sich mit ihm zu messen sucht.

Auch bei den Menschen steht Gelehrigkeit und eigene praktische Beobachtungsgabe häufig einander im Wege. Wessen Aufmerksamkeit mehr gerichtet ist auf die Anempfindungs-Zeichen, der lebt mehr in der allgemeinen Sitte, in der Geselligkeit des gemeinen Wesens. Wessen Aufmerksamkeit mehr gerichtet ist auf die Erinnerungszeichen oder Zeichen zur selbst zuschauenden Gegenwirkung, der lebt mehr in der Isolirung und Einsamkeit.

Wo der Geselligkeitstrieb allein agirt, da macht dieses einen Eindruck von Bornirtheit, wie bei den Schafen, welche gar keinen eigenen Willen haben, sondern blindlings dem Leithammel folgen. Dieser aber folgt dem Hirten, oder dessen Hunde, oder einem blinden Schreck in Veranlassung eines Steinwurfs oder dergleichen. Geht er aus der Hürde, und macht er aus Muthwillen einen sogenannten Bocks-Sprung, so macht jedes Schaf, das ihm nachfolgt, auf derselben Stelle einen dummen Sprung. Auf den Balearen werden die, welche sich zu weit von der Heerde entfernten, nicht durch Hunde, sondern durch über sie hinausgeschleuderte Steine zurückgejagt. Fällt der Stein, so rennt das Schaf unbesehens zur Heerde zurück und drängt sich in sie ein, als ob der Verfolger ihm auf der Ferse wäre [1]).

Von einer gebildeteren Art ist der Geselligkeitstrieb bei den Kühen. Denn diese sind schon wählerisch in der Zuneigung gegen ihres Gleichen, was bei den Schafen nicht vorkommt, die noch keine Inclination kennen. Wird zu lauter braunen eine

---

1) Scheitlin's Vers. einer vollst. Thierseelenkunde. II, 189.

16*

weiße gebracht, so hassen sie dieselbe, und noch mehr die rothe. Sie stoßen sie, sie lassen sie auf der Weide allein stehen, sie fliehen und verfolgen sie. Diejenigen, die einander wohl leiden mögen, stellen sich auf der Weide gesellig zusammen und lecken einander. Die einen sind auch gegen Menschen, oder nur gegen gewisse Menschen sehr freundschaftlich, andere hingegen widrig, gehässig und bissig. Diese Concentration ihrer Anempfindung auf einzelne Individuen macht sie dann auch aufmerksamer auf das Einzelne überhaupt, womit das anglotzende Staunen vor neuen Gegenständen zusammenhängt, besonders wenn diese durch Farbe, Glanz und Buntheit in die Augen stechen [1]).

Wohl geordnet ist die Geselligkeit bei den Hirschen. Sie bilden unter sich drei verschiedene Gesellschaften: die eine besteht aus den Hirschkühen mit den Kälbern, die andere aus den gereiften Männern von vier Jahren und darüber, die dritte aus den Jünglingen unter vier Jahren. Die Erziehung der Kälber ist den Müttern übergeben [2]).

Die hervorragendste Seite an den Geselligkeitstrieben der zahmen Thiere ist eben ihre Zähmbarkeit, Gelehrigkeit oder Abrichtungsfähigkeit selbst. Sie gehört zu den auch im Menschenleben wichtigen Phänomenen einer gutwilligen Unterordnung der verstandesarmen Persönlichkeit unter die verständige, bloß darum, weil die verständige im Selbstgefühl der unverständigen auch zugleich als die mächtigere empfunden wird. Wenn z. B. ein Hirtenknabe eine Heerde Kühe mit einer leichten Gerte vor sich her treibt, so ist es durchaus nicht die physische Uebermacht, welcher die starken Thiere sich unterwerfen, vielmehr eine durch Wohlbehagen und gutes Futter genährte Gewohnheit, sich einem geistigen Uebergewicht in willigem Gehorsam unterzuordnen. Die niedere Persönlichkeit findet eine unmittelbare Befriedigung darin, ihren

1) Scheitlin a. a. O. II, 197.
2) Scheitlin a. a. O. II, 137.

Willen in dem Willen der höheren aufgehen zu lassen. Denn daß sie dieses gutwillig oder aus Neigung und durch keine Art von unumgänglichem Zwang oder Zauber thut, zeigen die Wuthausbrüche, welche alle Tage bei zahmen und sonst ganz gehorsamen Thieren gegen sie mißhandelnde Herren vorkommen.

Wie sich die Nachahmungs- und Geselligkeitstriebe aus dem Vermögen des Anempfindens entwickeln, ergiebt sich mit Leichtigkeit. Versteckter ist der Zusammenhang bei den Erscheinungen der Dankbarkeit, des Ehrgeizes, der Klugheit und der Verstellungskünste im Instinktleben der Thierwelt. Sobald man aber diese Phänomene näher untersucht, kommt man auch bei ihnen immer wieder auf denselben Grund zurück.

Das Pferd erkennt seinen ehemaligen Herrn oder dessen Knecht nach vielen Jahren noch sogleich wieder, läuft auf ihn zu, wiehert ihn an, leckt ihn und bezeugt auf alle Art seine Freude. Es bezeigt sich dankbar für einst genossene gute Behandlung. War die Behandlung schlecht, wird die Freude des Wiedersehens geringer sein. Je besser die Behandlung ist, desto inniger lernt das Thier sich in die Person seines Herrn oder Wärters hineinempfinden, und von nun an empfindet es dieselbe nicht mehr als eine fremde, sondern als sich selbst zum zweiten Mal. Der Löwe sorgt für den Androklus, wie für sich selbst. Das dankbare Roß mag den Leichnam seines erschossenen Reiters auf dem Schlachtfelde nicht verlassen. Es fühlt den besseren Theil seiner selbst erschossen vor sich liegen.

Das Pferd ist ehrgeizig. Es verrichtet seine Geschäfte nicht aus bloßem Zwang, sondern hat eine Lust daran, das, was es macht, auch gut zu machen, und sich von anderen seines Gleichen darin nicht übertreffen zu lassen. Ungern bequemt sich ein Pferd, einem andern hintennach zu traben, sobald es an der Seite des anderen Platz hat. Der Reiter, der dieses will, hat immer zurückzuhalten. Dagegen dem andern vorauszukommen, freut es sich jedesmal. Dieses Streben, nicht schwächer und matter sein zu wollen, als der andere, beruhet auf einem angeborenen Triebe, das selbstempfundene Selbst über das anempfundene hinauszuheben und emporzubringen. Im Emporwerfen des Halses mit wieherndem Gelächter giebt sich dieser Trieb des edlen Thieres seinen unverkennbaren Ausdruck.

Auch die Klugheit der Instinkte beruhet auf Anempfindung. Wenn ein Vater sein im Wege spielendes Kind rasch und ohne sich zu besinnen zur Seite zieht, damit es nicht von einem flüchtigen Pferde getreten werde, so schaut er durch Anempfindung das Pferd bereits an dem Orte, an welchen es zu springen erst im Begriff ist, und zugleich bemächtigt er sich durch Anempfindung des Kindes, indem er es zwingt, zu thun, was er selbst in der Stelle des Kindes thun würde. Wenn der Fuchs an dem Ende des Kaninchenbau's eingräbt, um direkt auf die Kaninchen zu stoßen, so kriecht er in der Anempfindung selbst als Kaninchen in den Bau, und gräbt nun am andern Ende desselben an der Stelle ein, wo er als das Kaninchen seiner Anempfindung läuft oder sitzt. Wenn einst, wie erzählt wird, ein Jagdhund seinen Herrn an einer Anhöhe wiederholt links drückte, dann aber ohne Anweisung rechts hinauf rannte, und ihm einen Hasen zutrieb, so empfand sich der Hund zu gleicher Zeit in den zuzutreibenden Hasen und den ihn aufnehmenden Jäger hinein, und zertheilte sich in seiner Anempfindung in zwei verschiedene Individuen.

Auch das Warten der Thiere auf Gegenstände, welche in der Annäherung begriffen sind, gehört hierher. Weil das Thier die Bewegung des Gegenstandes in der Anempfindung mitmacht, so fühlt es ihn schon zuvor an dem Orte, wohin er erst später gelangen wird. So sieht man zuweilen Hunde, welche stromauf schwimmen sollen, um einen in's Wasser geworfenen Gegenstand herauszuholen, ruhig warten, bis derselbe zu ihnen herabschwimmt. In analoger Weise wartete im Hinwandeln seiner vorgeschriebenen

Straße jener Elephant ganz ruhig den Moment ab, wo ihm die Person seiner Anempfindung aufs neue ins Angesicht rücken mußte, nämlich der Schneider, welchen er mit Wasser zu bespritzen die Absicht hatte.

Auch das Sich Verstecken beruhet auf einem Hineinempfinden seiner selbst in einen bedrohenden Gegenstand, z. B. einen Feind oder eine Wetterwolke. Indem wir uns verstecken, brechen wir die Beziehung zwischen uns und dem Gegenstande durch zwischentretende Gegenstände ab. So baut der Vogel sein Nest hinter grünen Vorhängen. So wickelt sich der Igel in seinen Stachelpelz. So ummauerten Bienen eine in ihren Stock gedrungene Schnecke mit Wachs. So steckt der Strauß vor dem verfolgenden Jäger seinen Kopf in den Busch, und hält nun den Jäger auch für verschwunden, da ihm sein Bild entschwunden ist.

Die Verstellung ist ein Hineinempfinden in Zustände, welche mit dem gegenwärtigen Zustande unseres Inneren in Widerspruch stehen. Man empfindet es als angenehm, einer anderen Person gegenüber in einem Zustande zu sein, in welchem man wirklich nicht ist. Man zertheilt sich also inwendig in zwei Personen in der eigenen Selbstempfindung. Käme diese Anlage aus dem Denken, so würde sie nur bei Menschen angetroffen werden. Aber wir finden sie auch schon bei Thieren. Nachtschwärmende Hunde z. B. schleichen am frühen Morgen unter den Ofen und heucheln Schlaf. Ihnen ist es eine angenehme Empfindung, dem Auge des Herrn gegenüber sich in dem Zustande des Schlafs zu befinden, und folglich befinden sie sich in diesem Zustande auch ihrem inneren Begehren, obgleich nicht der Wirklichkeit nach. Sie geben das Zeichen des Zustandes, den sie wollen, aber nicht besitzen. Hierin besteht die Heuchelei.

Ein Elephant in der Pariser Menagerie stellte sich, als sein Wärter ihm die Thür des Heumagazins, in das er hineinzugehen wünschte, zu verschließen befahl, als ob er es verhört hätte, und drehete den Schlüssel einer anderen Thür um. Dieser Elephant wurde von zwei gleich starken Trieben bewegt, dem Begehren nach dem Heu und dem Gehorsam gegen den Herrn. Den begehrenden Trieb ließ er warten, um den Gehorsam ins Werk zu setzen. Weil aber der gehorsame Trieb von der Thür, wohin er wollte, vom begehrenden Triebe zurückgestoßen wurde, so veränderte er bei fortdauernder Bewegung die Richtung derselben vermöge einer Vertauschung der Thüren.

Le Vaillants Affe, den er zum Wurzelausgraben verwendete, suchte solche, wenn er wohlschmeckende gefunden hatte, oft heimlich zu verzehren, blickte dann aber scheu seitwärts und verbarg sie schnell, wenn er überrascht wurde. Das offene und zugewandte Auge des ihn überraschenden Herrn wurde ihm das Zeichen, den naschhaften Trieb zu verläugnen; dagegen nahm er das abgewandte Auge des Herrn sogleich wieder zum Zeichen, demselben freien Lauf zu gestatten.

Was wir bei Thieren als Klugheit oder Schlauheit bezeichnen, hat daher keine Aehnlichkeit mit diesen Eigenschaften, so weit sie aus dem Denken entspringen, wohl aber mit einem auch bei Menschen höchst wichtigen instinkthaften Thun einer anderen Art, welches das Denken stets begleiten muß, wenn dasselbe Erfolg auf das Leben gewinnen, und nicht häufig um seine besten Früchte gebracht werden soll. Wir nennen diesen unentbehrlichen Instinkt den Takt. Den klugen Thieren mangelt es nur an Verstand, während ihre Handlungen sich oft mit bewunderungswürdigem Takt in die gegebenen Umstände hinein passen. Umgekehrt hat der Mensch oft viel Verstand, aber es mangelt ihm der Takt, den richtigen Gebrauch von ihm zu machen.

Warum haben aber Menschen von vielem Verstande dennoch zuweilen keinen Takt? Weil sie sich in die Natur dessen, zu dem sie sprechen oder handeln, nicht lebhaft genug hinein versetzen. Sie sagen etwas oder thun etwas, was an sich vielleicht richtig ist, aber durch das Verhältniß zu der Person, welcher sie es sagen oder thun, zu etwas Unpassendem wird. Taktlos sind z. B. die Zudringlichen, wenn sie sich gegen Unbekannte eine Umgangsform erlauben, welche sich nur gegen vertraute Freunde ziemt, und also es an feiner Anempfindung mangeln lassen. Taktlos handelt der Lehrer, welcher den Schüler, dem es sauer wird und der Ermunterung verdiente, durch Strafpredigten entmuthigt. Denn er unterläßt es, sich in die Gemüthslage des Schülers hineinzuempfinden. Taktlos ist, wer zu Kindern redet, wie zu Erwachsenen, zum Volke, wie zu Gebildeten, zu Untergebenen, wie zu seines Gleichen oder umgekehrt. Daher handeln sowohl der Schüchterne, als der Anmaßende taktlos. Taktvoll hingegen handelt Jeder, welcher die Anderen nach der Mitempfindung ihres Inneren, ihrer Gesinnungen und Absichten, sei es in freundlicher oder feindlicher Stellung, zu behandeln versteht.

So spielt der gute Schachspieler das Spiel seines Gegners vollkommen mit, und schlägt seinen Gegner um so besser, je vollkommner er in seiner Anempfindung selbst dieser Gegner ist, den er schlägt. So denkt der taktvolle Disputant voraus, was der Gegner wahrscheinlich erwidern wird, und giebt ihm die Widerlegung auf seinen Einwurf schon, ehe dieser nur zum Vorschein kommt. So deckt sich der geschickte Fechter immer zuvor gegen die Hiebe, welche er erwartet, oder welche er selbst in seiner Anempfindung als Gegner auf sich thut.

Erreicht der Takt den höchsten Grad, so geht er in Zartgefühl über. Wir fühlen uns von jeder leisesten Regung unseres Willens, welche den Anderen stoßen oder verletzen könnte, in unserer Anempfindung sogleich selbst verletzt. Und ebenso erweiset der Zartfühlende, wenn er Anderen eine Freude machen will, ihnen nicht das, was ihn selbst an ihrer Stelle am meisten freuen würde, sondern versetzt sich unmittelbar in ihren Geschmack mit Verläugnung seines eigenen. Daher ist das Zartgefühl etwas, was sich der Mensch nicht selbst geben, und man daher auch nicht von ihm verlangen kann, obwohl man es nur ungern vermißt. Zu verlangen ist alsdann, daß das Mangelnde durch den Schein eines edlen Anstandes in der Gesellschaft wenigstens nothdürftig ersetzt werde.

In den Anempfindungen des höheren Instinktlebens unterscheidet sich eine active und passive Seite desselben. Vermöge des passiven Anempfindens gelingt es uns, Andere zu verstehen, vermöge des activen, uns ihnen zu verstehen zu geben.

Das passive Anempfinden ist die Veranlassung zu instinktartiger Zuneigung und Abneigung. Wir fühlen Zuneigung gegen Personen oder deren Zustände, wenn wir gern in der Phantasie mitleben, wie sie leben, uns gern in ihre Handlungen hineindenken; daher wir dann auch gern im Gespräch oder Briefwechsel ihre Gedanken zu den unseren machen, oder in hülfreicher Gesinnung gern an ihren Werken als Theilnehmer uns mit betheiligen. Wir empfinden Abneigung dann, wenn uns ein solches Hineinempfinden abstoßend und widerwärtig ist. Daher erfolgt auch eine starke Abneigung gegen andere Personen oder Lebenslagen gewöhnlich erst dann, wenn ein theilnehmendes Hineinleben in dieselben ist versucht worden, wobei die Abstoßung immer um so größer wird, je öfter und lebhafter der Versuch erneuert wird. Denn ohne ein solches Verfahren fühlen wir nicht Abneigung, sondern gehen gleichgültig vorüber.

Das active Sichversetzen in Andere oder das Sich zu verstehen Geben ist das Gegentheil des passiven Anempfindens. Man darf es bezeichnen als eine Vervielfältigung unserer eigenen Person in mehrere Personen. Wenn ich ein Geschäft unternehme, wozu meine eigenen Kräfte allein zu schwach sind, und ich mir daher Gehülfen nehmen muß, so vervielfache ich in diesen meine Person, meinen Kopf, meine Glieder. Stelle ich einer anderen Person an dem Orte, zu welchem ich nicht gelangen kann oder mag, eine Vollmacht aus, so verrichte ich selbst durch sie mein Geschäft, und zertheile meine Person in zwei, indem ich einmal mit eigenen Kräften am eigenen Orte, und zugleich auch mit fremden Kräften an einem fremden Orte agire. Denn mein Gehülfe ist, soweit er meine Handlung vollführt, mein eigenes Selbst, zum zweiten Male gesetzt. Dies ist die angenehmste Art, aus seiner eigenen Haut zu fahren, welche jeder Befehlshaber und Gebieter an sich erprobt. Und eben hierin liegt auch wohl der einzige Reiz des sonst so lästigen Herrschens, daß man sich in seiner eignen Person verdoppelt und vervielfacht. Etwas Aehnliches begegnet dem Schriftsteller. Indem die Hände der Drucker und Setzer zu den seinigen werden, kann er dadurch auf hundert Kanzeln zugleich predigen. Er darf auch inzwischen sterben. Sein Predigen dauert fort, nach wie vor.

Der Instinkt des Vervielfachens seiner selbst oder des Sich zu verstehen Gebens spielt ebenfalls schon in der Thierwelt eine bedeutende Rolle. Wenn der Bienenweisel den Arbeitsbienen das Zeichen zur Arbeit giebt durch eine Berührung ihrer Fühlfäden mit den seinigen, wenn der Leithammel lustig vor der Heerde springt und ihr die Richtung vorschreibt, in welcher sie nachtrabt, wenn die vorschnatternde Gans das Zeichen gibt, worauf die übrigen im Chor nachschnattern, wenn bei den Wanderzügen der Kraniche, der Heringe der Vordermann ähnlich tonangebend auftritt: so werden die übrigen, welche ihm folgen, dadurch gleichsam zu anhängenden Gliedern, welche die Bewegungen, die er zuerst mit eigenen Gliedern im kleineren Kreise angiebt, mit fremden Gliedern und Leibern in größeren Kreisen ausführen. Der Tonangeber oder Chorführer erblickt in den ihm folgenden Trabanten sein eigenes Selbst wie in hundert Spiegelbildern vervielfältigt.

Nun unterscheiden sich aber insbesondere die menschlichen Naturen darin von einander, daß einigen das passive Anempfinden und Hineingehen in die fremde Person, anderen das active Herausgehen und Aneignen der fremden Persönlichkeit geläufiger ist. Durch ein tiefes passives Anempfinden wird sich eine Erweiterung der Person in ihrem Selbstgefühl ausbilden. Denn die Person, in deren innersten Tiefen sie mitzuleben gewohnt ist, nimmt sie ganz und gar mit zur Bereicherung des eigenen Innern in sich auf. Umgekehrt wird die mehr thätig angelegte Natur sich zum passiven Anempfinden in Andere weniger Zeit gönnen, dagegen durch immer neue Plane und Entwürfe ihre eigene Person in vervielfältigter Gestalt in immer neuen zukünftigen Scenen spielen lassen. Jene Naturen sind die sinnenden, diese die strebenden; jene leben mehr in der Vertiefung, in der Erinnerung und in Anderen, diese leben mehr im Hinausstreben, in der Thatkraft und in sich. Das Leben der Sinnenden fließt harmonisch und beschaulich dahin im Gleichgewicht eines nur von sanftem Wellenschlage bewegten Flusses, welcher alle ihm nahen Gegenstände in seinen klaren Wellen abspiegelt, während die Seele der Strebenden unstete Bilder des eigenen Selbst in die Zukunft wirft, in unerschöpflicher Vervielfältigung, und die ganze Außenwelt nur beachtet und versteht, sofern und soweit sie diesen entspricht, gleich der unruhigen Flamme, welche den ihr homogenen Stoff mit Begierde sich aneignet, aber nicht um sich an seinem Bestande zu erfreuen, sondern um ihn in das eigene Wesen umzuwandeln.

Mit unvergleichlicher Tiefe sind uns diese Gegenpole des höheren Instinktlebens von Goethe gezeichnet worden in der Pandora[1]), in den Charakteren der beiden ungleichen und daher verfeindeten Brüder, des Epimetheus und des Prometheus. Epimetheus ist der Sinnende, Prometheus der Strebende. Ihnen beiden war einst die höchste Schönheit in der Gestalt der Pandora begegnet. Sie hatte sich zuerst dem Prometheus gezeigt. Aber Prometheus hatte sich von ihr nur das angeeignet, was ihm zu seinen eigenen Planen und Werken dienlich war. Er studirte mit dem Auge des modellirenden Künstlers an ihr die reine Form, und bildete sich nach ihrem Modell eherne Bilder, wandelnde

1) Pandora, ein Festspiel, im 10. Bd. der Taschenausgabe von 1840. S. 265.

Automate aus Metall, welche ihm lieber waren, als das Urbild, weil sie seinem Befehl als willenlose Werkzeuge folgten. Epimetheus hingegen nahm die Pandora in seine Wohnung auf, und gab seinen eigenen Willen ihrem Zauber ganz gefangen. Dieser konnte aber nicht immer währen. Nach Jahresfrist, nachdem Pandora dem Epimetheus zwei liebliche Töchter geboren, entschwand sie ihm, und ließ den Sinnenden im Zustande der Sehnsucht zurück.

Stärker und treffender kann man den Instinkt der passiven Anempfindung nicht zeichnen, als in der Person des Epimetheus, des das Höchste nur Empfangenden und dankbar Genießenden, des in die Erinnerung vergangenen Glückes Versenkten, des mehr in dem entschwundenen Bilde der fremden Persönlichkeit, als in seiner eigenen Person Lebenden, wenn er spricht:

> O göttliches Vermögen mir, Erinnerung!
> Du bringst das hehre frische Bild ganz wieder her. —
> Und sie gehört auf ewig mir, die Herrliche!
>
> Der Seligkeit Fülle, die hab' ich empfunden!
> Die Schönheit besaß ich, sie hat mich gebunden;
> Im Frühlingsgefolge trat herrlich sie an.
> Sie erkannt' ich, sie ergriff ich, da war es gethan!
> Wie Nebel zerstiebte trübsinniger Wahn,
> Sie zog mich zur Erd' ab, zum Himmel hinan.
>
> Du suchest nach Worten, sie würdig zu loben,
> Du willst sie erhöhen; sie wandelt schon oben.
> Vergleich' ihr das Beste; du hältst es für schlecht.
> Sie spricht, du besinnst dich; doch hat sie schon Recht.
> Du stemmst dich entgegen; sie gewinnt das Gefecht.
> Du schwankst ihr zu dienen, und bist schon ihr Knecht.

Stärker und treffender kann man den Instinkt der Verwendung fremder Persönlichkeit in den Nutzen der eigenen idealen Zwecke nicht zeichnen, als in der Person des Prometheus, des emporstrebenden Plane schmiedenden Mannes, des schaffenden Erzkünstlers, dessen Wesen an die Gewalt einer Maschinerie aus

Rädern und Walzen erinnert, und dessen Umgebung die feuerkundigen Schmiede sind, denen er, mit den Hämmern in der Hand, als Meister, mit den Waffen in der Hand, als Feldherr gebietet. wenn er spricht:

> Die ihr hereinwärts auf den Ambos blickend wirkt,
> Und hartes Erz nach eurem Sinne zwingend formt,
> Euch rettet' ich, als mein verlorenes Geschlecht
> Bewegtem Rauchgebilde nach, mit trunknem Blick,
> Mit offnem Arm, sich stürzte zu erreichen das,
> Was unerreichbar ist, und wär's erreichbar auch,
> Nicht nützt noch frommt; ihr aber seid die Nützenden.
> Wildstarre Felsen widerstehn euch keineswegs;
> Dort stürzt von euren Hebeln Erzgebirg herab,
> Geschmolzen fließt's, zum Werkzeug umgebildet nun,
> Zur Doppelfaust. Verhundertfältigt ist die Kraft.
> Geschwungene Hämmer dichten, Zange fasset klug.
> So, eigne Kraft und Bruderkräfte mehret ihr,
> Werkthätig, weisekräftig in's Unendliche.

Und mit kräftigem Hammerschlag erwiedert ihm die Schaar der Arbeiter:

> Zündet das Feuer an!
> Feuer ist oben an.
> Großes er hat's gethan,
> Der es geraubt.
> Wer es entzündete,
> Sich es verbündete,
> Schmiedete, ründete
> Kronen dem Haupt.

Man darf den Gegensatz zwischen den prometheischen und epimetheischen Naturen in der Menschenwelt sowohl einen ästhetischen als einen geselligen nennen. Sofern er ein Gegensatz ist im Grundgefühl der Menschen, ist er ein ästhetischer. Insofern das Gefühl die Lage der Personen gegen einander betrifft, ist er ein geselliger.

Aber das Instinktleben geht hinauf zu höheren Graden.

Der moralische Instinkt besteht in einer Personentheilung, welche wir in uns selbst vornehmen. Wir theilen uns in eine sinnliche und übersinnliche Person, und lassen die letztere über die erstere herrschen. Insofern gehört dieses Verhältniß zu den prometheischen Instinkten, welche die Herrschaft der höheren Persönlichkeit über die untergeordnete fordern, nur mit dem Unterschiede, daß hier beide Personen in uns selbst fallen. Aber es liegt zugleich in der Natur der Sache, daß der vom moralischen Ideal Begeisterte bestrebt ist, die ideale Person, zu welcher er sich im eigenen Innern erhoben hat, auch in Anderen herrschend zu machen. Diese Anlage zum Herrschen im Sinne der Vernunft nannte der größte Morallehrer der Neuzeit, Fichte, das Genie der Tugend. Er fand es dort, wo sich ein Instinkt zeigt, der vernünftigen Person in uns über die sinnliche Natur sowohl in uns, als außer uns die Herrschaft zu verschaffen. Man darf hiergegen nicht einwenden, daß auch Demuth, Bescheidenheit und Geduld zu den Tugenden gehören. Denn gerade die Ausübung dieser schwersten Tugenden erfordert den höchsten Grad der Selbstbeherrschung, nämlich dann, wenn sie überhaupt solche sind.

Nun ist zwar das moralische Handeln ein freies, und als solches über den Instinkt erhaben. Aber wie käme wohl jemals Zug und Feuer in dieses Handeln, wenn nicht durch Ausübung des Guten eine Gewohnheit des Guten oder ein Instinkt der Herrschaft der höheren Person über die niedere gewonnen würde als eine Unterlage, von wo aus in Zukunft immer neue und höhere Erfolge erreicht werden können? Denn ein jeder hinzugewonnene Tugendinstinkt wird für die Freiheit immer nur ein Ausgangspunkt zur Erwerbung neuer und höherer Instinkte. Es hat daher auch keine Gefahr, daß im instinktartigen Vollziehen des Guten die Freiheit jemals untergehen könnte. Denn alle diese Instinkte sind erworbene, und so wie sie erworben sind, so können sie auch durch Umgewöhnung alle wieder untergehen. In diesem Gebiete bedingen sich also das Instinktleben der Gewöhnung und die Freiheit der denkenden Vernunft gegenseitig. Eines wird durch das andere hervorgebracht und stützt zugleich das andere.

Wir können uns in unserem höheren Instinktleben vermöge der Freiheit eben sowohl abwärts als aufwärts bewegen, eben sowohl rückwärts als vorwärts schreiten. Das Vorwärtsschreiten wird aber am meisten dann begünstigt sein, wenn die moralische Person in uns sich niemals befriedigt zeigt in ihrem gegebenen Zustande, sondern sich selbst stets höher zu bilden strebt. Dieses Streben besteht in dem Instinkt der höchsten Aneignung, den es giebt, im religiösen, und auf diesem Umstande beruhet die nahe Verwandtschaft der Religion mit der Moral.

Die Religion ist die Anempfindung eines höhern Lebens, zu dessen dienendem Organ wir unser eigenes Leben herabsetzen. Der Religiöse ist sich bei allen seinen Handlungen bewußt, daß er nicht mit eigenen, sondern mit entliehenen Kräften arbeitet. Die Herabsetzung der eigenen Person zu einem Werkzeuge der höheren Kräfte ist die moralische Seite, die Anempfindung an das höhere Leben selbst die ästhetische Seite der Religion. Innerhalb des religiösen Instinkts ist die eine von der anderen nicht trennbar. Wenn bei Paulus auf dem Wege nach Damaskus die Anempfindung an die höhere Persönlichkeit, an den neuen Menschen, der in ihm zur Geburt kommt, so weit geht, daß augenblicklich der ästhetische Instinkt das Leben in ein tiefes Leiden versenkt, so ist doch eben darin nur der Anfang gemacht zur Entflammung einer praktischen Thätigkeit, welche die eigene Person zum opferbereiten Werkzeuge des allgemeinen sich auf Erden vollziehenden sittlichen Werkes herabsetzt

Im religiösen Leben ist das höchste zugleich und stärkste Walten der instinkthaften Triebe anschaubar. Durch die höchste der instinkthaften Anempfindungen eignet sich die irdische Person die Kräfte der höhern Welt an. Die Bahn in ein ideales Leben wird gebrochen. Das Himmelreich leidet Gewalt. Die moralischen Kräfte wachsen ins Unvermuthete und Unerwartete.

Was nur durch Anstrengung und mit Mühe möglich schien, fängt an, leicht und von selbst zu gehen. Es geht wie bei den Passatströmen auf dem Ocean. Schiffe, welche in ihre Region gelenkt werden, sehen sich mit wunderbarer Leichtigkeit und Schnelle ihren Zielen zugerissen. Aber eben weil dieses das gewaltigste und, ist es einmal im Zuge, unwiderstehlichste Triebleben ist, so werden diese Instinkte niemals, wie die blinden Instinkte der sinnlichen Natur, geschenkt und angeboren, sondern immer durch mehr oder weniger schwere Arbeit erworben und errungen. Nur durch freiwillige Opfer erwirbt man sie, und nur durch freiwillige Opfer erhält man sich in ihnen. Auch hier ist also Instinkt und Freiheit in steter Wechselwirkung.

Daher ist der Glaube diese unerschütterliche Zuversicht auf das unsichtbare Leben durch die Gewalt der Anempfindung an dasselbe. Daher kann, wer nicht im Stande ist, Zuversicht zur lebendigen Existenz und triumphirenden Wirksamkeit dieses göttlichen Reiches zu fassen, unmöglich seine eigene Person zum Mittel für dasselbe hingeben. Ohne diese Hingabe gelangt er aber nicht zur Religion, und nicht zum wahren Glück, wie der Dichter sagt:

> Und so lang du das nicht hast,
> Dieses: Stirb und Werde!
> Bist du nur ein trüber Gast
> Auf der schönen Erde.

Da demnach die höchsten Instinkte weder blinde noch angeborene sind, da es vielmehr Anstrengung und Arbeit ist, durch welche wir erst unser Leben für ihr Walten zurüsten und zubereiten müssen, so folgt hieraus zuletzt noch eine Einsicht in das Verhältniß des Denkens zum Instinkt überhaupt.

Das Denken oder Ueberlegen ist die freie Thätigkeit, vermöge deren wir eben sowohl unser Thun und Lassen, als auch unsere Ueberzeugungen und Einsichten zu reguliren und zu beherrschen im Stande sind. Sie ist das Steuerrad, welches wir stets in Händen haben, um durch seine Drehung das Schiff unseres Lebens entweder mehr in die Region der niederen oder höheren Instinkte, des animalischen oder himmlischen Lebens hineinzusteuern. Weil diese Thätigkeit den Thieren fehlt, deshalb ist ihr Instinktleben ein blindes und unlenksames. Sie sind gezwungen, in den Trieben zu beharren, welche ihnen entweder angeboren, oder durch Umstände aufgenöthigt wurden. Das Thier hat in der Seelenwelt seinen Platz unabänderlich bestimmt bekommen; es wurzelt darin unbeweglich fest, wie die Pflanze im Erdreich. Der Mensch ist an keine Stelle in der Seelenwelt festgebannt. Im steht beliebig die ganze offen, und er kann an dem Platze verweilen, den er sich selbst darin giebt.

Daher sind aber auch diejenigen im Irrthum, welche meinen, daß das Denken und der Instinkt einander überhaupt im Wege ständen, so daß in dem Maße, als das eine die Oberhand gewönne, das andere entweichen müßte. Dies ist nur der Fall in Beziehung auf die thierischen und blinden Instinkte. Bei den höheren Instinkten ist es umgekehrt. Sie bedürfen selbst des Denkens zu ihrer Erwerbung, eben so sehr, als das Denken wiederum ihrer bedarf, um ein lebensfrisches und fruchtbares Denken zu sein, und nicht in ein abstractes und leeres Formelwesen auszuarten.

Weil die Menschen das Denken vor den Thieren voraushaben, so ist man leicht geneigt, den Charakter des Menschlichen gegenüber dem Thierischen im bloßen Denken zu suchen, und die höheren Instinkte gegen dasselbe herabzusetzen. Aber mit Unrecht. Die höheren Instinkte oder Triebe unterscheiden den Menschen eben so stark von den Thieren, als das Denken. Und auf der anderen Seite ist das Denken nur eine mit den höheren Trieben und innerhalb derselben frei werdende Thätigkeit, demnach von ihnen selbst getragen und bedingt. Das Denken verhält sich zum Instinkt oder Triebe keineswegs wie der sehende Lahme zum starken Blinden, der ihn auf dem Rücken trägt, sondern wie das Auge zum lebendigen Leibe, dem es als edelster Theil einwohnt mit der Bestimmung, die Leuchte seiner Füße und das Regulativ seiner Bewegungen zu sein.

Siebenter Vortrag.

Ueber die Freundschaft.

Ein Glück, für das wir glühen,
Ein Ziel, wohin wir ziehen,
Ein Tempel, wo wir knieen,
Ein Himmel dir und mir.

Novalis.

17*

Freundschaft und Philosophie waren im Alterthum so eng verwandte Begriffe, daß man sich weniger darüber wundern darf, wenn Philosophen des heutigen Tages ebenfalls über die Freundschaft verhandeln, als darüber, daß dieses so wenig geschieht. Cicero und Aristoteles würden uns über die Vernachlässigung eines so wichtigen Thema's in der Philosophie eben keine Lobsprüche ertheilen.

Aristoteles soll zwar gesagt haben: „O Freunde, es giebt keinen Freund" [1]). Es ist dieses aber sicher eine Fabel. Denn derselbe Aristoteles feierte in einem Lobgedichte auf seinen Freund Hermias, den Beherrscher von Atarneus in Mysien, welches wir noch besitzen, das Andenken an eine wirklich erprobte Freundschaft. „Ihn, welcher durch seine Thaten glänzt," — heißt es darin — „soll unsterblich machen der Musen Gesang, der Töchter der Mnemosyne, wenn ihr Lied preist die Herrlichkeit des gastlichen Zeus und die Ehre dauerhafter Freundschaft." Aristoteles kannte also die Freundschaft aus Erfahrung, er besaß einen Freund im ausgezeichneten Sinne des Worts, dessen Andenken er ehrte. Dabei stellt er in seinen Schriften die Freundschaft sehr hoch, sogar fast der Tugend gleich. Denn nur unter Guten, behauptet er, sei Freundschaft möglich, und der gute Charakter habe etwas an sich, was den Menschen von selbst sowohl mit sich selbst, als mit Anderen, in Harmonie und Freundschaft setze. Daher schließe die Freundschaft selbst die vollkommene Gerechtigkeit in

---

1) Nach Diog. Laërt. lib. V. pag. 314. Casaub. Vgl. pag. 305.

sich; und die bürgerliche Rechtsordnung dürfe betrachtet werden als ein bloßer Nothbehelf anstatt der mangelnden Freundschaft der Menschen unter einander, indem durch jene Rechtsordnung die Menschen angehalten würden, bis auf einen gewissen Grad unter einander in freundschaftlichen Verkehr zu treten, ohne darum einander wirklich befreundet zu sein. „Deshalb," setzt er hinzu [1]), „werden die Schlechten, wenn sie nicht Verträge unter sich schließen, nicht befreundet unter einander sein, weil ihre Bestrebungen aus einander gehen. Denn der Gute ist sich immer gleich und ändert seine Bestrebungen nicht; der Schlechte aber und der Thor sind sich selbst ungleich früh und spät. So daß die einander Aehnlichen nur in dem Maße einander wirkliche Freunde sein können, als sie Gute sind." Sollte nun wohl derselbe Aristoteles jenen Ausspruch gethan haben, welcher aus seinem Munde fast so viel bedeutet haben würde, als: o Freunde, es giebt keinen guten Menschen auf Erden? So finster war Aristoteles nicht. Vielmehr darf man, so wie man den Plato den Philosophen der himmlischen Liebe genannt hat, den Aristoteles den Philosophen der menschlichen Freundschaft nennen. Er hatte dieselbe in Plato's Schule nicht blos theoretisch, sondern auch praktisch gelernt. Zwanzig Jahre lang hatte er mit Plato und dessen Freunden im Garten der Akademie zusammen gelebt, und im täglichen Umgange, wobei er den Vorleser zu machen gewohnt war, das ganze Leben getheilt.

Denn mit seinen näheren Schülern [2]) lebte Plato auf einem sehr vertrauten Fuße, der in manchen Stücken an die pythagoräische Gemeinschaft erinnern kann; namentlich lesen wir von gemeinschaftlichen Mahlzeiten derselben in seinem Garten, wozu Jeder seinen Beitrag lieferte, dem Meister aber frei stand, auch noch andere Gäste einzuladen. Zufolge einer Nachricht bei Athe-

---

1) Eudemior. lib. VII. cap. 5 pag. 352. Pac.

2) Hermann, Gesch. und System der Platon. Philos. S. 80.

näus[1]) betrug die Anzahl dieser seiner täglichen Tischgenossen acht und zwanzig.

Die Freundschaft der Platoniker setzte sich bis in spätere Zeiten fort. Sogar ein Versuch zur Gründung eines Platonischen Staats sollte nach des Porphyrius Bericht[2]) unter des Kaisers Gallienus Regierung gemacht werden. Plotin nämlich wünschte die Trümmer einer gewissen in Campanien gelegenen und zu Grunde gegangenen Stadt wieder aufzubauen, um mit seinen Freunden dort nach den Gesetzen der Platonischen Republik zu leben. Die Stadt sollte Platanopolis heißen und der Seele des Platonischen Freundschaftsbundes ihren entsprechenden Körper geben. Aber der Plan scheiterte an den Schwierigkeiten seiner Ausführung.

Außerdem ist das glänzendste Beispiel von Freundschaft unter alten Philosophen der Pythagoräerbund, welcher als eine auf strenge Erziehung und Gütergemeinschaft gegründete politische Gesellschaft von etwa dreihundert Mitgliedern die Angelegenheiten der Republik Kroton in Unteritalien, welcher Pythagoras Gesetze gegeben hatte, an 36 Jahre lang ausschließend verwaltete[3]).

Aber auch zu Epikur strömten Freunde aus allen Gegenden zahlreich herbei, um mit ihm in seinem Garten zu wohnen. Sie führten daselbst, ganz anders, als man von Epikuräern erwarten sollte, eine höchst einfache und nüchterne Lebensart. Denn für's Gewöhnliche tranken sie nur Wasser, selten kam Wein bei ihnen vor. Dagegen wollte Epikur nicht, daß seine Anhänger nach Art der Pythagoräer ihr Vermögen in eine gemeinsame Kasse zusammenschießen sollten. Denn dieses, erklärte er, sei mehr ein Zeichen von gegenseitigem Mißtrauen, als von aufrichtiger Freundschaft[4]).

1) Athen. Deipnos. I, 7.
2) Porphyr. vita Plotini c. 12.
3) Diog. Laërt. lib. VIII. pag. 573. Casaub.
4) Diog. Laërt. lib. X. pag. 713. Casaub.

Bei einer solchen praktischen Hinneigung der alten Philosophie zu den Lebenssitten und Werken der Freundschaft kann es uns nicht wundern, wenn wir die Ansichten von ihrem Werthe nicht nur bei Aristoteles, sondern bei allen philosophisch gebildeten Männern im Alterthume damit in völligem Einklange finden. „Die Freundschaft," sagt Cicero[1]), „hält immer unseren Muth aufrecht, und läßt denselben niemals sinken; in ihr empfangen die Abwesenden Gegenwart, die Darbenden Vermögen, die Schwachen Kraft, und sogar die Gestorbenen Leben, nämlich im Gedächtniß und in der fortdauernden Liebe der Freunde. Ohne freundschaftliches Wohlwollen könnte weder ein Haus, noch eine Stadt bestehen, auch kein Acker bebaut werden. Daher scheinen diejenigen die Sonne aus der Welt zu nehmen, welche die Freundschaft aus dem Leben hinwegläugnen, welche das beste und beglückendste Geschenk der unsterblichen Götter ist."

Unter den Philosophen der ältesten Zeit ist aber besonders Empedokles von Agrigent der Lobpreiser der Freundschaft gewesen, indem er dieselbe unter die Urquellen der Natur versetzte, als eine göttliche Schöpferkraft, welche, indem sie das Viele zu Einem füge und das feindlich Getrennte versöhne, von aller lebendigen Organisation und allem zweckmäßigen Zusammenhange in der Natur die Ursache sei[2]).

---

1) De amicitia, pag. 564.

2) Der Grundgedanke des Empedokles spricht sich aus in folgenden Versen der noch erhaltenen Fragmente seines Lehrgedichts von der Natur (περὶ φύσεως):

40. Bald durch Freundschaft geeint gehn alle Wesen in Eines,
Bald aus einander getrieben durch Feindschaft fliehn sie einander.

137. Aber sobald der Haß eindringt in die innerste Tiefe,
Wird in der Mitte des Wirbels die einende Liebe geboren.

146. Und je weiter der Zwist in die Ferne strebt, desto näher
Folgt ihm die sanfte Freundschaft nach mit unsterblichem Triebe.

Vergl. Rixner's Handb. der Gesch. der Philosophie. Bd. I. im Anhang, S. 60 ff.

Die alten Philosophen haben darin die Freundschaft im Ganzen höher gestellt, als die Mehrzahl der neueren, daß sie dieselbe für einen unmittelbaren moralischen Grundtrieb in der Menschenseele ansahen. Während die Mehrzahl der neueren Philosophen in der Freundschaft nichts zu entdecken vermochte, als eine äußerliche Vereinigung oder Zusammengesellung von Personen zur Ermunterung und Verschönerung ihres Lebens, gaben die alten ihr eine metaphysische Abstammung aus der tiefsten Natur der Dinge heraus, so daß bei der ächten Freundschaft das Vergnügen und der Nutzen, welchen sie den einzelnen Personen verschafft, nicht für die Wurzel ihres Ursprunges, sondern nur für eine beiläufige Zugabe gehalten wurde. Es ist gewiß wohl der Mühe werth, ein wenig näher zuzusehen, ob die alten Philosophen in diesem Punkte bloß geschwärmt haben, oder ob wir uns hierin ihrer Leitung auch noch jetzt überlassen dürfen, und ich wähle mir daher zum Thema eine Besprechung über die nähere Beschaffenheit der Freundschaftsgefühle in unserer Seele.

Es ist ein alter Streit darüber, ob es die Gleichheit oder die Ungleichheit der Naturen sei, auf welche Freundschaft sich gründe. Schon Aristoteles hat diese Frage berührt. „Vorzüglich", sagt er[1]), „ist Freundschaft unter Gleichen, nach dem Sprichwort: wo eine Dohle sitzt, da setzt sich auch die andere, und: die Gottheit treibt Gleiches zu Gleichem. So erklärte Empedokles, als einst ein Hund immer auf demselben Lehmboden schlief, daß der Hund sich von dem Lehm als einem ihm verwandt gewordenen Körper angezogen fühle, also das Gleiche vom Gleichen. Anderen aber hat es geschienen, daß Freundschaft vielmehr aus Entgegengesetztem entspringe, so wie z. B. die Erde, wenn sie ausgetrocknet ist, nach Regen verlangt, und auf ähnliche Weise die Gegentheile immer einander zur Ausgleichung begehren."

Wirklich ist die Erklärung der Freundschaft durch einen

---

1) Magna moral. lib. II. cap. 11 pag. 233. Pac.

gegenseitigen Austausch der Bedürfnisse, der Nothwendigkeiten und Nützlichkeiten des Lebens näher liegend, als die Erklärung der Freundschaft zwischen gleichen Naturen aus Grund ihrer Gleichheit. Und doch erkennen wir im Leben dieses Motiv ebensowohl, als das des Gegensatzes, vollkommen an, weil uns die Erfahrung lehrt, wie oft sich das Gleiche zum Gleichen wirklich gern gesellt, und zwar eben darum, weil es gleich ist.

Der nächste Grund, welcher beim Gesellen des Gleichen zum Gleichen in die Augen springt, ist ein negativer. Es giebt unter Menschen von gleichen Bedürfnissen, gleichem Alter, gleichen Lebensansichten immer gewisse Kreise von Empfindungen, Anschauungen und Meinungen, in Beziehung auf welche nicht leicht Streit und Mißhelligkeit entsteht. Es können sich hierbei freilich aus dem Conflikte persönlicher Interessen noch immer Streitigkeiten genug entwickeln, jedoch wird hierbei in dem, worin die Naturen einander gleich sind, noch immer ein Boden gleicher Empfindungen bestehen bleiben, in Beziehung auf welchen nicht gestritten werden kann, weil von Natur Einverständniß vorhanden ist. Wie Frauen zu Muthe ist, versteht nur eine Frau, wie Männern, nur ein Mann, wie Greisen, nur ein Greis recht und ganz [1]).

Das einander Verstehen also ist es, worauf die Unmöglichkeit des Streits bis zu einer gewissen Grenze beruhet. Aber ist denn diese etwas so Großes, daß sich eine wirkliche Zuneigung darauf gründen kann? Bei friedfertigen Naturen ohne Zweifel. Es kommt aber auch noch eine wirksame Einbildung hinzu, welche niemals außer Acht gelassen werden darf, die Einbildung der Selbstvergrößerung oder Selbsterweiterung. Es ist uns nämlich, wenn wir einen gleich empfindenden Menschen neben uns haben,

1) So meint es Cicero, wenn er sagt: Est enim is amicus quidem, qui est tanquam alter idem. Und ferner: Dispares enim mores disparia studia sequuntur, quorum dissimilitudo dissociat amicitias. De amicitia, pag. 573. 574.

als empfänden wir selbst doppelt, oder als käme das, was der Andere empfindet, unserer eigenen Empfindung als eine Verstärkung hinzu. Dies ist zwar im Grunde der Sache eine Täuschung, denn der Andere kann nicht für mich empfinden. Aber im Erfolge wird doch aus der Täuschung eine Wahrheit. Denn indem ich mir einbilde, eine Verstärkung meiner Empfindung durch ein anderes gleich empfindendes Wesen zu empfangen, gebe ich mir selbst wirklich eine Kräftigung meiner Empfindung von innen, besonders aber eine Sicherung und Bestätigung derselben in sich selbst; während mich die Umgebung mit lauter anders empfindenden Wesen leicht in meinem eigenen Empfinden unsicher und irre macht, und dadurch mein Empfinden verdünnt und abschwächt. Nichts aber ist dem Menschen angenehmer und lieber, als in der Stärke seines eigenen Empfindens gekräftigt, gesichert und befestigt zu werden. In dem Maße, als dieses geschieht, leben wir stärker.

Was also zuerst aussieht wie eine bloße Friedfertigkeit, kommt, näher angesehen, einer Verstärkung des eigenen Lebensgefühls gleich. Man hat Orgeln, welche so eingerichtet sind, daß bei Ziehung eines gewissen Registers mit Berührung einer Taste zugleich der Pedalton oder die untere Octave ihres Tones mit erschallt. Von solcher Art ist das Empfinden unter Gleichgestimmten oder Gleichgesinnten. Der Klang eines jeden Tons wird voller. Das Gefühl des eigenen Lebens wächst. Dieser Grund der Zuneigung hat aber mit einem Austausche von allerlei Bedürfnissen oder Nothwendigkeiten des Lebens nicht die mindeste Aehnlichkeit.

Helvetius leitete alle Freundschaft ohne Ausnahme aus dem bloßen Nutzen durch Befriedigung sinnlicher Bedürfnisse her, und gab diese Bedürfnisse als den einzig gültigen Maßstab der Freundschaft an. „Man stelle sich vor," schreibt er[1], „daß, dem

1) De l'esprit, discours III. chap. 14 pag. 284.

Schiffbruch entkommen, ein Mann und eine Frau sich auf eine wüste Insel retten; daß sie dort ohne Hoffnung, ihr Vaterland jemals wieder zu sehen, gezwungen seien, sich gegenseitige Hülfe zu leisten, um sich gegen die wilden Thiere zu vertheidigen, um zu leben und sich der Verzweiflung zu entreißen: so kann keine lebhaftere Freundschaft gedacht werden, als die dieses Mannes und dieser Frau, welche einander vielleicht verabscheut hätten, wenn sie in Paris geblieben wären. Sobald Einer von ihnen stirbt, hat damit der Andere wirklich die Hälfte seiner selbst verloren; kein Schmerz gleicht seinem Schmerze: man muß selbst die wüste Insel bewohnt haben, um seine ganze Stärke zu empfinden."

Aber das Beispiel des Helvetius beweiset das Gegentheil von dem, was es beweisen soll. Denn wenn diese Personen auch einander schützen und bedienen, einander in Krankheiten pflegen, sich in allen Dingen zur Seite stehen, und dabei doch im Innern gegen einander eben so kalt bleiben, als sie in Paris geblieben wären, so werden sie auch ihr Leben lang immer noch keine Freunde. So hat es auch Helvetius offenbar nicht gemeint; er hat vielmehr sagen wollen, daß durch ihr tägliches Zusammenleben und Hülfeleisten ihre verschiedenartige Empfindungsweise und die darauf begründete ursprüngliche Abneigung vor einander allmählich schwinden würde bis zur völligen Ausgleichung ihrer Empfindungsweise. Ist aber dieses, so besteht die Freundschaft in diesem Falle eben nicht in bloßen Bedürfnissen und deren gegenseitiger Befriedigung, sondern in einer durch eine lange Gewohnheit dieser Befriedigung hervorgebrachten Umstimmung der Seelen. Und das ist eben ganz etwas anderes.

Wäre der bloße Austausch der Bedürfnisse schon Freundschaft, dann gäbe es nichts Freundschaftlicheres, als einen Jahrmarkt oder eine Börse, wo man einander gegenseitig auf das möglichste zu übervortheilen, also jeder seine Bedürfnisse auf die stärkste Art durch den Anderen zu befriedigen sucht.

Gegen solche Verirrungen schützen uns schon die Dohlen

des Aristoteles. Was treibt die eine Dohle, sich auf's Dach zu setzen, wo die andere sitzt? welches Bedürfniß befriedigt sie damit? Hilft die eine der andern sich im Lichte sonnen, oder ihre Flügel im Winde heben? Keineswegs, sondern hier waltet ein unmittelbarer Zug, vermöge dessen das Gleiche nach dem Anblicke des Gleichen verlangt, um außer sich selbst lieber sich selbst zum zweiten Male, als etwas anderes zu erblicken.

Was treibt die Störche, ihre Wanderungen in südliche Länder nicht einzeln, sondern in Schaaren zu machen, der stärkste als Anführer voran, welchem die übrigen folgen wie auf's Commandowort? Etwa ein Gedanke der Sicherheit, unter der Anführung des Stärksten unter ihnen und in gedrängter Masse vor Feinden geschützter zu sein, als wenn sie einzeln flögen? Das hieße den Störchen sehr viel Reflexion zugetraut. Und wie könnten sie wohl zur Erwartung eines gegenseitigen Schutzes von einander kommen, wenn nicht das Gefühl vorausginge, daß sie unter einander ähnlich sind, sich gegen gemeinschaftliche Feinde zu schützen, gemeinschaftliche Nahrung zu genießen, gemeinschaftliche Länder aufzusuchen haben? Nein, die Gesellung geschieht hier auf viel einfachere Art, indem sie sich einander als unmittelbar gleich empfinden, Eines im Anderen immer nur auf's neue sich selbst erblickt, sein unmittelbares Lebensgefühl durch den Anblick von seines Gleichen verstärkt und erhöht, und so zu größerem Selbstvertrauen gelangt, als in der Einsamkeit.

Die Lachse ziehen in zwei Reihen abgetheilt zum Laichen. Man will beobachtet haben [1]), daß bei ihrem Zuge immer das größte und stärkste Weibchen, gleich einer Heldin Deborah oder Jungfrau von Orleans, dem Zuge als Anführer voranziehe, worauf in der Entfernung von ungefähr einer Elle die übrige

1) Scheitlin, Thierseelenkunde I. S. 461.

Schaar dem geheimen Zuge folgt, bis zuletzt die jüngste Generation den Schluß macht. Aehnlich bei den Zügen der Heringe, wenn sie aus dem Eismeer herab bei Island und Norwegen vorüber nach dem Süden ziehen. Ihr großer Zug vertheilt sich hierbei in vier Haupt-Heeresmassen, von denen die eine nach der Ostsee, die andere nach der Nordsee, die dritte nach Irland und die vierte an der französischen Küste hinunter zieht. Bei stürmischer Witterung drängen sie sich dichter an einander, bei ruhigem Meer hingegen breiten sie sich weiter aus. Aehnliche geordnete Wanderzüge bilden aber auch schon die Fichtenspinnenraupen, die Processionsraupen, die Larven des Heerwurms, die Zugheuschrecken, so wie die auswandernden Ameisen, Bienen und Termiten [1]).

Ja, was das allerauffallendste ist, dieser Freundschaftssinn, welcher das Gleiche treibt, sich nicht aus der Nähe des Gleichen zu entfernen, erstreckt sich hinab bis zu den Infusorien. Das Baumthierchen z. B. bildet mit seinen Genossen ein drei Linien hohes Bäumchen; die größeren bilden den Stamm, die kleineren die Zweige. Der Stamm theilt sich in Aeste, diese in Zweige, die Zweige in eine unbeschreibliche Menge Blätter. Losgerissen schwimmen sie munter herum und flimmern mit zwei Haarbüschelchen an den Seiten des Kopfes. Erschüttert man den Tropfen, so fällt der ganze Baum plötzlich zusammen. Bald aber breitet er sich wieder sehr prächtig aus. Aehnlich hängen sich die Punktthierchen traubenartig an einander, und leben gesellig in Traubengestalt. Die Stabthierchen, welche in Menge bandförmig beisammen liegend gefunden werden, verschieben sich immer so mit einander, daß sie schiefe Linien, Quadrate u. dgl. bilden, und in solcher Form, mit der größten Leichtigkeit und ohne sich von einander zu lösen, gemeinschaftlich sich wie geordnete Rotten eines Heeres fortbewegen [2]).

1) Scheitlin, Thierseelenkunde I. S. 395. 413.

2) Ebendas. S. 376.

Bei diesen kleinen Geschöpfen ist also der kameradschaftliche Sinn, wonach Gleiches sich zu Gleichem gesellt, schon recht groß. Um uns aber noch genauer darüber zu unterrichten, was die Natur mit einem Geselligkeitstriebe von solcher Art meint, müssen wir die Fälle in's Auge fassen, wo bei Thieren niederer Ordnung sich diese geselligen Instinkte aufs höchste ausgebildet zeigen, wie z. B. bei den Ameisen.

Diese freundschaftlichen Thierchen kommen einander bei allen Gelegenheiten zu Hülfe. Schleppt eine von ihnen an einem Gegenstande, welcher ihr zü schwer ist, so sind sogleich andere bei der Hand, welche mit anfassen, sei es nun eine Puppe, die in Sicherheit gebracht werden, oder ein Holzsplitter, der zur Austapezirung der Wohnung benutzt werden soll. Denn alle haben von vorn herein einen und denselben Sinn über das, was nothwendig geschehen muß, und in dieser Einheit des Bestrebens steht Eines immer dem Andern bei und hilft dem Andern. Aehnlich treibt es der nordamerikanische Pillenkäfer [1]). Derselbe bildet gemeinsam mit seinem Weibchen eine Kugel von der Größe einer Wallnuß, in welcher er die gelegten Eier verbirgt, um sie an versteckte Orte zu bringen, ähnlich wie es auch der heilige Käfer Aegyptens thut. Wird ihm nun beim Fortrollen der Kugel die Last zu schwer, oder begegnen ihm unerwartete Hindernisse, so kommen ihm sogleich andere zu Hülfe. Die Lust, solche Kugeln fortzurollen, ist bei diesen Käfern so groß, daß sie alle Kugeln von dieser Art, die sie antreffen, ohne Unterschied weiter schaffen, wobei sie sich nicht hindern lassen und keine Gefahr scheuen. Sie sind eben amtseifrige Naturen, ähnlich wie die Bienen bei ihrem gemeinschaftlichen Zellenbau sich uns zeigen. Denn auch diese arbeiten ja einander überall in die Hände, und vollführen alle Geschäfte als solche, welche schlechterdings gethan werden müssen, einerlei von wem. Das Geschäft ist der beseelende Trieb des

1) Scheitlin, Thierseelenkunde I, S. 422.

Ganzen, und jeder Theil hat die Lust seines Lebens darin, am Geschäft als an der gemeinsamen Seele Theil zu nehmen.

Daher dürfen wir als die einfachste Grundlage aller freundschaftlichen Beziehungen in der Natur die Kameradschaft annehmen, welche aus einem Eifer für gleiche Bestrebungen, oder einer Theilnahme Mehrerer an dem gemeinsamen Triebe derselben Beschäftigungen entspringt. Ihr Gesetz ist, daß Wesen von ähnlichen Grundtrieben und Bestrebungen eine unmittelbare Anziehungskraft gegen einander fühlen, welche sie treibt, als Glieder eines größeren Ganzen zu wirken, nicht aus Berechnung, sondern weil das Lebensgefühl des eigenen Wirkens und Daseins in einem jeden der Individuen durch das Anschauen des Wirkens und Daseins der anderen auf unmittelbare Art erhöhet und verstärkt wird. Der Einsame besitzt sich zwar selbst, aber nur ein einziges Mal. Der kameradschaftlich Lebende findet auch außerhalb seiner sich selbst wieder, kommt daher niemals in Gefahr, aus dem Wohlbehagen seines Selbstgefühls und seiner Bestrebungen, welche ihn erfüllen, herausgeworfen zu werden.

Und so beantwortet sich auch die Frage, von welcher wir ausgingen, ob es das Gleiche oder Ungleiche sei, welches die Anziehung der Seelen in der Freundschaft verursache, durch die Sprache der Natur auf das Einfachste. Die Anziehung geht immer vom Gleichen aus, jedoch so, daß auch zugleich das Ungleiche in denselben Kreis der Anziehung häufig mit hinein gezogen wird. Die Gleichheit wurzelt nämlich immer in einem gemeinschaftlichen Bestreben, zu welchem den einzelnen Individuen der Trieb oder die Neigung beiwohnt. Sind nun hierbei die Individuen an Fähigkeiten und Organisation einander völlig gleich, so erblickt jedes Individuum in dem zu demselben Werke neben ihm erschaffenen sich selbst zum zweiten Mal, und verstärkt dadurch sein eigenes Selbstgefühl. Sind aber die Individuen hierbei an Fähigkeiten und Organisation verschieden, wie z. B. die Arbeitsbienen von den Drohnen und der Königin, so verrichtet jedes Individuum den Theil des Geschäfts, zu welchem es allein befähigt ist, und sinkt dadurch im Verhältniß zum ganzen Geschäfte zu einem mangelhaften Wesen herab, welches sich mit den Individuen von gegengesetzten Fähigkeiten zur Verrichtung des völligen Werkes erst zu ergänzen hat.

Die Gleichheit oder Ungleichheit der Individuen, nämlich die gleiche oder ungleiche Befähigung der Seelen in Beziehung auf die Ausführung ihres gleichen Strebens sinkt hierdurch zu einem untergeordneten Gesichtspunkte herab. Die Freundschaft der gleichbefähigten Seelen gleicht einer Werkstätte von gleich-befähigten Gesellen, deren jeder alle Arbeiten ohne Ausnahme, und folglich einer dieselben, wie der andere, verrichtet. Die Freundschaft der ungleich befähigten Seelen gleicht der Werkstätte einer Fabrik, worin jeder Arbeiter einen beschränkten Kreis seiner Thätigkeit hat, und sich die verschieden Befähigten erst unter einander zum vollständigen Werke ergänzen. Bei allem dem ist es im Grunde der Sache dasselbe Streben, derselbe Grundtrieb, welcher dort in den gleichbefähigten, hier in den ungleichbefähigten Seelen lebt, und dieselben zum Wirken treibt.

Sofern die Anziehung unter gleich gestimmten Seelen auf einer unmittelbaren Verstärkung des Selbstgefühls einer jeden durch die andere beruhet, darf man sie auch eine Anziehung der Lust nennen. Und sofern die Anziehung unter ihnen zu einer gegenseitigen Ergänzung in der Ausübung ihrer gemeinschaftlichen Bestrebungen führt, lebt die eine Person zum Nutzen der anderen. Aber Nutzen und Vergnügen allein und für sich genommen reichen noch lange nicht hin, Freundschaft zu erzeugen, während ein in zwei Seelen wohnendes, und dieselben gemeinsam belebendes und begeisterndes Streben vollkommen dazu ausreicht. Die Alten nannten dies die Freundschaft um der Tugend willen. Denn ein begeistertes Streben von jeglicher Art wurde von den Alten mit dem Namen der Tugend bezeichnet.

Die Natur spricht deshalb in der stummen Hieroglyphensprache ihrer angeborenen Geselligkeitstriebe schon ganz dasselbe aus, was z. B. Cicero den Cajus Lälius in Betreff seiner Freundschaft zu dem Publius Scipio Africanus in gebildeter und menschlich reflectirter Weise sagen läßt: „Was bedurfte denn," spricht er[1], „Africanus meiner? Wahrhaftig nicht, und ich nicht einmal seiner; sondern ich fühlte gegen ihn eine Zuneigung aus Bewunderung seiner Tugend, und er gegen mich vielleicht ebenfalls durch die gute Meinung, welche er von mir gefaßt hatte, und aus Gewohnheit wuchs unsere Freundschaft. Und obgleich hieraus viel und großer gegenseitiger Nutzen entsprang, so ging doch nicht von diesem die Ursache unserer Freundschaft aus. Denn so wie wir auch wohlthätig und freigebig sind nicht um des Dankes oder der Vergeltung willen, so schließen wir auch die Freundschaft, weil in ihr selbst ihr schönster Gewinn schon enthalten ist. Auch scheinen mir die, welche die Freundschaft um des bloßen Nutzens willen schließen, das liebenswürdigste Band derselben aufzulösen, welches in der Beglückung nicht durch erworbenen Gewinn, sondern durch die Liebe des Freundes als ein solche besteht."

Die Natur stimmt mit dieser Ansicht des Cajus Lälius so sehr überein, daß alle Wesen, welche sich dem harmlosen Triebe einer kameradschaftlichen Geselligkeit entziehen, und bloß dann mit einander verkehren, wenn es ihre augenblicklichen Bedürfnisse erheischen, eben hierdurch schon im allgemeinen Gefühle der Menschen mit einem gewissen Makel bezeichnet sind.

Jede Spinne sucht sich ihren eigenthümlichen Aufenthaltsort, und lebt hier als ein einsames Genie ihrer Kunst und ihrem Raube. Keine leidet eine andere um sich. Sperrt man sie zusammen, so entsteht bald ein leidenschaftlicher Zank, in welchem sie einander die Beine ins Gesicht schlagen[2]. Einsamkeit und gegenseitige Eifersucht ist überhaupt der Charakter der Raubthiere. Und wenn auch z. B. die Katzen sich an die gesellige Nähe des

1) De amicitia, pag. 565.

2) Scheitlin, Thierseelenkunde I. S. 431.

Menschen gewöhnen, so zeigen sie doch niemals, wie die Hunde und Pferde, Anhänglichkeit an seine Person, sondern immer nur an die Stätte, wo sie zu leben einmal sich gewöhnt haben. Aber freilich sind Katzen, Wölfe, Schakals und andere Raubthiere, welche in Heerden und Schaaren angetroffen werden, immer schon gutmüthige Geselligkeitsfreunde und Kameraden zu nennen, wenn man sie mit den Spinnen vergleicht. Spinnenfeindschaft ist daher ein vielsagendes Wort. Oft empfinden auch Menschen, welche durch ein gegenseitiges in die Hände Arbeiten einen weit größeren Nutzen haben könnten, statt dessen nur bloßen Brodneid gegen einander, und verderben lieber einander gegenseitig das Spiel, als einander zu helfen und zu fördern. Vermuthlich fürchtet bei der näheren Verbindung Jeder vom Andern übervortheilt zu werden, und traut darum dem Andern nicht. Denn alle Freundschaft besteht in einer gegenseitigen Zuversicht auf einander, und die Spinnennaturen müssen nun überall wohl solche sein, welche es gegenseitig sogleich herausfühlen, daß auf sie kein rechter Verlaß ist. Weil nun die Verstärkung ihres Selbstgefühls auf dem directen Wege der Geselligkeit und Kameradschaft nicht gelingen will, so verstärken sie es auf dem indirecten Wege des Hasses und der Wuth auf einander. Denn die Verstärkung des eigenen Selbstgefühls ist jedem lebenden Wesen ein stärkeres Bedürfniß, als Essen und Trinken. Keines aber sucht dieselbe auf so durchaus indirectem Wege, wie die Spinne. Sie ist darin classisch. - Nur allein die Grashüpfer kommen ihr in dieser Beziehung nahe. Denn auch sie vertragen sich nur, wo sie einander nicht unmittelbar in den Weg kommen. Wo sie einander begegnen, kündigen sie sich einander als Feinde an, zittern und athmen stark. Die Weibchen, welche stärker sind, als die Männchen, richten die letzteren oft übel zu, beißen ihnen die Fühlhörner und Füße ab, um dieselben zu verzehren [1]. In diesen Fällen zeigt die Natur

1) Scheitlin, Thierseelenkunde I. S. 402.

einen Trieb des Neides und Hasses, welcher stärker ist, als der Vortheil, der aus gegenseitigen Hülfeleistungen entspringen müßte. Dieses kommt daher, weil Vortheile und Nachtheile Begriffe sind, welche der Mensch sich hinterher aus den Wirkungen abstrahirt, während die Natur selbst nach einfacheren Beweggründen verfährt, niemals nach einzelnen Vortheilen, Freuden und Genüssen rechnet, sondern immer nach der Grundlust der Wesen, welche entweder durch ihre gegenseitige Harmonie und Empfindungseinheit, oder ihre Reaction und ihren Kampf um des Kampfes willen erregt wird.

Auch unter den Menschen handeln sowohl die Naturen, welche ihr Glück und Wohlsein in der Uebereinstimmung mit Anderen und im freundschaftlichen Anschlusse unter einander finden, als auch diejenigen, welche mehr zur Absonderung und zum Widerstreit gegen ihresgleichen aufgelegt sind, hierin keineswegs nach Reflexion und Willkühr. Schwer werden diejenigen, welche zu einer von diesen verschiedenen Gattungen gehören, sich von der Seelenstimmung der entgegengesetzten Art einen klaren Begriff machen, oder sie wirklich nachempfinden können. Dem zur Freundschaft Geborenen werden die Entgegengesetzten starr und empfindungslos erscheinen. Dem zur Einsamkeit und zur Absonderung von dem, was den Meisten gefällt, Geneigten werden die Anderen als die in langweiliger Gesellschaft lebenden Philister vorkommen, und er wird über sie das Urtheil sprechen, womit jeder kühne Räuber, aber auch jedes ungestüm voran eilende Genie immer so leicht bei der Hand ist:

> Denn aus Gemeinem ist der Mensch gemacht,
> Und die Gewohnheit nennt er seine Amme.

Freilich lebt der Philister in bescheidener Geselligkeit dahin, wie die sicher dahin lebenden Bienen, Ameisen und Processionsraupen. Sein Wahlspruch ist die Sitte, das Allgemeine und Geltende, die gute Kameradschaft. Das Genie hingegen ist der Grashüpfer, der Springinsfeld, welcher sich von den Uebrigen sondern, etwas

Apartes für sich sein möchte, und sich dabei häufig genug die Nase zerstößt.

Thomas Moore behauptet in der Lebensbeschreibung von Byron, daß Genies niemals für Liebe und Freundschaft gemacht seien. Denn die Gewöhnung zu isolirter Geistesthätigkeit, wie sie die ihnen gestellte Aufgabe mit sich bringe, sei von einer ungeselligen und ablösenden Tendenz begleitet. So sei namentlich Byron nur in der Zeit geneigt gewesen, freundschaftliche Verbindungen zu knüpfen, wo er sich seiner hohen Geisteskraft noch nicht bewußt gewesen sei. In der späteren Zeit gestehe er in seinem Tagebuche, daß er oft in Gesellschaft des Weibes, welches er am meisten liebte, sich insgeheim in die Einsamkeit seines Studierzimmers gewünscht habe; auch habe er selbst häufig ausgesprochen, daß er keine Anlage zur Freundschaft besitze [1]).

„Oefters um Goethe zu sein," schreibt Schiller an Körner zu Anfang seiner Bekanntschaft mit Goethe [2]) „würde mich unglücklich machen; er hat auch gegen seine nächsten Freunde kein Moment der Ergießung; er ist an nichts zu fassen — er besitzt das Talent, die Menschen zu fesseln, und durch kleine sowohl als große Attentionen sich verbindlich zu machen, aber sich selbst weiß er immer frei zu behalten. Er macht seine Existenz wohlthätig kund, aber nur wie ein Gott, ohne sich selbst zu geben."

Und hört man vollends Schopenhauer über die Genies reden, so sollte man meinen, es könne gar nicht anders sein, als daß die Brücke der Freundschaft zwischen ihnen und den übrigen Menschen sich auf immer abbrechen müsse. Er sagt [3]): „Der

---

1) Thom. Moore, Letters and journals of Lord Byron, with notices of his life. London 1830. Vol. I. pag. 589. Beneke's Pragmatische Psychol. II. 139—40.

2) Schiller's Briefwechsel mit Körner. Bd. II. Beneke's pragm. Psychol. II. 128.

3) Die Welt als Wille und Vorstellung. Bd. II. 390.

Gedankengang der genialen Intellects wird sich von dem des gewöhnlichen bald durchweg unterscheiden. Daher, und wegen der Ungleichheit des Schritts, ist Jener nicht zum gemeinschaftlichen Denken, d. h. zur Conversation mit den Andern geeignet: sie werden an ihm und seiner drückenden Ueberlegenheit so wenig Freude haben, wie er an ihnen. Sie werden daher sich behaglicher mit ihres Gleichen fühlen, und er wird die Unterhaltung mit seines Gleichen, obschon sie in der Regel nur durch ihre nachgelassenen Werke möglich ist, vorziehen. Sehr richtig sagt daher Chamfort: Es giebt wenig Fehler, welche einen Mann so sehr hindern, viele Freunde zu haben, als es große Eigenschaften zu thun vermögen."

Einen anderen Grund derselben Sache giebt Helvetius an, wenn er sagt [1]: „Es giebt Menschen, welche gegen Freundschaft unempfindlich sind, nämlich die, welche sich selbst genügen. Wie oft hat man unter dem Namen der Unempfindlichkeit Herrn von Fontenelle die Stärke vorgeworfen, welche er hatte, sich selbst zu genügen, d. h. einer der weisesten und glücklichsten Menschen zu sein! Wenn die Großen von Madagaskar allen denen ihrer Nachbarn den Krieg machen, deren Heerden zahlreicher als die ihrigen sind; wenn sie täglich die Worte wiederholen „diese sind unsere Feinde, welche reicher und glücklicher sind, als wir": so kann man versichern, daß nach ihrem Beispiel die Mehrzahl der Menschen gleicherweise dem weisen Manne den Krieg machen. Sie hassen in ihm eine Mäßigung des Charakters, welche, indem sie seine Wünsche auf sein Vermögen beschränkt, einen Tadel auf ihre Lebensart wirft, und den Weisen zu unabhängig von ihnen macht. Sie betrachten diese Unabhängigkeit als den Keim aller Untugenden; weil sie empfinden, daß in ihnen selbst die Quelle der Humanität zugleich mit der der gegenseitigen Bedürfnisse versiegen würde."

---

1) De l'esprit, discours III. chap. 14 pag. 288.

Zwar giebt es auch liebenswürdige Genies, welche, wie Schiller gegen Körner, oder Walter Scott gegen William Erskine, selbst als Muster treuer Freundschaft dastehen. Dennoch ist es bemerkenswerth, im Briefwechsel von Schiller und Körner unter anderm auf folgende Stelle zu stoßen, welche anzudeuten scheint, daß, wenn das Genie, wie dieses hier der Fall war, sich als hingebender Freund auszeichnete, dieses wenigstens nicht vermöge des genialen Arbeitens des Geistes in sich selbst, sondern vielmehr trotz demselben Statt fand. „Du bist nicht fähig," schreibt Körner an Schiller [1]), „als ein isolirtes Wesen für selbstsüchtigen Genuß zu leben. Irgend eine lebhafte Idee, welche durch ein berauschendes Gefühl Deiner Ueberlegenheit bei Dir entsteht, verdrängt zwar zuweilen eine Zeit lang alle persönliche Anhänglichkeit, aber das Bedürfniß, zu lieben und geliebt zu werden, kehrt bald bei Dir zurück. Ich kenne die aussetzenden Pulse Deiner Freundschaft; aber ich begreife sie, und sie entfernen mich nicht von Dir. Sie sind in Deinem Charakter nothwendig, und mit anderen Dingen verbunden, die ich nicht anders wünschte."

Aber auf jeden Fall ist bei einem Genie, welches sich vermöge seiner geistigen Constitution zur Einsamkeit und Isolirung verurtheilt sieht, der innere Schwung seines Geistes immer nur ein so kleiner Ersatz für die entbehrten Freuden der freundschaftlichen Ergießung und der kameradschaftlichen Stärkung des Selbstgefühls, daß man wohl annehmen darf, daß Niemand, welchem die Wahl zwischen beiden wirklich freigestellt wäre, die erstere Seite für sich ergreifen würde.

Welch eine traurige Erhebung des Geistes ist z. B. eine isolirt in sich gewonnene und isolirt gepflegte religiöse Ueberzeugung gegen den Eindruck, welchen der Gläubige innerhalb der Kirchengemeinschaft empfängt, sich aufgenommen zu sehen in

---

1) Schiller's Briefwechsel mit Körner. Bd. II. Beneke's pragm. Psychol. II. 141.

einem allgemeinen und engen Bunde aller Guten aller Zeiten, in einer Gemeinschaft, welche ewig ist, und über welche der Tod keine Gewalt hat! Welch eine traurige Erhebung des Geistes ist der isolirt für sich selbst gewonnene Ruhm des an der Spitze seines Heeres stehenden Feldherrn gegen das Gefühl des sich dem Vaterlande mit treuer Ergebung weihenden Soldaten, welcher sich selbst vergißt im Eifer, für das Ganze, für Alle thätig zu sein und sein Leben zu opfern! Welch eine kahle Genugthuung ist die Ueberzeugung, allein der Weise zu sein unter so vielen unerleuchteten Thoren, gegen die Freude, als ein gleichartiges Rad einzugreifen in eine große Maschinerie des Lebens, welche nicht so kurzlebig ist, als unser Individuum, sondern lange vor unserer Geburt ihren Anfang nahm, und lange über unsern Tod hinweg leben wird, so daß wir auch sterbend nicht sterben, sondern nur untertauchen in die inneren Theile desselben geistigen Organismus, als dessen äußere Glieder wir zeitlebens thätig waren. Dieses Gefühl ist so stark in uns begründet, daß man behaupten darf, ein edler Geist, welcher sich, wie Spinoza, Rousseau oder Kant, dem allgemeinen Glauben, der allgemeinen Empfindungsweise widersetzt, vermöge und ertrage dieses nur dadurch, daß er in seiner Einbildung schon voraus in der Zukunft lebt, wo die anderen Menschen ebenfalls auf seine Gedanken werden eingegangen sein, und wo er selbst, wenn auch erst nach dem Tode seines Leibes, wird wieder aufgenommen sein in die große Gemeinschaft der Geister, von welcher ihn Zeit seines Lebens seine isolirten Meinungen trennten. In diesem Sinne sagt Byron mit Recht: „Weisheit ist Schmerz"; und Kassandra verlöre gern ihre göttliche Sehergabe, könnte sie dagegen das Glück eintauschen, als eine Sterbliche mit den Sterblichen gleich zu empfinden, und nicht bei einem jeden ihrer Worte auf nicht verstehende Herzen und Sinne zu stoßen.

Nichts giebt uns eine lebhaftere Anschauung von dem Glück und der Beseligung, welche in der Hingabe des ganzen Herzens in einer freundschaftlichen Ergebenheit liegen muß, als die Gewalt, womit eine solche es häufig verursacht hat, daß kühne Wagnisse für Kinderspiele angesehen, Schmerzen mit frohem Muthe erduldet und das Widerwärtigste, von dem der Mensch, sollte er es allein übernehmen, zurückbeben würde, unbedenklich auf die Schultern genommen wurde.

Toxaris, der Scythe, erzählt bei Lucian[1]), daß er mit seinem Freunde Sisinnes auf einer Reise aus seiner Heimath nach Athen, durch einen an ihnen in der paphlagonischen Stadt Amastris verübten Raub aller ihrer Habe, in tödtliche Verlegenheit gerieth. Denn sie hatten dort keinen Gastfreund, hatten auch keine Hoffnung, als hergelaufene Bettler bei der Obrigkeit der Stadt Glauben zu finden, weil man damals in Scythien Reisepässe noch nicht ausfertigte. „Während ich nun“, erzählt Toxaris, „in meiner Rathlosigkeit sehr niedergeschlagen war, versprach Sisinnes, Rath zu schaffen, und forderte mich auf, mit ihm ins Amphitheater zugehen, wo gerade große Gladiatorenspiele auf Kosten der Stadt gegeben wurden. Nachdem die Gladiatoren eine Zeit lang gekämpft hatten, führte der Herold einen Jüngling von ungewöhnlich großer Statur hervor, und machte mit lauter Stimme bekannt, wer Lust hätte mit diesem zu kämpfen, solle hervortreten, wofern er es um einen Preis von 10,000 Drachmen“ — was nach unserm Gelde etwas über 1600 Thaler beträgt — „wagen wolle. Sisinnes stand auf, sprang in den Kampfplatz, nahm die Ausforderung an und forderte Waffen. Man zahlte ihm die versprochene Summe, er eilte zu mir, übergab mir das Geld, und sprach: Falle ich, so begrabe mich, und kehre mit dieser Summe nach Scythien heim, welche, im Falle ich siege, auch für uns beide zur Rückreise reichen wird. Es gelang ihm zwar, den Gegner zu besiegen, aber mit Verlust des einen seiner Füße, welcher durch eine Verwundung in der Kniescheibe für immer gelähmt blieb.

---

1) Lucian's Werke übersetzt von Wieland. Thl. IV. S. 67.

Wir kehrten heim, und verbanden uns in der Heimath enger dadurch, daß Sisinnes meine Schwester zum Weibe nahm."

Wenden wir die Blicke weiter ostwärts. Schauen wir Damajanti, wie sie mit ihrem Gatten Nal im Walde irrt [1]. Sie will ihn nicht verlassen, obgleich er ihre Treue keinesweges verdient. Denn er hat im muthwilligen Würfelspiele an seinen Halbbruder Puschkara Reich und Herrschaft verloren, dazu all sein Hab und Gut, so daß jedem von ihnen nichts übrig geblieben war, als ein einziges Gewand, womit sie, aus dem Lande vertrieben, im Walde irren,

> Hunger und Kummer habend,
> Beeren pflückend und Wurzeln grabend.

Darum räth König Nal im Gefühle seiner Schuld der Gattin, sich von ihm zu trennen, und ins Widarbaland zu ihrem Vater zu ziehen, welcher wohl sie, aber nicht ihn empfangen dürfe:

> „Hier diese vielen Pfade
> Führen zum Südgestade
> Ueber Awanti hingewandt
> Und über das Gebirge Rikschawant.
> Das aber ist Windia's Bergesabhang
> Und Pajoschni's Wogengang
> Mit den heiligen Einsiedeleien.
> Doch hier der Pfad zu deiner Hand
> Führt ins Widarbaland.
> Wir stehen am Scheidewege,
> Schönste, das überlege."

Und was läßt der Dichter Damajanti hierauf erwiedern? Sie spricht:

> „Wie sollt' ich in Wald und Haiden
> Dich verlassen und scheiden?
> Giebt es doch keine so Geist und Leib
> Stärkende Arzenei, wie ein Weib."

Leutnant Colonel Sleman, welcher in Indien in englischen

1) Nal und Damajanti, aus dem Mahabharata, nach Rückert.

Diensten stand, hat aus seiner Erinnerung die Beschreibung einer Witwenverbrennung aus dem Jahre 1829 mitgetheilt [1]), aus welcher hervorgeht, daß die Indischen Weiber nicht in allen Fällen bloß gezwungenerweise und mit Schauder sich diesem barbarischen Gebrauch unterwerfen, sondern daß es auch, wenngleich ausnahmsweise, Fälle giebt, in denen das Loos, dem vorangegangenen Gatten im Tode zu folgen, mit Freudigkeit übernommen wird. Es war die 65jährige Witwe des Omed Sing Opaddia in Gopalpur, einem kleinen Dorfe am Ufer der Nerbudda, welche ohne Gram der grausamen Scene entgegenharrte, und in diesem Zustand vom Leutnant Sleman angetroffen wurde. Sie war in angenehme Träume und Visionen versunken, indem sie, in die Sonne starrend, dort sich mit ihrem verstorbenen Gemahl bereits in seliger Vereinigung zu sehen glaubte. Das umher versammelte Volk bewies ihr seine Bewunderung und Verehrung als einer geheiligten Person.

Ein junger Mann vom Stamme der Bameres am Boni See — so erzählt Gerstäcker in seinen Reisen in Australien [2]) — hatte sich mit dem Mädchen eines fremden Stammes (der Rangmutko's) befreundet und dieselbe wider das Verbot seiner Stammesältesten zu sich genommen. Die Aeltesten hielten eine Berathung, bei welcher man übereinkam, daß ein solches Beispiel von Ungehorsam unter keiner Bedingung gestattet werden könnte, daß man den jungen Mann aber noch diesmal von Strafe freilassen wollte, wenn er die Befehle seiner Aeltesten ausführte; auf dem nächsten gleichen Vergehen aber stand der Tod. Die beiden Verbrecher wurden gerufen. Der junge Mann, dem man zuerst das Ungeheure seines Vergehens mit grellen Farben vorhielt, und ihn auf den nächsten Grad seiner Strafe aufmerksam machte, wurde

1) Lt. Col. Sleman, Rambles and recollections of an Indian Official. Vergl. Ausland vom 12. Jan. 1845.

2) Reisen von Friedr. Gerstäcker. Bd. IV. Stuttg. und Tüb. 1854. S. 385.

nun aufgefordert, das fremde Mädchen mit eigener Hand zu geißeln, und sodann zu den Ihrigen zu entsenden. Er stand zaudernd. Aber das Mädchen zog sein Opossumfell fester um sich her, fiel vor ihm nieder, und empfing geduldig seine Streiche auf Kopf und Schultern, bis das fließende Blut die Alten bewegte, zu sagen, nun sei es genug. Das Mädchen wurde nun aus dem Lager getrieben, und der junge Mann blieb allein in seiner Hütte. Drei Tage lag er, ohne die Lebensmittel zu berühren, die ihm sein Bruder brachte. Am vierten Tage ging er Morgens in die Malleyhügel, wo er das Thal des Murray-Flusses überschauen konnte, und in weiter Ferne, den Strom hinauf, sah er die Rauchsäulen emporsteigen, welche für ihn bereits drei Tage lang waren unterhalten worden. Keiner der Stämme sah das Menschenpaar wieder, welches einsam in die Wildniß gewandert war. Denn von ihren beiderseitigen Stämmen drohte ihnen gleicherweise der Tod.

Freilich sind wir gewohnt, in solchen Fällen, wie die letzteren, nicht von Freundschaft, sondern von Liebe zu reden, und diese Art der Empfindung von der der Freundschaft strenge zu unterscheiden, aber dieses nicht mit Recht. Wenn die Freundschaft überhaupt, wie wir gesehen haben, aus einer Uebereinstimmung der Seelen in gemeinschaftlichen Wünschen und Bestrebungen erwächst, so fällt die Liebe ganz vorzüglich mit unter diesen Begriff. Denn sie ist diejenige Kameradschaft, welche bestrebt ist, die Gegenwart des Menschengeschlechts mit seiner Zukunft auf's engste in Verbindung zu setzen, indem sie an die Stelle der abwelkenden Zweige immer neue grüne und frische Schößlinge der Zukunft treten läßt; sie ist also die Freundschaft mit dem Bestreben einer unendlichen Verjüngung und Vermehrung der Freundschaftsverhältnisse selbst. Indem sie die Ehebündnisse begründet, aus denen die Geschwisterverhältnisse hervorwachsen, welche von der Natur angelegte Freundschaftsverhältnisse sind, erweitert und befestigt sie sich selbst durch Mutterliebe und

Bruderliebe, und schafft es, daß der Mensch auch selbst dann, wenn er abgeneigt ist, nach Freundschaft zu suchen und Freundschaft zu knüpfen, sich sogar wider Willen in Freundschaftsverhältnisse hineingeboren findet.

Die Liebe ist daher diejenige Art der Freundschaft, zu welcher die Natur auf die allgemeinste Art allen ihren Wesen ohne Ausnahme den Weg weiset. Sie ist gleichsam das Grundintervall der Zuneigung des Gleichen zum Gleichen, das, was unter den Intervallen der Musik die Octave ist. Die Octave ist nicht das einzige consonirende Intervall; es giebt noch viele andere, künstlichere und interessantere, seltenere und spannendere. Aber die Octave bleibt doch von der Natur angewiesen als die Grundlage aller Zusammenklänge, als das Ur-Intervall, an welches sich alle übrigen anzulehnen haben, wie die Nebenmauern an die Brandmauer des Hauses.

„Nichts habe ich jemals", schreibt Heloise an Abälard in einem der noch von ihr vorhandenen Briefe [1]) „nichts habe ich jemals in Dir gesucht, als Dich selbst, rein nur Dich, nicht das Deinige begehrend. Nicht das Bündniß des Ehestandes, nicht Güter habe ich irgend erwartet. Und wenn der Name eines Weibes heiliger und mächtiger zu sein scheint, so ist mir doch immer der Name einer Freundin süßer gewesen. Damit, je tiefer ich mich dadurch für dich erniedrigte, ich eine desto größere Huld bei Dir erreichte, und so auch den Glanz Deiner äußerlichen Stellung weniger verletzte. — Denn welcher König oder Philosoph konnte jemals Deinen Ruhm erreichen? Welches Land, welche Stadt oder Flecken brannte nicht vor Verlangen, Dich zu sehen?"

Ist diese Demüthigung und Unterwerfung, diese Hingabe an die Vorzüge und Größe des verehrten Gegenstandes, dieser Stolz auf denselben nicht selbst nur der höchste Grad der Freund-

1) Fortlage, Vorlesungen über die Geschichte der Poesie. Stuttgart und Tübingen 1839. im Anhang, S. 429.

schaft, welche sich hülfreich unterordnet dem Werk, das sie im Freunde sich vollziehen sieht?

Vergegenwärtigen wir uns das bekannte Gemälde, welches den Abschied Napoleons I. von seinen Generalen und alten Grenadieren bei der Einschiffung ins Exil darstellt. Jedem dieser Krieger sieht man es an, daß er mit Lust sein Leben in die Schanze schlagen würde, wenn dieses den verlorenen Ehrenglanz seines ehemaligen Gebieters wiederherstellen könnte. Auch er sieht in ihm, wie Heloise in Abälard, das Höchste verkörpert, wofür seine Seele glüht, seine Heimath, sein Volk, den Ruhm seines Vaterlandes. Für die Person, welche ihm das darstellt, würde er Alles wagen. Daher sehen wir diese Art von Freundschaft sich entzünden gegen allerlei Personen von hoher Begabung, so daß man sie auch die Freundschaft der Bewunderung nennen darf, welche unter Freunden desto leichter entstehen wird, je mehr der eine Ursache hat, auf den andern stolz zu sein.

Dieses Gefühl hat folglich ein viel weiteres und umfangreicheres Gebiet, als ihm gewöhnlich unter dem Namen der leidenschaftlichen Liebe abgesteckt wird. Der hervorragende Bruder kann dasselbe unter seinen Geschwistern, der hervorragende Lehrer unter seinen Schülern entzünden. So hat z. B. Wieland ein solches aus Bewunderung und Verehrung entsprungenes leidenschaftliches Freundschaftsgefühl des jungen Sokratikers Kleombrotos gegen seinen Lehrer Sokrates gezeichnet, welches so stark emporwächst, daß es den jungen Mann in den Tod führt. Derselbe machte sich bittere Vorwürfe darüber, während der Zeit, wo der Sokratische Proceß zu Athen ein so unerwartetes und schlimmes Ende nahm, von Banden der Liebe zur jungen Musarion gefesselt, in Aegina müssig zugebracht zu haben. Die Empfindung seiner Reue stieg aufs höchste, da ihm von seinen Genossen, den Sokratikern in Athen, der soeben erschienene Phädon des Plato zugesandt ward mit einem Blättchen, worauf nichts als das einzige Wort: Lies! geschrieben stand. Und als er nun las, wie

Echekrates fragt: Waren auch Auswärtige dabei? und Phädon den Simmias, Kebes und Phädondes von Theben, und den Euklides und Terpsion von Megara nennt, und dann auf die Frage: Wie? waren denn Aristipp und Kleombrotos nicht auch da? die Antwort giebt: Nein, es hieß, sie wären in Aegina — da fiel ihm das Buch aus der Hand, ihm ward finster vor den Augen, und er fiel zu Boden.

„Von diesem Augenblicke an", schreibt er dem Aristipp [1]), „sind mir die schrecklichen Worte: ‚es hieß, sie wären in Aegina' nicht aus den Gedanken gekommen; sie erklingen immer in meinen Ohren, und stehen allenthalben mit kolossischen Buchstaben geschrieben, wo ich hinsehe. Aber von diesem Augenblick stand es auch fest und unerschütterlich in meiner Seele, was mir noch allein übrig sei. — O Sokrates! wenn noch ein Mittel ist, deinen zürnenden Schatten zu versöhnen, so ist es dies allein! Wenn noch ein Mittel ist, meine Seele von diesem schwarzen Flecken zu reinigen, so ist es dies allein! Und wär' es (wie du sagtest) allen andern Menschen unrecht, eigenmächtig aus dem Leben zu gehen, ich bin ausgenommen! Mir ist es Pflicht, dich im Hades, im Elysium, im unsichtbaren Reiche der Geister überall, wo du auch sein magst, aufzusuchen, und so lange zu deinen Füßen zu liegen, bis du mir vergeben hast."

Was hier in so leidenschaftliche Flammen ausbricht, ist nichts weiter, als das Gefühl der Anhänglichkeit des Schülers an seinen Lehrer, welches durch die hinzutretende Reue zu so ungewöhnlichen Wirkungen emporgestachelt wird, während es, wäre Kleombrotos zu rechter Zeit nach Athen geeilt, und dort beim Tode des Sokrates mit zugegen gewesen, den Zustand eines stillen und festen Gefühles der ewigen Zugehörigkeit im Andenken an den theuren Dahingeschiedenen niemals verlassen haben würde. Steht aber dieses fest, so vergesse man ebenfalls

1) Wieland, Aristipp und einige seiner Zeitgenossen. Bd. II. S.64.

nicht, daß die heftigen und leidenschaftlichen Symptome, welche wir dem feurigen und jugendlichen Liebesrausche häufig so ohne weiteres zuzuschreiben pflegen, eben so wenig ihm selbst ohne weiteres angehören, als das phantastische Toben in der Seele des Kleombrotos. Es sind vielmehr immer nur die Hindernisse der Liebe und niemals sie selbst als eine solche, welche jene Zustände von Raserei in der Seele hervorbringen, die wir die Verliebtheit nennen, und die schlechterdings nicht zur Sache gehören.

Denn wie oft geht eine lange Gewohnheit, mit einander umzugehen, in die wärmste und dauerhafteste Liebe über! Ueberall, wo sich durch einen längeren Umgang mit einander die Gefühlsweisen, die Ansichten, die Gedanken, die Stimmungen mit einander auszugleichen und gegenseitig zu temperiren vermögen, entsteht ein Verlangen, einander in allen Lagen des Lebens zur Seite zu sein, mit einander einträchtig und gegenseitig hülfreich durchs Leben zu gehen. Und soll man dieses etwa keine Liebe nennen, dieses Gefühl eines allmählichen in einander Hineinwachsens aller Grundempfindungen, aller Grundanschauungen des Lebens, alles dessen, was uns erheitert und was uns kränkt, was uns tröstet und was uns erhebt, dieses Gefühl, welches die dauerndsten und festesten Verbindungen auf Erden schließt, diese Flamme, welche nie sengt und wüthet, immer aber beglückt, erwärmt und erleuchtet?

Möglich ist es zwar, daß zwei Seelen, wie Schiller dies zu zeichnen liebte, schon im ersten Momente des Anschauens es gleichsam an ihrer bloßen Physiognomie erkennen, daß in ihnen Anlage zu einer Gleichgestimmtheit, zu einem reinen Accorde ewiger Musik sei, wie z. B. bei Max und Thekla im Wallenstein, welche in einander auf der Stelle die einzigen redlichen Gemüther innerhalb einer Umgebung voll Lugs und Trugs erkennen, wie Thekla es in folgenden Worten ausspricht [1]:

---

1) Die Piccolomini. 3. Aufz. 5. Auftr.

„Ich sollte minder offen sein, mein Herz
Dir mehr verbergen: also will's die Sitte.
Wo aber wäre Wahrheit hier für dich,
Wenn du sie nicht aus meinem Munde findest?"

Aber eben so erfahrungsgemäß kann, wie es Goethe zu zeichnen liebte, dasselbe Ziel auf dem langsamen und sanften Wege eines die Seelen allmählich in einander verkettenden Umgangs erreicht werden. So hat er es in seiner feinen und sinnigen Art in den „Geschwistern" gezeichnet, wie das durch allmähliche Gleichstimmung der Seelen und Gewohnheit geschlossene schwesterliche Band durch die Entdeckung, daß die vermeinten Geschwister nicht verwandt sind, in das noch engere der Ehe auf die sanfteste Weise sich umwandelt. Und in eben so zarter Weise ist es empfunden, wenn Wieland den Agathon mit der jungen Psyche, welche, ohne daß er es wußte, seine Schwester war, in Delphi, wo beide im Heiligthume des Apoll erzogen wurden, zusammenführt, und nun eine schüchterne Liebe zwischen ihnen entsteht, welche sich im ersten Stadium ihrer jugendlichen Blüthe darin ausspricht, daß ihnen der Gedanke kommt: o wenn wir doch Geschwister wären! und sie sich einander Bruder und Schwester zu sein geloben [1]).

Jedenfalls aber ist das allmähliche in einander Hineinwachsen der Seelen in Lebensansichten, Gedanken und Empfindungen das Element, welches der Freundschaft erst sowohl ihre Festigkeit, als ihren Werth giebt. Denn wir achten und schätzen die Freundschaften durchaus nicht nach dem Grade ihres augenblicklichen Eifers und ihrer momentanen Wärme, sondern immer ganz allein nach der unverrückten Dauer ihres Bestandes und nach der Treue, womit an ihnen festgehalten wird. Es sind die Redensarten: auf ewig! und: für immer! welche zwar als Ergüsse des überwallenden Gefühls beim Anfange einer noch unerprobten Freundschaft etwas Ueberschwengliches zu haben scheinen, bei denen aber hernach das allgemeine Urtheil dennoch die entstandene

1) Agathon im 2. Buch 4. Kap.

19

Freundschaft beim Worte nimmt, indem es ihr ganz allein in dem Maße Achtung und Beifall zollt, in welchem die Freunde sich im Stande sehen, die Anforderungen jenes Gefühls im Leben zur wirklichen Ausführung zu bringen.

Worin beruhet das Ehrwürdige alter Freundschaften? Worin beruhet es, daß die Verfeindung mit alten Freunden etwas ähnlich Unnatürliches und dem gesunden Gefühl Widerstrebendes hat, wie das Verfeinden der Geschwister mit Geschwistern, der Kinder mit den Eltern? Es ist dieses schlechterdings nicht zu begreifen, wenn man nicht einen durch Freundschaft bewirkten näheren Zusammenhang unter den Seelen annimmt, welcher, wenn er einmal eingeleitet ist, nicht muthwillig zerrissen oder unterbrochen werden soll.

Zwar können Seelen einander nicht von außen berühren wie die Körper. Dagegen haben sie jedenfalls in ihrem tiefsten Grunde höchst enge Zusammenhänge mit einander. Denn eine jede Seele schaut in gewisser Beziehung unmittelbar in alle übrigen hinein. Wenn z. B. Jemand uns ins Angesicht läugnet, daß 2 mal 2 vier macht, so wissen wir mit der Gewißheit unseres eigenen Lebens, daß er die Unwahrheit redet; daß er das nicht so in sich findet, wie er es ausspricht. Wie kann ich aber urtheilen über das, was eine andere Seele außer der meinen nothwendig für wahr halten muß, wenn nicht die eine Seele mit der anderen in der Wurzel verwandt ist, und wenn nicht ein gemeinschaftlicher Stamm von Grundwahrheiten vorhanden ist, an denen alle Seelen gleichmäßig Theil nehmen? Obgleich sich diese Art von Verwandtschaft unter den Seelen auf alle ohne Ausnahme und auf ganz gleiche Weise bezieht, so ist doch damit ein leitender Grundsatz gegeben, an welchen man das Speciellere anknüpfen kann.

In Betreff dieses Speciellen treten freilich sehr vermittelte und zusammengesetzte, daher die Erkenntniß der Sache aufs höchste erschwerende Bedingungen hinzu, indem sogar die Vergangenheit unseres eigenen Lebens uns durchaus nicht auf unmittelbarem

Wege, sondern nur auf dem mittelbaren Wege der Erinnerung und des Gedächtnisses offen liegt. Ist uns daher der Zusammenhang unserer eigenen Seele mit sich selbst in tiefes Dunkel und Geheimniß gehüllt, wie sollen es nicht noch mehr die ohne Zweifel vorhandenen Zusammenhänge der Seelen unter einander sein! Weil wir in keinem einzigen Augenblicke unseres Lebens genau mehr das sind, was wir waren, so räth Aristoteles Jedem an, vor allen Dingen Freundschaft mit sich selbst zu schließen, indem er annimmt, daß man auch seiner eigenen vergangenen Person eben sowohl treu bleiben, als sich ihr entfremden könne. Unsere vergangene Person kann uns so fremd werden, daß wir durch Lesung geführter Tagebücher zuweilen aufs neue unsere eigene Bekanntschaft machen können. Und umgekehrt können wir uns durch einen anhaltend fortgesetzten Umgang in den Gedankengang eines Freundes, welchen wir uns ganz und gar zu eigen gemacht haben, so tief hineinleben, daß wir den Unterschied zwischen seiner Seele und der unsrigen dabei ganz aus dem Sinn verlieren [1]).

Verhält sich dieses nun so, so ahnet man wohl, wie die Untreue gegen Freunde auf eine ganz ähnliche schädliche Art die wirklichen Zusammenhänge unter den Seelen unterbrechen kann, wie eine Untreue gegen uns selbst auf eine schädliche Art den inneren Zusammenhang unseres eigenen Seelenlebens unterbricht. Unsere Empfindung für diese zarten Zusammenhänge der Seelen unter einander geht in der Wirklichkeit sehr weit, z. B. in Betreff der Dankbarkeit. Wir empfinden jedes undankbare Betragen als einen Mißton in der Gesellschaft, weil durch jede erwiesene Wohlthat eine Seele in die andere die Eindrücke der Freundschaft einprägt, und nun Jedermann das Nichtbeachten dieser Eindrücke

1) In diesem Sinne ist der Ausspruch des Aristoteles zu verstehen, daß in Freunden nur Eine Seele (μία δὴ ψυχή) lebe. Eudemior. lib. VII. cap. 6 pag. 354. Pac. „Eine Seele in zwei Leibern" (μία ψυχὴ δύο σώμασιν ἐνοικοῦσα), berichtet Diogenes Laërtius lib. V. pag. 313. Casaub.

als etwas Rohes und gegen den harmonischen Zusammenhang der Seelen Verstoßendes empfindet. Ohne die Annahme solcher Zusammenhänge unter den Seelen hat die Anforderung der Dankbarkeit gar keinen Sinn, wie denn auch Helvetius von seinem materialistischen Standpunkte aus offen gesteht, die Dankbarkeit für nichts anderes halten zu können, als für ein conventionelles Vorurtheil, welches er freilich, weil es der Gesellschaft zum Vortheil gereicht, nicht ernsthaft anzutasten wagt. Ein ähnlicher Mißton im allgemeinen Zusammenhange der Seelen wird auch durch jedes nicht aufrichtige und lügenhafte Betragen der Personen gegen einander hervorgebracht, welches immer die Keime zu einer Absperrung der Individuen und einer gewaltsamen Unterbrechung ihrer natürlichen Zusammenhänge enthält; so wie auch durch eine die Hülfe und den Beistand verweigernde Gesinnung.

Und umgekehrt säet der Aufrichtige, der Dankbare, der Hülfreiche lauter Samen zur Annäherung der Seelen unter einander. Der Aufrichtige, der Dankbare, der Hülfreiche ist der Gläubige, der Bekenner der Zusammenhänge der Seelen, nicht in Worten, aber in der That. Der Heuchler, der Undankbare, der Egoist ist der Läugner dieser Zusammenhänge in der That und Wahrheit, mag er sie in Worten auch hoch und theuer bekennen. Hierdurch wird der Satz klar, auf welchen die alten Philosophen, und unter ihnen namentlich Aristoteles, so großes Gewicht gelegt haben, daß gute Gesinnung die Menschen nothwendig zur Freundschaft führe, und Freundschaft nur unter Guten auf die Dauer bestehen könne. Es wird zugleich klar, daß Freundschaft nicht bloß in einzelnen Verhältnissen einzelner Personen besteht, worin dieselben innerhalb einzelner Bestrebungen ihre Kräfte zusammenthun und ihr Selbstgefühl erhöhen, sondern daß Freundschaft auch zugleich eine allgemeine Seelenstimmung bezeichnet, welche sich von einzelnen Freundschaftsverhältnissen als von ihren Brennpunkten aus weiter erstreckt, weil ihr eine Ahnung von den Zusammenhängen der Seelen unter einander aufgegangen ist, und sie es fühlt, daß die Seelen nicht naturgemäß leben, wenn sie abgesperrt von einander leben. Je mehr wir unser Glück in Anderen und durch Andere suchen, je weniger wir es über uns gewinnen, andere Personen zu unseren Zwecken bloß zu vernutzen und zu verbrauchen, desto mehr öffnen wir uns dem Wellenschlage des allgemeinen Lebens; je mehr wir über Andere zu herrschen trachten, desto mehr isoliren wir uns. Cicero sagt[1]: „Wir sehen häufig, daß Menschen, welche zuvor von freundlichen Sitten waren, durch Herrschaft, Macht und Glück ihren Charakter verändern, und die alten Freundschaften verachten. Man darf daher auch nicht" — setzt er hinzu — „auf die in Reichthümern schwimmenden Personen hören, wenn von Freundschaft die Rede ist, von welcher sie weder durch Erfahrung, noch durch Einsicht einen Begriff haben können." Und Helvetius stimmt mit ein, wenn er sagt[2]: „Auch sind die Reichen und Mächtigen in der Regel wenig für die Freundschaft empfindlich. Sei es, daß die Menschen von Natur grausam sind, so oft sie es ungestraft sein können; sei es, daß die Reichen und die Mächtigen das Elend der Armen wie einen Vorwurf ihres eigenen Glückes empfinden; sei es endlich, daß sie sich den zudringlichen Bitten der Unglücklichen entziehen wollen: es ist gewiß, daß sie fast immer den Elenden niedrig behandeln. Der Anblick des Unglücks macht auf viele Menschen die Wirkung des Hauptes der Meduse: bei seinem Anblick verwandeln sich die Herzen in Stein."

Daher sollen wir denn auch nicht zu strenge urtheilen, wenn einmal jemand von der anderen Seite her des Guten zu viel thut, und sich in der freundschaftlichen Gesinnung zu den Menschen übernimmt, wie jener Rabbi Eleasar aus Barthota, von welchem der Talmud erzählt, wie er zuweilen aus den Verlegenheiten, in die ihn seine Gutherzigkeit stürzte, durch göttliche Wunderthaten errettet werden mußte. „Wenn ihn die Almosenpfleger sahen",

1) De amicitia, pag. 569.

2) De l'esprit, discours III. chap. 14 pag. 287.

heißt es [1]), „so verbargen sie sich vor ihm; denn Alles, was er hatte, gab er. Eines Tages ging er auf den Markt, um seiner Tochter eine Ausstattung nebst dem Hochzeitsweizen einzukaufen. Da erblickten ihn die Almosenpfleger; alsbald versteckten sie sich vor ihm, er aber lief ihnen nach und sagte zu ihnen: Ich beschwöre euch, saget mir, was ihr jetzt vorhabet. Sie antworteten: Wir sammeln die Ausstattung für einen Waisen und eine Waise. Bei Gott! rief Eleasar, die gehen vor meiner Tochter. Sprachs und gab ihnen, was er zur Ausstattung seiner Tochter bestimmt gehabt. Hierauf wühlte er noch in seiner Tasche einen Gulden auf; dafür kaufte er den Hochzeitsweizen, kehrte damit nach Hause, trug ihn auf den Speicher und ging fort. Da kam seine Frau, und fragte ihre Tochter: Was hat dein Vater mitgebracht? Sie antwortete: Was er mitgebracht hat, das hat er auf den Speicher getragen. Da nun die Frau hinauf ging, und die Thür öffnen wollte, fand sie den Speicher so voll Weizen, daß die Thür vor Weizen nicht aufgehen wollte, und sie auf der Schwelle umkehren mußte. Als ihr Mann aus der Versammlung der Weisen zurückgekehrt war, sprach sie zu ihm: Komm und sieh, was für dich gethan hat dein Freund — Bei Gott! sprach er, es ist ein Heiligthum, was für die Armen ist; aber du hast auch dein Theil daran, denn auch wir sind nicht reich."

Giebt es nun solche vorzugsweise zur Freundschaft gestimmte Seelen, wie in Rabbi Eleasar uns eine versinnbildlicht wird, so ist in solchen Fällen an eine Ableitung der freundschaftlichen Gesinnung aus gegenseitigem Vortheil oder Vergnügen am wenigsten zu denken, sondern die Freundschaft ist hier ein unmittelbarer Zug der Seele, welcher keine andere Ursache hat, als eine erhöhete, verstärkte und verfeinerte Empfindung vom inneren Zusammenhange der Seelen, welche bei diesen Personen zu einer solchen

---

1) R. Hanno, Amulete, aus der Zeit der Nathanael gesammelt. Heidelb. 1826. S. 49.

Höhe herangewachsen ist, daß sie die Scheidewand des Eigennutzes, welche Person von Person trennt, im Geiste überhaupt als gesunken betrachten, und es sich daher selbst zum Geschäfte und zur Lebensaufgabe machen, auf das Sinken dieser trennenden Scheidewand im Leben hinzuarbeiten.

Daher ist nun die Freundschaft als der Sinn des Zusammenhanges der Seelen für einen Urtrieb oder Grundtrieb der Menschennatur zu erklären, wie es schon die alten Philosophen in ganz richtiger und klarer Einsicht der Sache gethan haben [1]. Man kann hiergegen nicht geltend machen, daß derselbe dann auch bei allen Personen in gleicher Höhe und Stärke vorhanden sein müßte. Dieses würde nur dann der Fall sein müssen, wenn er der einzige und ausschließliche Grundtrieb wäre, und ihm nicht in der Selbstsucht, Andere zu beherrschen und zu bloßen Mitteln seiner eigenen Zwecke zu mißbrauchen, ein eben so ursprünglicher Gegentrieb kämpfend entgegenstände, derselbe Trieb, welchen Schopenhauer den Willen schlechthin oder den Trieb zur Bejahung des Lebens genannt hat, jedoch mit Unrecht. Denn beide Grundtriebe gehören gleicherweise zum ursprünglichen Willensvermögen. Beide Grundtriebe bejahen auch das Leben eben so sehr, als sie es beide verneinen. Der Trieb der Selbstsucht und Herrschsucht bejahet das niedere, das sterbliche, das Naturleben, und verneint das höhere, das unsterbliche, das Geistleben. Der Trieb der Einigung und der Freundschaft bejahet das höhere, das unsterbliche, das Geistleben, und verneint das niedere, das sterbliche, das Naturleben. Der letztere ist der mit den Zwecken der Vernunft übereinstimmende, der erstere der denselben entgegenkämpfende Grundtrieb. In allen Seelen sind beide, aber nicht in allen beide gleichmäßig angelegt. Auch bei den Thieren finden schon

1) So z. B. Cicero sehr nachdrücklich in den Worten (De amicitia, pag. 569): Nihil est enim appetentius similium sui, nihil rapacius, quam natura.

diese Unterschiede Statt, indem neben den zur Freundschaft Geborenen andere angetroffen werden, welche nur Zwietracht und Egoismus kennen. Die Eigenschaft der Freundschaft, ein Ur- und Grundgefühl zu sein, gründet sich nicht auf eine gleichmäßige Erweckbarkeit in allen Seelen, sondern vielmehr darauf, in allen den Fällen, wo es wirklich Statt findet, nicht aus anderen Trieben, Empfindungen und Bedürfnissen abgeleitet werden zu können, sondern eine Eigenschaft zu sein, welche über alle vereinzelten Antriebe des Nutzens und der sinnlichen Bedürfnisse hinüber unmittelbar in die tiefsten Zusammenhänge der Personen innerhalb eines allgemeineren Lebens, welchem sie als Glieder angehören, hineinweiset.

Es ist eine alte Rede, daß es im Unglück keine Freunde gebe, und daß die, welche im Glücke solche gewesen, bei unserm Mißgeschick insgemein aufhören solche zu sein. Dieser Satz muß durchaus geläugnet werden. Denn wo er Statt findet, ist dieses nur ein Zeichen davon, daß die Verhältnisse, an welche man den Ehrennamen der Freundschaft verschwendete, keineswegs Freundschaft im eigentlichen Wortverstande waren. Weit richtiger läßt Cicero den König Tarquinius sagen [1]), daß er erst in der Verbannung erkannt habe, welche seiner Untergebenen überhaupt jemals Freundschaft zu ihm gehabt hätten. Denn von der wirklichen Freundschaft gilt gerade das Gegentheil, nämlich daß unser Mißgeschick immer die Liebe unserer Freunde zu uns noch wohl eher vermehrt, weil erhöhete Bedürftigkeit immer erhöhete Theilnahme, und darum auch eine Erhöhung der Freundschaftsgefühle zur Folge haben muß. Lieben doch Eltern am zärtlichsten die

1) De amicitia, ibid.: Quod Tarquinium dixisse ferunt, tum, cum exsul esset, se intellexisse, quos fidos amicos habuisset, quosque infidos, cum jam neutris gratiam referre posset. Quamquam miror in illa superbia et importunitate, si quemquam habere potuit. Atque ut hujus, quem dixi, mores veros amicos parare non potuere: sic multorum opes praepotentium excludunt amicitias fideles.

Kinder, deren Kränklichkeit oder sonstige bedenkliche Anlage ihnen die meiste Sorge macht. Die Freundschaft kann im Mißgeschick gleichsam besser an uns heran, und es heißt insofern von ihr:

Nacht muß es sein, wo Friedlands Sterne leuchten.

Manche Menschen lernen die Beglückungen der Freundschaft in ihrer vollen Tiefe nur darum nicht kennen, weil es ihnen zu glücklich geht. Und darum gehört die Freundschaft vorzüglich mit zu den Dingen, welche mit in Betrachtung gezogen werden müssen, wenn unser Urtheil über den wirklichen Wohlstand der Menschen, ihr wirkliches Wohlsein und Wohlbefinden eine richtige Grundlage gewinnen soll. Denn es ist gar nicht in Abrede zu stellen, daß die häufig die Glücklichen genannt werden, welche es manchmal am wenigsten sind, und die zuweilen am wenigsten es scheinen, welche es am meisten sind. Und es ist gar keine Frage, daß in der labyrinthischen und interessanten Gestalt, worin das Leben sich bei jedem Blicke, den wir in dasselbe werfen, uns zeigt, wir die Zeichen für Lust und Schmerz, Glück und Leid, Leben und Tod, Gewinn und Verlust so häufig falsch liegen sehen, daß wir gewöhnlich in das eigentliche Innere des uns gegenübertretenden Menschenwesens so lange nur dunkele und unsichere Blicke thun, bis uns durch ein gütiges Himmelsgeschenk der mächtige Schlüssel der Seelen selbst, die Freundschaft, in die Hand gedrückt wird, wodurch uns, was unverständlich war, verständlich, und was dunkel war, hell wird.

Achter Vortrag.

Ueber Materialismus und Idealismus.

Denn was frommt es, daß mit Leben
  Ceres den Altar geschmückt?
Daß den Purpursaft der Reben
  Bacchus in die Schale drückt?
Zückt vom Himmel nicht der Funken,
  Der den Heerd in Flammen setzt:
Ist der Geist nicht feuertrunken,
  Und das Herz bleibt unergötzt.

Schiller.

Der große religiöse Gegensatz zwischen Unglauben und Glauben oder zwischen Materialismus und Idealismus drängt sich immer mehr in den Vordergrund. In gewissen Kreisen unseres modernen Lebens wird schon seit ungefähr einem Jahrhundert lang theils laut, theils stillschweigend von der Ueberzeugung aus gelebt, daß das Christenthum und die sich daran knüpfenden religiösen Ueberzeugungen im unaufhaltsamen Untersinken begriffen seien, während im Gegensatze hierzu in entgegengesetzten Lebenskreisen der schriftgemäße und buchstabengetreue Glaubensinhalt auf eine höchst ausdrückliche Weise betont wird. Was hierbei Modesache ist, lasse ich liegen. Im vorigen Jahrhundert z. B. galt der Unglaube für vornehm, und der Glaube für gemein, in unsern Tagen ist das Umgekehrte der Fall. Auch was das Christenthum als Religion Specifisches vor anderen Religionen voraus hat, betrachte ich als eine besondere Frage für sich. Ich greife mir aus diesem Thema nur die Seite heraus, welche mir am nächsten liegt, nämlich die philosophische.

Zwar wird es nicht möglich sein, bei diesem Gegenstande etwas besonders Neues vorzubringen. Aber es giebt auch uralte Wahrheiten, gültig und bekannt, so lange denkende Menschen auf Erden wohnten, welche niemals veralten und welche, so oft sie in verjüngter Gestalt auftreten, immer wieder so neu erscheinen, als wären sie von gestern her, weil sie die nahrhafte Speise des inneren Menschen sind, und das Herz des Menschen, so oft sie in frischer und ächter Gestalt zu ihm dringen, sich von ihnen wie in Morgenthau gebadet fühlt, und welche man daher die ewigen Herzenswahrheiten der Menschheit nennen darf. Was mit ihnen zusammenhängt, hat eben so sehr den Anspruch auf die ganz vorzügliche Aufmerksamkeit aller Gebildeten; und zu den mit ihnen auf's engste zusammenhängenden Dingen rechne ich ganz vorzüglich das Klarwerden über die Umstände, aus denen das gewaltige Umsichgreifen der materialistischen Denkweise in der Gegenwart zu erklären ist, so wie auch die genauere Bekanntschaft mit dem zu dieser Denkweise den vollkommenen Gegensatz bildenden und nicht immer richtig verstandenen Idealismus, und die Einsicht in die zwingenden Triebfedern, wodurch der Mensch bei gewissen Geistesbedürfnissen mit unausweichlicher Nothwendigkeit zu der letzteren Lebensansicht hinauf getrieben wird.

Wohl pflegt man dergleichen gegenwärtig gern als brodlose Künste zu bezeichnen, aber der Mensch lebt nicht vom Brod allein, sondern eben so sehr von einem jeden Gottesgedanken, der ihn mit Leben und Freude erfüllt. Und andererseits, was nicht tauglich ist, uns Brod zu verschaffen, kann vielleicht desto tauglicher sein, uns Waffen und Harnisch für bevorstehende Kämpfe zu liefern. Bewegungen von weit greifender religiöser Natur liegen uns nicht fern. Der Kern, das Herz unseres Volks wird täglich mehr ergriffen und entzündet von dem überall in der geistigen Sphäre bis zur Uebersättigung enthaltenen Krankheitsstoffe einer materialistischen Denkweise. Zwar bricht dieselbe an den wenigsten Orten offen hervor, weil ein solches Hervorbrechen in der Regel nicht zum Vortheil der Anhänger derselben ausschlägt. Aber gerade dieses heimliche Unterminirtsein der alten übersinnlichen Ueberzeugungen, welches der eine dem anderen, vielleicht mancher sich selbst nicht gern eingestehen mag, bringt ein unangenehmes, ein beklommenes Gefühl des Mißtrauens in die gegenwärtige Menschheit, ähnlich der bewegungslosen Schwüle und Windstille, welche der Entladung eines lange angesammelten Gewitters vorauszugehen pflegt. Zwar handelt es sich bei diesem Allen von nichts weiter, als von bloßen Ansichten und Hypothesen. Diese Hypothesen sind es aber, auf welche unser Leben gebaut ist, von denen unser inneres Glück und Unglück abhängt. Auf empirische Thatsachen ist dasselbe nicht zu bauen. Die Empirie genügt für Schifffahrt, Werkstätten und Eisenbahnen. In Betreff des Heils unserer Seele kommt die ganze Empirie nicht über den Goethe'schen Spruch hinaus:

> Was man nicht weiß, das eben brauchte man,
> Und was man weiß, kann man nicht brauchen.

Dieser Spruch gilt aber, wohlverstanden, nur dann von der Empirie, wenn sie rein für sich selbst als exacte Wissenschaft verstanden wird. Denn auch die Empirie tritt in ein höheres, gleichsam verklärtes Dasein ein, sobald sie mit der speculativen Theorie und dem religiösen Glauben in Verbindung tritt, um beiden mehr Fleisch und Blut oder einen äußerlichen Leib zu geben. Ja, hier kann die Empirie auf's Neue sogar zur Schiedsrichterin werden, wenn sie zeigt, wie die eine Art des Glaubens eine größere Menge von Thatsachen zu erklären im Stande ist, als die andere. Diese erhöhte Stellung gewinnt die Empirie aber immer nur dadurch daß sie als Mitgehülfin eintritt bei religiösen Annahmen, welche auf einem ganz entgegengesetzten Boden des Nachdenkens gewachsen sind. Will man ihr in Betreff der Angelegenheiten unserer Seele für sich allein das Wort gönnen, so zeigt sie sich stumm und todt.

Aber auch das Nachdenken ist nicht die Macht, auf welche sich in der Regel unsere höheren Ueberzeugungen gründen. Das Nachdenken ist nur das Werkzeug der Consequenz und der Befestigung unserer Ueberzeugungen. Ihr eigentlicher Grund ist gewöhnlich eine ä s t h e t i s c h e Triebfeder. Was mit unseren Gefühlen harmonirt, was uns im Gefühl als dauerhaft, haltbar, Zuversicht erweckend, dann auch als edel, groß, zum Guten führend, ermuthigend erscheint, das glauben wir, das Entgegengesetzte verwerfen wir. Daher der Dichter uns viel leichter zu seinen Meinungen herüberreißt, als der Grübler, und nichts ansteckender ist, als eine mit der ganzen Kraft der Ueberzeugung vorgetragene eigene Ueberzeugung. Daß ein wirklicher Mensch darauf sein ganzes Leben, seine Hoffnungen, sein Schicksal gebaut hat oder zu bauen bereit ist, diese Thatsache wirkt immer noch viel stärker, als Gründe. Durch Gründe kann man herrlich von einer Sache abrathen und den Enthusiasmus kühlen. Aber Gründe zwingen selten als solche, wenn ihnen nicht auch irgend ein Gefühlselement der Ueberzeugung beigemischt ist.

Was macht den Materialismus so stark? Daß er so stark auf das unmittelbare Gefühl wirkt. Das Gefühl der Wirklichkeit alles Handgreiflichen hat etwas Ueberwältigendes, und es müssen schon mächtige Hebel im Gemüthe entgegenwirken, wenn der Mensch sich nicht ganz dabei beruhigen soll. Die Philosophen aller Zeiten von Plato bis Hegel haben die schlagendsten, die evidentesten Gründe aus der Logik geltend gemacht dafür, daß das materielle Dasein nicht das eigentliche und wirkliche Wesen der Dinge sein könne. Die Erfahrung aber hat gelehrt, daß unter allen Menschen nur diejenigen auf diese gewichtigen Gründe hörten, welche von ihrem Gefühl aus schon ein sonstiges Interesse bei sich fanden, darauf zu hören, weil ihnen die Wahrheit der Materie ein störender Flecken war im Gefühl von ihrer moralischen Bestimmung oder in einem gewissen Stolze, der es nicht litt, sich als einen Sohn des Staubes zu empfinden; oder weil ihnen unter den Consequenzen, welche der Materialismus bei sich führt, so manches vorkam, was ihren ästhetischen Anschauungen von dem, was edel und groß ist, widerstrebte.

Ja, gestehen wir es nur ein, das ästhetische Element ist dasjenige, welches die größte Rolle spielt in unserem Fürwahrhalten. Es liegt tief in unserer Natur, daß wir eine Lebensansicht nicht dauernd ergreifen und zur unsrigen machen können, welche unser innerstes Gefühl verletzt, welche uns den Muth zum frischen lebensmuthigen Handeln, das Vertrauen in die eigenen Kräfte, die Heiterkeit und den Frohsinn unaufhörlich zu zerstören droht. Die ästhetischen Ideale sind zwar bei den verschiedenen Menschen sehr verschiedene, aber ein jeder mißt zuletzt das, was er glaubt, und worauf er sein Leben baut, immer ganz besonders nach ihnen ab. Die Gedanken und Gründe dienen dabei in der Regel nur, das, was wir aus weit festeren Beweggründen für gewiß und wahrhaftig halten, in ein solches Gewand der Consequenz und des dialektischen Zusammenhangs zu bringen, daß es anständig in der Oeffentlichkeit auftreten kann.

Es giebt freilich Gedanken, welche über allem diesem erhaben stehen, Gedanken, welche aus reiner Wißbegierde gefaßt und verfolgt, und zum Erstaunen des Mannes selbst, welcher sie faßt, ausgesponnen und zum unbekannten Ausgange geführt werden, Gedanken, welche man denkt um des bloßen Denkens willen, weil man von ihnen durchaus noch nicht weiß, wohin und wie weit sie noch führen werden. Von solcher Art war der Gedanke der Neuton'schen Gravitationstheorie und der Kantischen Vernunftkritik. Solche Gedanken erzeugen sich aber sparsam im Menschengeschlechte, in jedem Zeitalter nur wenige, und sie sind dann aufgesteckte Lichter, welche für Jahrhunderte hin den Pfad erleuchten, den die Menschheit wandeln soll. Von dieser Art ist der Materialismus unserer Tage nicht. Er ist vielmehr von rascher, leidenschaftlicher und ästhetischer Natur. Er beruht nicht auf der spontanen Kraft eines sich mühsam neue Wege suchenden Erfindungsgeistes, sondern auf dem leidenschaftlichen Trotz gegen religiöse Glaubensmeinungen, welche es versäumt haben, mit dem Flusse der Zeiten fortzuschreiten, und ihre veraltenden und rostenden Formen zur rechten Zeit mit den rechten Mitteln zu verjüngen, und denen nun, da endlich die Nothwendigkeit einer solchen Verjüngung sich nicht mehr verbergen läßt, trotz des guten Willens alle Mittel dazu abhanden gekommen sind.

Wenn es in uns stürmt und toset, wenn Sorgen und Kummer, Reue und Verdruß uns den Blick verdunkeln, wenn der Schlaf uns flieht auf dem Lager, Beängstigung uns faßt, und unser Blick hinausstarrt in eine öde trostlose Finsterniß, dann suchen wir in dieser Finsterniß nach einem Punkte, welcher uns trage und halte, auf welchen gerichtet der Geist Ruhe finde in seiner Qual. Dieser Punkt heißt Wahrheit. In solchen Lagen halten angelernte Gebetsformeln nicht vor; Illusionen von schönen Bildern und Phantasieen, womit sich der vergnügte und heitere Mensch gern Abgründe zudeckt, zerfallen wie Zunder. Wir fühlen dann nur Eines könnte uns retten und halten, Wahrheit, sehe diese nun aus, wie sie wolle. Denn die Wahrheit ist an sich das Feste, Sichere, Unwandelbare. Ergriffen wir diesen Punkt im Geiste, so würden wir an ihm einen Boden haben, auf welchem wir fest stehen könnten, in dessen Festhaltung alles Schwanken, alle Unsicherheit aus unserer Seele weichen würde. Daraus folgt nun aber, daß alle Gedanken, welche dem Geiste nicht diese unerschütterliche Ruhe verleihen, nicht Gedanken der vollen Wahrheit sein können.

Mich hat es von jeher besonders stark zum Nachdenken aufgefordert, wenn ich in den Schriften ehrwürdiger und frommgläubiger Männer, wie z. B. eines Thomas von Kempen und ähnlicher, las, wie trotz ihrer innigen und warmen Ergreifung des positiven Glaubensinhalts Zweifel und Unruhe in ihrem Gemüthe zurückblieben, wie die Anfechtungen des Teufels, theologisch zu reden, mit der Zuversicht und den Beruhigungen des Glaubens in ihrer Seele abwechselten. Das ganze Mittelalter in seiner fromm contemplativen Richtung ist dieser Klagen voll, und es wurde zuletzt selbst zu einem förmlichen Glaubenssatz, daß dem sich ernsthaft mit seiner Seele Heil Beschäftigenden am allerwenigsten solche Unruhe, solche Zweifel und Unsicherheit erspart würden. Ich gestehe, daß mir diese edlen contemplativen Seelen immer ganz besonders ehrwürdig erschienen sind in ihren offenen, und ehrlichen Geständnissen von dem zweifelnden Ringen in Festhaltung des von ihnen für Wahrheit Gehaltenen, weit ehrwürdiger, als wenn sie diese ihre Seelenzustände, um den Schwachen kein Aergerniß zu geben, in ein diplomatisches Dunkel gehüllt hätten. Aber daß eine Seele die Wahrheit, die wirklich unerschütterbare Wahrheit im Glauben ergriffen habe, dieselbe klar denke, innig und stark empfinde, wisse, habe und fasse, und dann noch von Unruhe und Zweifeln heimgesucht werde, das ist ein Widerspruch in sich selber. Mir hat es daher immer als eine Ueberzeugung festgestanden: diese ehrwürdigen religiösen Kämpfer rangen in aufrichtigster Redlichkeit gegen sich selbst ihr Leben lang nach der Wahrheit, standen aber nicht in der vollen Wahrheit. In so weit bin ich mit dem Materialismus einverstanden.

Aber nun wende ich mich zu ihm selbst. Bringt er die Wirkung der Unerschütterlichkeit im Gemüthe hervor, welche man dem Glauben nicht nachrühmen kann? Er wird dies nicht behaupten, sondern bereitwillig anerkennen, daß es schwache Seelen gebe, welche die Wahrheit nicht ertragen, und deshalb der Illusionen des Glaubens zu ihrer Beruhigung bedürfen. Dabei wird er aber durchaus die Anmuthung einer solchen Beruhigung gänzlich von sich abweisen, oder, wenn er das Bedürfniß nach einer solchen empfindet, dies für eine schwache Stunde seines Lebens erklären, welche er in eben dem Grade wegwünscht, wie der Gläubige die Stunden des Zweifels und der Unruhe. Es findet daher ein völliger Gegensatz Statt zwischen der Gemüthsstimmung des Gläubigen und der des Materialisten. Was der eine sucht, die unerschütterliche Ruhe des Gemüths, das verwirft der andere als ein Verlangen schwacher Naturen; und die Unruhe und Finsterniß der Lebensansicht, in deren Ertragung der eine das Zeichen einer starken Seele sieht und an sich empfindet, wird vom andern als eine Versuchung des Teufels oder der schlimmen Seite unserer Natur abgewiesen.

Ich habe daraus lange bei mir selbst den Schluß gezogen,

daß weder der Seelenzustand des fertigen Buchstabenglaubens, noch auch der des entschlossenen Materialismus ein der menschlichen Seele in ihrem gesunden und normalen Zustande angemessenes Verhalten sein kann. Wenn die Seele nicht sicher ist vor schwachen Stunden, in denen sie sich genöthigt sieht, von dem als wahr Erkannten abzuweichen, vor Stunden des Zweifels, in denen ihr das als Wahrheit Ergriffene als Lüge erscheint, so zeigt das immer an, daß ihr eine unnatürliche, ihrer Gesundheit nicht gänzlich angemessene Spannung zugemuthet wurde, welche sie nur auf Zeiten, aber nicht für immer gern und willig erträgt. Unser Leben besteht in Einathmen und Ausathmen; das eine allein und das andere allein führen zum Tode, nur in einer Schwebe beider wird richtig gelebt.

Der Buchstabenglaube und der Materialismus haben beide das mit einander gemein, daß sie trübe, finstere, melancholische Lebensansichten sind. Das dem Leben Angemessene ist aber nicht der Trübsinn und die Finsterniß, sondern die Heiterkeit der Hoffnung und die Herzenswärme einer guten fröhlichen Zuversicht, wie sie unverrückt und unerschütterbar in uns stehen müßte, hätten und besäßen wir die Wahrheit. Aber wir besitzen sie wirklich nicht, wir ringen nur danach. Für diesen Zustand einer guten Zuversicht, welcher unabläßig und in heißer Arbeit nach dem Besitze der Wahrheit als des höchsten Kleinodes ringt, haben die Griechen einen unübertrefflichen Namen ersonnen, den Namen der Philosophie. Nicht der Besitzer des großen Geheimnisses der Wahrheit, sondern der Liebhaber desselben, obgleich er es nicht besitzt, der von ihm mit unüberwindlichem Zauber Gefesselte, ist der Philosoph.

Der Buchstabengläubige ist nicht Philosoph. Denn er ist im vollen Besitze der Wahrheit, er ist am Ziel. Ihm ist daher die Philosophie das überflüssigste Ding auf der Welt. Wer im Besitz eines Gutes ist, der braucht nicht erst danach zu ringen, und wenn der Buchstabengläubige nicht, wenn es in seiner Macht stände, alle Bücher philosophischen Inhalts als überflüssige und schädliche Auswüchse des Menschengeistes dem Scheiterhaufen überlieferte, so würde darin nur eine liebenswürdige Inconsequenz von seiner Seite zu sehen sein. „Entweder der Inhalt stimmt mit dem Koran, so ist das Buch überflüssig, oder es stimmt nicht mit dem Koran, so ist das Buch schädlich" — sprach der Chalif Omar, als er die Alexandrinische Bibliothek verbrannte. Denn für Omar war in Muhamed die Wahrheit ein- für allemal erschienen, und eine Fortentwickelung nicht möglich. Omar ist das Urbild eines buchstabengläubigen Mannes.

Aber auch der Materialist ist nicht Philosoph. Denn auch er ist am Ziel. Entschlossen, unter keiner Bedingung und um keinen Preis eine Existenz anzuerkennen, welche über die Sphäre des Diesseits hinaus liege, empfindet er kein Bedürfniß, nach etwas zu trachten und sich um etwas zu bemühen, was außerhalb des Kreises der empirischen und exacten Wissenschaften liegt.

Aber die Wahrheit läßt sich weder mit dem Netze der Empirie, noch mit der Sprenkel des Dogma's einfangen. Die Wahrheit ist ein großes Geheimniß. In dem Luftkreise dieses Geheimnisses leben wir, und sein Hauch ist unsere Beseelung, unser Leben. Die Anerkennung dieses Geheimnisses und die Liebe zu ihm, welche nicht denkbar ist ohne unablässige denkende und forschende Bemühungen zur immer weiteren Enthüllung desselben, ist Philosophie.

Die Philosophie läuft ihre unendliche Siegesbahn durch die Jahrhunderte der Weltgeschichte. Viele Arten des Glaubens und des Unglaubens hat sie gesehen auftauchen und untergehen; sie selbst stirbt nicht, und ihre Natur ist, jene alle zu überdauern. Das Streben des Glaubens ist, das Endziel der Philosophie ungeduldig zu anticipiren. Er glaubt, es gethan zu haben. Ob es ihm gelungen sei, darüber ein Urtheil zu fällen, ist die Philosophie außer Stande, weil sie selbst noch nicht an diesem Ziele angelangt ist, und selbst niemals auf dem raschen Glaubenswege der Entschlüsse, sondern immer nur auf dem langsamen und mühsamen der Forschung zu ihren Resultaten gelangt. Das Streben des Materialismus ist, die Wege der Philosophie völlig zu verlassen, und sich mit allen seinen Gedanken, Lebenszwecken und Bestrebungen einzig und allein auf den engen Kreis des Diesseits, auf die kurze Lebensspanne, welche mit der Geburt anfängt und mit dem Tode aufhört, zu beschränken.

Ich sehe mich daher genöthigt, dem Materialismus in Beziehung auf die Fortentwickelung des Menschengeistes eine ähnliche Stellung einzuräumen, wie dem Buchstabenglauben. Man könnte ihn passend einen *Gegenglauben* nennen, welcher von Zeit zu Zeit auftritt, um die übermäßigen Anmaßungen des Buchstabenglaubens zu beschränken. Beide zusammengenommen, Glaube und Gegenglaube, vertreten beim Menschengeschlechte die Stelle der mangelnden Philosophie. Denn beide, sowohl der Glaube als der Unglaube, sind müheloser und leichter, als die Philosophie. Die Philosophie ist das Schwerste. Wo die Gemüther ihrer göttlichen Lebensluft nicht geöffnet sind, wo ihr Himmelshauch entweder *noch nicht* oder *nicht mehr* in die Segel des Menschheitschiffes bläst, da wird dasselbe durch die entgegengesetzten Ruder des Buchstabenglaubens und des Materialismus fortgestoßen. Zu Ende des vorigen Jahrhunderts war eine schöne, ewig denkwürdige Zeit, wo Segel an Segel sich aufspannte, um den gottbeseelten Hauch des gewaltig arbeitenden und bis in seine Urtiefen aufgewühlten Menschengeistes zu empfangen als eine neue Triebfeder der Weltgeschichte, nämlich die Triebfeder der *Vernunft*. Seit jener Zeit ist wieder allmählich Windstille geworden, und je tiefer und schauerlicher diese Stille wird, desto lauter hört man wiederum, wie zuvor, die Seiten des Schiffes stöhnen und ächzen von der gewaltigen Arbeit der beiderseitigen Ruderknechte. Und dieses Treiben der Gegenwart muß so lange dauern, bis auf's Neue ein göttlicher Wind sich hebt, und in die Segel des Fahrzeugs fährt, wo dann das Rudern wieder, wie es schon einmal bei uns der Fall gewesen ist, als überflüssig erscheinen wird.

Die freie Philosophie, welcher das Leben ein göttliches Geheimniß ist, in welchem sie forscht und gräbt, verlangt feine Herzen und sinnige Geister, welche nicht ungeduldig sogleich an's Ziel rennen wollen, sondern Geduld und Langmuth genug besitzen, um zweifelhafte und schwebende Gemüthslagen auszuhalten. Im Gedränge des religiösen Parteitreibens, wo dem Menschen die Pistole auf die Brust gesetzt wird, ob Glauben oder Unglauben, ob Theismus oder Atheismus — da entweicht die Philosophie.

Die Philosophie befindet sich im gegenwärtigen Augenblicke in der Lage des Columbus, gegen welchen sich die Mannschaft seines Schiffes empörte, weil die Fahrt zum verheißenen Lande länger dauerte, als ihre Geduld reichte. Columbus war des Daseins der zu suchenden Küste sicher genug, aber er konnte sie nicht rascher vor die Blicke der Wartenden zaubern, als sie nach den Naturgesetzen der Seefahrt von selbst herannahete. Die Philosophie hat vor 80 Jahren den Curs einer neuen Entdeckungsfahrt begonnen, gestützt gleich Columbus auf die unzweideutigsten Zeichen eines sicher zu erreichenden Zieles. Aber die Fahrt ist lang, und es daher nicht zu verwundern, wenn ungeduldige Seelen sich empören. Wer philosophiren will, muß zuwarten können, und schon Sokrates sagte, daß, wer in seiner Zeit pressirt sei, nicht zum Philosophen tauge.

Dieses nun wird zur Verständigung über den allerwichtigsten Punkt, nämlich über die gespannte und unnatürliche Gemüthslage, in welche der Materialismus den Menschen versetzt, wohl hinreichen. Es ist dies die eigentliche schwache Seite des Materialismus, über welche derselbe auch, so oft sie ihm zum Vorwurf gemacht wird, niemals etwas anderes zu erwiedern hat, als daß zum Ertragen der Wahrheit im Sinne des Materialismus allerdings ein starker Geist gehöre, eine Behauptung, welche in einem ganz ähnlichen Sinne wahr und unwidersprechlich ist, wie die, daß zum Verzehren von Holz und Eisen allerdings ein guter Magen gehört.

Lassen Sie mich jetzt auf die starke Seite des Materialismus, nämlich auf seine wissenschaftlichen Bestrebungen übergehen.

Hier vergrößert und erhöhet sich unser Standpunkt. Denn hier haben wir es nicht bloß mit dem engen Gesichtskreise der heutzutage um sich greifenden materialistischen Denkweise zu thun, sondern mit dem Materialismus in seiner ganzen gewaltigen Lebenskraft, welche er von jeher in der Geschichte der Menschheit entfaltet hat, und auch wahrscheinlich in alle Zukunft hinein entfalten wird.

Der Materialismus des heutigen Tages leugnet die göttlichen Dinge, bestreitet die Unsterblichkeit der Seele, und tritt so als ein Feind aller religiösen Vorstellungen auf. Man denkt sich daher heutzutage beim gehaßten und gefürchteten Worte des Materialismus auch immer nur dieses Negative, dieses Mißfallen an religiösen Wahrheiten, diese Widersetzlichkeit gegen Alles, was mit religiösen Vorstellungen im Zusammenhange ist. Diese Stellung hat der Materialismus aber nicht von jeher eingenommen; sie ist eine ihm nicht wesentliche, sondern nur durch Macht gewisser Verhältnisse der Gegenwart herbeigeführte, und man kennt daher die Gewalt des Materialismus über das menschliche Leben und menschliche Gemüth nur sehr unvollkommen, wenn man von demselben keine umfangreichere Vorstellung hat, als nur diese.

Groos, der bekannte Irrenarzt und Psycholog, that in seinem lesenswerthen Büchlein „Von der persönlichen Fortdauer des menschlichen Geistes“ den Ausspruch [1]: „Es ist dem Sinnen-

1) Friedrich Groos, „Meine Lehre von der persönlichen Fortdauer des menschlichen Geistes nach dem Tode“. Mannheim, Heinrich Hoff. 1840: S. 31 und 43.

menschen nicht gegeben, sich die individuelle Fortdauer seiner Seele als Kraft denken zu können ohne ein materielles Organ, ohne einen Stoff, der ihr zum Werkzeuge diene, um wirken zu können — weil wir Sinnenmenschen uns keine Kraftäußerung überhaupt vorstellen können, ohne ein wenn auch noch so feines stoffiges Organ als das Substrat dabei postuliren zu müssen." Obgleich ich selbst diesen Ausspruch nicht als richtig zugeben möchte, so hindert mich dies doch nicht, ihm ein großes historisches Gewicht beizulegen, da ich überzeugt bin, daß er von einer recht großen Anzahl selbst hochgebildeter Geister unbedenklich als Ueberzeugungssatz wird unterschrieben werden.

Die Erfahrung belegt den Groosischen Ausspruch mit merkwürdigen Beispielen. Sollte man es denken, daß einer der stärksten Vertreter des Materialismus unter den christlichen Kirchenvätern zu finden ist? Es verhält sich wirklich so. Fragen Sie die Theologen, und man wird Ihnen den berühmten Afrikaner Tertullian nennen (um 200 n. Chr.), den feurigen Apologeten des Christenthums, den Todfeind der Philosophie, den Vorkämpfer für die Lehre von der Auferstehung des Fleisches [1]. Tertullian

---

1) Im Haß gegen die Philosophie sucht Tertullian seines Gleichen. Besonders schüttet er denselben gegen Sokrates aus als gegen einen Rivalen des Märtyrthums. „Wahrlich" — schreibt er im Buche De anima I, 25. 39 — „eher wurde Sokrates von einem ganz andern, als dem heiligen Geiste bewegt; sagt man doch, daß ihm von Jugend auf ein Dämon beigewohnt habe, in der That ein schlechter Lehrmeister. — Wenn Sokrates der Weiseste ist nach dem Ausspruche des pythischen Gottes (der natürlich seinen Bundesgenossen nicht im Stiche ließ), um wieviel würdiger und standhafter ist das Festhalten an der christlichen Wahrheit, vor deren Hauch die ganze Macht der Dämonen weicht! Die Weisheit aus der Schule des Himmels ist freisinnig genug, alle Götter der Welt zu leugnen, ohne daß sie sich durch das Gebot, dem Aesculap einen Hahn zu opfern, versündigt, keine neuen Götter einführend, sondern die alten austreibend, nicht die Jugend verderbend, sondern in allem Guten und Anständigen unterweisend; und darum erträgt

hielt die Seele geradezu für einen Körper, freilich von sehr feiner Natur, etwa, nach unserer Weise zu reden, von der Art der Imponderabilien. Er hielt diesen Seelenkörper für dasselbe, was Paulus den inwendigen Menschen genannt hatte[1]), und schrieb ihm ein inneres Sehen und Hören, so wie auch ein inneres Bewegen zu. Er nahm ihn für dasselbe, was in der Mosaischen Schöpfungsgeschichte der Odem Gottes heißt, welchen Gott dem Menschen eingeblasen habe. Diesen Odem verstand Tertullian im wörtlichen Sinn als einen belebenden Hauch, ein feines Fluidum, welches die sämmtlichen Theile des Leibes durchströme, und daher, wenn man es erblicken könne (welches er nicht für unmöglich hielt), genau in der Form desselben erscheinen würde. Dieser feine Seelenleib gehe nicht zugleich mit den gröberen Leibestheilen in die Verwesung über, sondern bleibe im unversehrten Zustande aufbewahrt, um einst bei der Auferstehung des Fleisches auch wieder die gröberen Theile in sich zu versammeln.

So sonderbar eine solche sich in alle Anforderungen einer

---

sie nicht bloß das Verdammungsurtheil einer einzigen Stadt, sondern des ganzen Erdkreises für den Namen der Wahrheit, welche um desto verhaßter ist, je vollkommener sie ist; so daß sie auch den Tod nicht aus einem Becher in angenehmer Umgebung trinkt, sondern ihn von Galgen und Scheiterhaufen mit aller Art von Grausamkeit schlürft, und das in dem noch finsterern Kerker dieser Welt."

1) Vgl. 2 Cor. 5, 1. 2. „Wir wissen aber, so unser irdisch Haus dieser Hütten zerbrochen wird, daß wir einen Bau haben von Gott erbauet, ein Haus nicht mit Händen gemacht, das ewig ist im Himmel. Und über demselbigen sehnen wir uns auch nach unserer Behausung, die vom Himmel ist, und uns verlanget, daß wir damit überkleidet werden." Und ferner 2. Cor. 12, 2. 4. „Ich kenne einen Menschen in Christo; vor vierzehn Jahren — ist er in dem Leibe gewesen, so weiß ichs nicht, oder ist er außer dem Leibe gewesen, so weiß ichs auch nicht, Gott weiß es — derselbige ward entzückt bis in den dritten Himmel. Er ward entzückt in das Paradies, und hörte unaussprechliche Worte, welche kein Mensch sagen kann."

religiösen Sinnesart willig schmiegende materialistische Denkweise Vielen unter uns auch vorkommen möge, so stand sie doch im Alterthum in einem ganz anderen Verhältnisse zu dem, was sich die Masse der Menschen unter der Seele vorstellte, als jetzt. Es war keineswegs eine von Tertullian erfundene Denkweise, sondern ein bloßer unbewußter Nachklang der in seiner Jugend eingesogenen Begriffe, welche umzuändern er um so hartnäckiger verschmähete, als er alle Philosophie, hauptsächlich die Platonische, mit tödtlichem Hasse verfolgte, und den tiefsten Abscheu davor empfand, seinem Denken eine andere Unterlage zu geben, als das geoffenbarte Wort, die kirchliche Tradition, und ganz vorzüglich die specielle unmittelbare innere Erleuchtung.

Man hat also an Tertullian das merkwürdige Exempel vor Augen, daß es möglich ist, Materialist und zugleich frommgläubiger Mensch zu sein, oder daß es einen Materialismus giebt, auf welchen die Einwendungen, welche sich gegen diese Lehre von Seiten des religiösen Gefühles erheben, durchaus nicht mehr passen. Sobald aber zugestanden werden muß, daß ein religiöser Materialismus möglich ist, so erwirbt er sich dadurch ein philosophisches Bürgerrecht, welches ihm, wäre er in allen Fällen nur die bloße Wirkung des Unglaubens, abgesprochen werden müßte. Zu gleicher Zeit prägt er uns die höchst wichtige Thatsache ein, daß ein Mensch, welchem es mit den religiösen Wahrheiten des Herzens und des Gewissens ein strenger Ernst ist, dadurch lange noch nicht genöthigt ist, Materie und Geist für zwei gänzlich verschiedene Wesen zu halten, wie dieses bei der gegenwärtigen Stimmung der öffentlichen Meinung in der Regel irrig gemeint wird. Es ist aber von der höchsten Wichtigkeit, eine Idee von dem großen Spielraume der Gedanken zu bekommen, welcher einer religiösen Seele auf dem Gebiete der Philosophie offen steht; weil gerade dieser Umstand, daß in der öffentlichen Meinung der Gebildeten unserer Zeit hierüber die dunkelsten und verworrensten Vorstellungen herrschen, ein Hauptgrund ist, daß so viele, denen die materialistische Denkweise durch anhaltende Beschäftigung mit den Naturwissenschaften oder durch eine gewisse natürliche Anlage dazu zur Gewohnheit wurde, in den Strudeln des ungläubigen Materialismus versinken; aus keinem anderen Grunde, als weil der bessere Weg, den sie nach den Voraussetzungen ihrer einmal angewöhnten Denkweise gehen könnten, und, wenn sie ihn kennten, wohl auch gehen würden, ihren Augen verborgen bleibt.

Gehen wir hinter Tertullian eine Strecke weiter ins Alterthum zurück, so werden wir nothwendig von Erstaunen ergriffen. Der uns als paradox erscheinende religiöse Materialismus des Tertullian wird zur ganz populären Ansicht der Dinge, während die bei uns fast zur Alleinherrschaft gediehene und daher auch gewöhnlich die christliche genannte Ansicht, welche in der Seele ein der Materie entgegengesetztes stoffloses Wesen erblickt, nur allein von drei Männern und ihrem kleinen Anhange vertreten wird. Diese drei Männer heißen Sokrates, Plato und Aristoteles. Außerhalb des Raumes ihrer Schulen, welcher im Alterthum bei weitem nicht so ausgebreitet war, als man sich nach der ungeheuren Bedeutung, welche diese Namen für das folgende Weltalter gewonnen haben, vorstellen sollte, gab es im ganzen Alterthum keinen Menschen, welcher sich eine Immaterialität der Seele mit Deutlichkeit vorgestellt hätte. Denn in den philosophischen Systemen vor Sokrates kommt (mit der einzigen zweifelhaften Ausnahme des Anaxagoras von Klazomenä) dieser Begriff noch gar nicht vor, und unter den nachsokratischen Schulen blieben die ausgebreitetsten, nämlich die der Stoiker und Epikuräer, fortwährend dabei, die Seele für ein körperliches Wesen zu halten, und, obgleich sie sonst in fast allen Dingen einander widerstrebten, doch in diesem Einen Punkte mit einander übereinzustimmen. Man würde daher wohl nicht vom Ziele treffen, wenn man gerade hierin einen Hauptgrund der leichtesten und weitesten Ausbreitung der stoischen und epikuräischen Schulen in der alten Philosophie suchte, daß dieselben ihrerseits das in der öffentlichen Meinung des Alterthums fest begründete Vorurtheil von der Materialität der Seele nicht verletzten, und daher in diesem Punkte ihrem Publikum den Eintritt in die Philosophie lange nicht so schwer machten, als er ihm von den Platonikern und Aristotelikern gemacht wurde. Und so mag denn auch zu seiner Zeit Tertullian gerade durch seinen entschiedenen und hartnäckigen Materialismus wesentlich dazu beigetragen haben, das Christenthum der Denkweise seiner Zeitgenossen anzunähern, und aufs tiefste in derselben zu befestigen.

Die Abweichungen in den Vorstellungen der verschiedenen materialistischen Systeme des Alterthums in Betreff der Seelensubstanz waren nicht von sehr erheblicher Art gewesen. Anaximenes und Xenophanes hatten die Seele für luftförmig, Pythagoras und Parmenides für eine Vermischung von warmem und kaltem Aether erklärt. Heraklit hatte auch mit in den Aether eingestimmt, nur mit dem Unterschiede, daß er nicht den kalten, sondern nur allein den freurigen für fähig gehalten hatte, Seele zu sein. Auch die atomistischen Philosophen waren bei dem freurigen und warmen Aether stehen geblieben; Demokrit hatte die Seele für eine Art Feuer oder Wärme genommen, bestehend aus den beweglichsten, nämlich den kugelrunden Atomen. Die Ansicht der Atomistiker wurde von den Epikuräern, die des Heraklit von den Stoikern zu der ihrigen gemacht. Beide Ansichten stimmten darin überein, daß der Stoff des Feuers und der Wärme die Seele sei. Offenbar war der leitende Grundgedanke bei allen diesen Annahmen der gewesen, daß nur der feinste, beweglichste und kräftigste unter allen Stoffen die Seelenthätigkeiten zu verrichten im Stande sein könne; und daß sie diesen Stoff das Feuer und den Aether nannten, rührte nur her von der Mangelhaftigkeit der damaligen physikalischen Kenntnisse. Sie wußten noch nicht, daß das Feuer ein aus verschiedenen Processen zusammengesetztes Phänomen ist, und daß der Aether oder die höhere Luft sich von der niederen oder atmosphärischen Luft durch nichts weiter unterscheidet, als durch den verminderten Grad ihrer Dichtigkeit. Die allgewaltige Grundkraft der Natur, welche sie unter dem Namen des feurigen Aethers ahneten, hat sich erst dem gegenwärtigen Zeitalter in ihrer Wahrheit als Elektricität kund gegeben.

Die materialistische Ansicht der Stoiker vom Wesen der Seele übertrug sich bei ihnen auch auf das Wesen der Gottheit. Die Schüler des Zeno: Kleanth und Chrysipp, erklärten die Gottheit für den äußersten und höchsten, nach allen Seiten ausgebreiteten und Alles umschließenden feurigen Aether, von welchem aus alle Naturkräfte in die Welt einfließen sollten. Dieses himmlische Urfeuer sei von der derselben Art, wie das Seelenprincip, welches unsere Sinne in Thätigkeit versetzt; und da Menschen und Thiere von dieser Lebenswärme erhalten würden, und durch sie sich bewegten und empfänden, so sei es ungereimt, zu denken, daß die Gottheit oder das Weltall ohne Empfindung sei, da sie doch aus dieser vollkommenen und reinen, freien, kräftigen und beweglichen Gluth bestehe: besonders da diese Gluth nicht von einem anderen Gegenstande, noch durch äußerlichen Anstoß in Bewegung gesetzt werde, sondern durch sich selbst aus eigenem Antriebe sich bewege. Ebendarum, weil aus dieser Gluth alle Bewegung entspringe, dieselbe aber nicht aus fremdem Antrieb, sondern aus eigenem Triebe ihre Bewegung habe, müsse sie nothwendig selbst Geist, Seele und Vernunft sein[1]).

---

1) Cicero, De nat. Deor. I, c. 13. Auch Tertullian dachte sich, wie die Stoiker, die ganze Welt von göttlicher Denkkraft durchgossen, an welcher er selbst die Pflanzen mit Theil nehmen ließ. „Ich sehe die Weinranke" — schreibt er De anima I, 19 — „so zart und klein sie auch ist, dennoch ihr Geschäft verstehen und streben, sich an etwas zu hängen, worauf gestützt und womit verflochten sie gedeiht. Ohne die künstliche Pflege des Landmanns abzuwarten, ohne Stütze, ohne Gabel wird sie aus freien Stücken, wenn sie etwas berührt, es liebend umarmen, und zwar lieber, mit aller Kraft und aus eigenem Antriebe, als daß sie sich beeilte, selbständig zu sein nach freiem Gutdünken. Ich sehe auch den Epheu, du mögest ihn biegen, wie du willst, sogleich nach oben hinstreben und ohne Jemandes Anweisung sich anhängen, weil er lieber

So wie die Stoiker dachten, so hatte schon lange vor ihnen der besonders durch seine tiefe Religiösität in Ansehen gestandene Heraklit von Ephesus gedacht und geschrieben in einer der Ephesischen Diana zu Füßen gelegten Schrift über die Natur der Dinge, aus welcher uns leider nur fragmentarische Sprüche erhalten sind. „Diese Welt“ — so hatte es unter andern darin geheißen — „diese Welt bildete weder einer der Götter, noch der Menschen, sondern sie war immer und wird sein ein ewig lebendiges Feuer, sich gradweise entzündend, gradweise erlöschend.“ Des Feuers Verwandlungen aber seien zuerst das Meer, des Meeres Verwandlungen zur Hälfte die Erde, zur Hälfte der Blitz. Des Feuers Tod sei des Meeres Geburt. Alles aber sei verwandeltes Feuer. Alles tausche sich um in Feuer und Feuer in Alles, wie Waare in Gold und Gold in Waare. Dabei hielt Heraklit die Seele für einen Theil des Urfeuers selbst, welcher sich in beständiger Bewegung, in stetem Flusse befinde, so daß das Bewegtsein den Seelen Lust und Erholung, das Ruhen aber Ermüdung und Krankheit bringe. Er nannte die Menschen sterbliche Götter, Götter aber unsterbliche Menschen, und zwar so, daß der Tod der Götter das Leben der Menschen, der Tod der Menschen das Aufleben der Götter sei. Je trockener und feuriger eine Seele sei, desto gottähnlicher und vollkommener sei sie. Zur Vollkommenheit der Seele gehöre aber besonders die Bewegung und der durch beständiges Aus- und Einströmen unterhaltene Zusammenhang der irdischen Seele mit der göttlichen Weltseele. Je mehr dieser unterbrochen werde, desto mehr sinke der Mensch in Schlaf.

---

an den Wänden eine dichtes Geflecht bilden, als in freier Verkümmerung auf dem Boden verderben will. Hingegen welchen Gewächsen die Nähe eines Gebäudes schädlich ist, wie biegen sie sich im Wachsthum ab, wie fliehen sie hinweg! Du magst es an den Zweigen bemerken, die anderswohin geleitet werden, und die Beseelung des Baumes aus ihrem Abbiegen von der Wand erkennen.“

Diese Vorstellungsart des Heraklit, welche in eben so hohem Grade materialistisch, als religiös ist, bildet zu dem Materialismus unserer Tage einen vorzüglich interessanten Gegensatz. Man denke sich einmal, daß heutzutage ein Mann lebte, welcher wie Heraklit lehrte, daß Alles Geist und Seele sei, daß unsere Seele nur allein im Zusammenhange mit einer höheren Weltseele ihr Bewußtsein habe; daß dieses sich verdunkele, je enger sie sich mit dem Körper verbinde, erhelle, je mehr sie sich von demselben entbinde und mit der Urseele in Zusammenhang trete; daß erst mit der Trennung der Seele von dem sie verdunkelnden Leibe ihr eigentliches Leben beginne, gegen welches das gegenwärtige Leben nur als ein trüber Schlaf, ja als ein Tod zu achten sei; daß alle Materie im Weltall aus Seele entstanden, und zuletzt wieder in Seele zurückzugehen bestimmt sei; daß kein Denken und kein Bewußtsein aus bewußtlosem Stoffe hervorgehen könne, sondern umgekehrt aller bewußtlose Stoff ursprünglich aus einer völlig wachen Seele, aus bewußten und denkenden Zuständen seinen Ursprung herleite; würde uns heutzutage seine Lehre seltsam und wunderbar vorkommen? Ganz und gar nicht. Denn Hunderte unter uns haben im Wesentlichen dieselbe Ueberzeugung, bloß daß sie für dieselbe einen anderen Namen erfunden haben. Sie nennen sich nämlich nicht Materialisten, sondern Idealisten. Materialisten werden heutzutage nur diejenigen Stofflehrer genannt, welche den Stoff in seinem Grunde und in seiner Wurzel für unbewußt, seelenlos und todt erklären, und dadurch weder für ein göttliches Wesen, noch für eine Unsterblichkeit der Seele in ihrem System einen Raum behalten.

Man hat eine ganz falsche Ansicht vom Idealismus, wenn man meint, dies sei eine Theorie, welche sich in bloßen Abstractionen bewege, und die Welt der sichtbaren Wirklichkeit, die Welt der Materie gänzlich unangefochten abseits liegen lasse als etwas, das nicht existire. Allerdings hält der Idealismus die Materie für weniger wirklich, als die Seele, aber dieses nur darum, weil im Auge des Idealismus die Materie nichts weiter, als umgewandelte oder in einen entarteten Zustand versetzte Seele ist. Alle sichtbare Materie ist dem Idealisten eine bloße Entartung einer unsichtbaren Urmaterie, welche für sich selbst genommen Geist, Seele und Bewußtsein ist. Der Idealist ist daher immer auch Materialist, aber er ist der gründlichere, der tiefer auf den Grund der Sache gehende Materialist. Wenn der Materialist den alten Seefahrern gleicht, welche nicht über die Grenzen des Mittelmeeres hinaus kamen und daher den Erdball irrigerweise als eine Fläche beschrieben, so gleicht der Idealist den neuen Seefahrern, welche rings um die Erde herumfahren, und daher wissen, daß es außer der östlichen noch eine westliche Hemisphäre giebt.

Ich betrachte daher die sämmtlichen Materialisten des heutigen Tages als Candidaten des Idealismus, welche ihre Lehrzeit noch nicht vollendet haben. Es macht mich hierbei nicht irre, daß manche unter ihnen selbst, bevor sie zum Materialismus übergingen, dem Idealismus zugeneigt waren. Denn es ist zwischen diesen beiden extremen Denkweisen ein plötzlicher und rascher Uebergang am leichtesten möglich. Wer höher gestiegen ist, kann leicht tiefer sinken, als wer immer nur in mittleren und unentschiedenen Stellungen verharrete. Der Idealist, welcher den Glauben an die göttlichen Dinge und das Vertrauen zu ihnen verlöre, könnte nur sofort in den Materialismus herabsinken; eine mittlere und unentschiedene Stellung wäre ihm unmöglich. Sinkende und untergehende Geister scheint die Vorsehung dort als Signale zu gebrauchen, wo neue Lebensanschauungen sich Bahn brechen wollen. Wer in die neue Bahn lenkt, lenkt auch in die neue Gefahr. Glücklich mag sich immerhin der preisen, welcher seinen Geist fern halten darf von diesen Strömungen der wissenschaftlichen Gegenwart. Er wird im Glauben der Väter ein unangefochtenes und in bescheidener Stille beruhigtes Gemüth sich retten. Dem einmal von den Ideenströmungen der Gegenwart ernsthaft Berührten ist dies unmöglich. Es ist daher auch gänzlich vergeblich, ihm einen

Glauben einzuimpfen, welcher nicht mehr für ihn paßt. Er ist emancipirt, sein Schicksal liegt in seiner eigenen Hand, er kann fortan nicht stehen bleiben, er kann nur entweder steigen oder sinken.

Es verhält sich hiermit ähnlich wie mit dem Auswanderungstriebe der gegenwärtigen Generation. Nicht Allen gereicht die Auswanderung zum Heil, Viele gehen unter, das hemmt aber den Zug nicht und hält ihn im Ganzen nicht auf. Es ist der Instinkt der Menschheit, einen neuen Welttheil zu bevölkern. Der Einzelne geht unter, das Ganze hebt sich zu immer größerer Blüthe und stolzerer Pracht, und lockt dadurch die unvorsichtigen Einzelnen stets aufs neue in die Gefahr ihres Untergangs. Dagegen hilft nun kein Predigen: Bleib im Lande und nähre dich redlich — so vernünftig und unwidersprechlich im einzelnen Falle diese Gegenrede sein mag. Die aufsteigende Pracht des Ganzen erhebt ihren süßen Gesang wie eine Lurlei, und verhüllt den Blicken den eigenen Untergang. Der wissenschaftliche Geist der Gegenwart ist darauf aus, einen neuen Welttheil der Erkenntniß und Willenskraft zu bevölkern. Eine Atlantis des erhöheten Wissens und der erhöheten Macht über die Natur zieht die Auswanderer aus den alten Formen des Glaubens und der Sitte an sich. Auch hier ist die Verlockung, welche vom Bilde des majestätisch sich emporhebenden Ganzen ausgeht, häufig stärker, als die verständige Einsicht in die Schwäche der eigenen Kraft. Da geht es dann wie in einer Kameradschaft von Knaben, welche eine ungleich zugefrorene Eisfläche zum ersten Male beschreiten. Die Waghälse gehen vor, die Altklugen bleiben am Ufer stehen. Die Vordersten der Waghälse brechen ein, befreien sich mit Mühe und Noth aus ihrem kalten Bade, und werden von den Altklugen mit Hohn empfangen. Haben wir es nicht gesagt? heißt es da im vollen Chor. Unterdessen sind andere so glücklich gewesen, eine feste und sichere Bahn zu entdecken, und nun folgen die Altklugen nach, und bringen es darum, weil sie die vorsichtigsten sind, auch am weitesten.

Die materialistische Denkweise oder, genauer geredet, der ungläubige Materialismus ist dem Menschen nicht natürlich. Sie entsteht nur immer als eine Abart aus dem Idealismus oder, was den gegebenen Erklärungen zufolge mit geringen Unterschieden dasselbe sagt, aus dem religiösen Materialismus. So war es im Alterthum, und so wiederholt es sich in der Gegenwart. Aus der Hegelschen Philosophie als einem schon im Sinken begriffenen Idealismus sind die Hauptanführer des neuen Materialismus hervorgegangen, die Hegelsche Philosophie aber aus der Fichteschen Wissenschaftslehre als dem reinsten und ächtesten Idealismus, zu welchem je ein Menschengeist sich emporschwang. Wie ein solcher Uebergang im Allgemeinen möglich ist, das geht einleuchtend genug aus der angestellten historischen Betrachtung hervor. Wie dieser Uebergang schon im Alterthum erfolgte, so ist er auch bei uns aufs neue erfolgt. Denn der Menschengeist bleibt sich gleich, und seine Entwickelungen erfolgen nicht nach immer neuen, sondern unaufhörlich nach denselben alten Gesetzen.

Der Materialismus hat den Vortheil, daß sein Gedanke, der Geist sei Materie, von Jedermann höchst leicht und sogar ohne alle nähere Erklärung verstanden wird, obgleich sein Bestreben, die göttlichen Dinge zu läugnen, Jedermann, welcher sich nicht selbst zutraut, ein starker Geist zu sein, mit Abscheu erfüllt. Der Idealismus befindet sich in der gänzlich umgekehrten Lage. Sein Bestreben, die religiösen Gefühle der Menschheit heilig zu achten, öffnet ihm leicht die Herzen und erfüllt zu ihm mit Vertrauen und Zuversicht; aber sein Gedanke, daß die Materie umgewandelter Geist sei, liegt dem an speculatives Denken nicht gewöhnten Verstande so ferne, daß das Verlangen desselben, von der Möglichkeit einer solchen Umwandlung an einem Falle aus der Erfahrung ein deutlicheres Bild zu bekommen, nur ein billiges genannt werden kann. Ich will daher den Versuch wagen, einen solchen empirischen Fall nach den Principien des strengen Idealismus zu behandeln.

Ich versetze mich hierbei in die Seele des Heraklit von Ephesus

21*

zurück, nur mit dem Unterschiede, daß ich der ursprünglichen Seele als solcher nicht mit ihm ein materielles Substrat unterschiebe. Denn dieses ließe sich nicht in Einklang setzen mit den Ergebnissen des ächten und consequenten Idealismus. Dem Idealisten wohnt die Urseele nicht in der Materie, sondern in sich selbst oder im absoluten Ich. Dem Idealisten bedarf die Seele nicht eines materiellen Substrats zu ihrer Existenz, wohl aber bedarf die Materie einer geistigen Unterlage, ohne welche sie keine Haltung hätte und ins Nichts versinken würde. Dem Idealisten entbehrt die Materie der selbständigen Existenz. Denn was seine gewonnene Existenz wieder verlieren kann, um in ein anderartiges Dasein, nämlich das geistige, als Bestandtheil zurückzufließen, das hat zwar ein wirkliches, aber kein selbständiges Dasein.

Der Idealist erblickt eine Probe des Processes, wodurch materieller Stoff in Seele zurückgeläutert werden kann, im physiologischen Leben unseres Leibes. Ihm ist der Leib eine Retorte, in welcher Seele und Geist ausgezogen wird aus materiellen Stoffen, ähnlich wie man aus Getreide Alkohol bereitet. Der ausgezogene Geist ist nicht mehr Materie, eben so wenig als der aus Getreide ausgezogene Alkohol noch Stärkemehl ist. Die zu Seele werdende Materie wandelt sich zurück aus einem ausgedehnten in ein unausgedehntes Wesen, aus einem in Ausdehnung und Räumen befangenen Wesen in ein selbst Ausdehnungen und Räume erzeugendes Wesen. Sie wird eine mit schöpferischer Einbildungskraft begabte Seele, welche nicht mehr in einem bestimmten Raume gefangen sitzt, sondern ihre Wohnungen, ihre Räume und Ausdehnungen, in denen ihre Gedanken schweifen, sich selbst erzeugt. So weit die Materie in Seele zurückverwandelt ist, kann sie nicht mehr als Materie existiren, nicht mehr einen bestimmten Ort mit wahrnehmbaren Kräften erfüllen, sondern tritt aus dem Raum in das Ich als den Wohnort ihrer ewigen Bestimmung ein, von wo aus sie von nun an die Macht gewinnt, so viele Räume zu erschaffen, als sie nur will.

Mit dieser Annahme des Idealismus stimmen die in der Nervenphysik entdeckten Thatsachen aufs willkommenste überein. Dem Idealismus nämlich können alle solche Thatsachen nur willkommen sein, welche davon zeugen, daß zwischen Seelenthätigkeiten und elektrischen Nervenströmen ein Verhältniß der gegenseitigen Zu- und Abnahme stattfindet, so daß eine Erhöhung der Seelenthätigkeit eine Abnahme in Erzeugung des elektrischen Stroms und eine Erhöhung dieser Erzeugung eine Abnahme der Seelenthätigkeit mit sich führt. Denn auf diese Weise rückt uns der Grundgedanke des Idealismus auch im physikalischen Experiment immer näher, daß die Grundstoffe der Materie, zu denen namentlich auch das elektrische Fluidum gehört. nichts anderes sind, als umgewandelte Seele oder entäußerter Geist, welcher aus seinem entäußerten und bewußtlosen Zustande wieder in seinen ursprünglichen und bewußten Zustand zurückversetzt werden kann, wobei er dann in dem Maße, als dieses geschieht, für die Sinne latent wird. Die Reizung, welche, wie das Experiment lehrt, den elektrischen Strom im Nerven latent werden läßt, bringt diesen Theil der Weltseele aus seiner Knechtsgestalt, in welcher er als elektrischer Strom erschien, in seine ursprüngliche Selbständigkeit als Empfindung und Wille zurück. Sobald aber der Reiz aufhört, verliert dieser zurückgekehrte Theil unseres Ich aufs Neue seine ursprüngliche Form, und tritt wieder als elektrischer Strom in seine Knechtsgestalt, um die Maschine des physiologischen Lebens mit treiben zu helfen.

Alle unsere Gedanken, Empfindungen, Entschlüsse sind eben so viele befreiete Sklaven, denen es vergönnt wird, auf Augenblicke, Minuten, Stunden zurückzukehren in ihren ursprünglichen, selbständigen, des Leibes nicht bedürftigen Zustand. Aber bald nachdem sie sich in ihrer Heimath aufs neue eingewöhnt, müssen sie in das Joch der Knechtschaft zurück, weil der Leib ihrer bedarf, welcher, wollte er sie alle auf ein Mal ihres Knechtsdienstes entlassen, auf der Stelle in jenen Zustand übergehen würde, in welchen er einst unfehlbar geräth, zu einer Zeit, wo alle jene Sklaven sich in einem allgemeinen siegreichen Aufstande gegen ihn erheben.

Anstatt mich hier noch länger bei den Experimenten der Nervenphysik zu verweilen, ziehe ich es vor, zur besseren Verdeutlichung des Gesagten ein lebendiges Bild von dem Wechselverkehr zu entwerfen, in welchem der Theorie des Idealismus zufolge Leib und Seele stehen. Dasselbe mag besonders dazu dienen, eine deutlichere und richtigere Idee von den Absichten und Bestrebungen des Idealismus zu verbreiten, als sie gewöhnlich in den Kreisen des gebildeten Lebens gefunden wird. Denn die Regel ist leider noch immer, daß der Idealismus mit Mißtrauen betrachtet wird, und dieses aus keinem anderen Grunde, als weil man sich keine deutliche Vorstellung von ihm macht.

Um ein deutliches Bild zu gewinnen, denke man sich nach Heraklits Ausspruch das Verhältniß von Geist und Materie als einen Handelsverkehr. Seele und Elektricität sind auf ähnliche Art Aequivalente, wie im Handel Geld und Waare. Für Geld tauscht man Waare ein, aber so viel Waare man dabei bekommt, so viel Geld giebt man aus. Und umgekehrt kann man die Waare in Geld zurückverwandeln. Aber man darf sich nicht einbilden, daß man dabei das Geld einkassiren und dennoch die Waare behalten könne. Sondern so wie das Geld sich einstellt, geht die Waare dahin. So viel Seelenkraft wir gewinnen, so viel Nervenelektricität geht dem Leibe verloren, und wenn der Leib einen außerordentlichen Zuschuß an Elektricität zu seiner Erhaltung bedarf, muß er eine Anleihe bei der Seele machen.

Die Probe davon erlebt Jedermann täglich an sich selbst. Wenn die Arbeiten des Tages, welche unter der Herrschaft des Willens und der Erkenntniß vor sich gingen, die Erzeugungsfähigkeit der elektrischen Quellen in Nerven und Gehirn erschöpft haben, so bedarf das Nervengebäude einer neuen Stärkung oder elektrischen Ladung, und diese kann ihm nicht anders gelingen, als durch eine allgemeine Herabspannung der Seelenthätigkeit. Dieser Zustand einer verstärkten Erzeugung der elektrischen Quellen im Nerven heißt der Schlaf. Im Schlafe ruhen sowohl die Empfindungs- als die Bewegungsnerven, und folglich sprudeln hier ihre Quellen ohne alle Unterbrechung, weil jede Empfindung und jeder Bewegungsantrieb eine Unterbrechung derselben ist. Im Schlafe geht daher das leibliche Leben in jeder Art reichlicher und sicherer von Statten. Wir athmen tiefer, wir verdauen leichter und können dabei der äußeren Stärkung durch Speise länger entbehren, das Bedürfniß nach Entwicklung von Wärme und Hautausdünstung nimmt zu, die Heilung der Wunden geht rascher von Statten, und tiefer und ruhiger Schlaf ist in jeder Krankheit das beste Zeichen von fortschreitender Genesung. Aber wie sieht es dabei mit den Thätigkeiten der Erkenntniß und des Willens aus? Sie sind auf nichts reducirt. Und wie sollte es anders sein? Aus nichts wird nichts. Aus nichts strömen nicht die verstärkten Quellen des physiologischen Lebens, der üppig übersprudelnden Elektricität. Die Seele verliert also das, was der Leib gewinnt.

Wir wachen auf. Die Gewebe der Nerven haben sich aufs neue gekräftigt, und können geringer Abgaben ihrer Elektricität schon wieder für eine Zeit lang entbehren, damit sie sich aus Waare in Geld, aus Physik in Seele umwandeln. Dieses werden freilich immer nur sehr geringe Abgaben sein im Verhältniß zum ganzen Vermögen der Nerven-, Muskel- und Hautelektricität, welches möglicherweise, aber freilich nur mit gänzlichem Untergang des Leibes, flott gemacht werden könnte. Ist aber die Wirkung der geringfügigen, und nur wie versuchsweise in die Freiheit entlassenen elektrischen Kraftsumme schon so gewaltig und groß, so giebt uns dieses eine Idee von der Stärke und Macht des Naturphänomens, welches dann erfolgen wird, wenn der ganze in uns sprudelnde elektrische Quell von seiner physiologischen Thätigkeit dispensirt, und eben damit gezwungen wird, gänzlich in den Zustand der Seelenthätigkeit oder des Wachseins überzugehen.

Am Morgen nicht zu lange nach dem Erwachen verrichtet die Seele ihre Thätigkeiten am reinsten und ungestörtesten. Es wird nicht von ermatteten Gliedern an ihre Pforte gepocht, daß sie ein Darlehn gebe für Thätigkeiten der Verdauung und ähnlicher Verrichtungen. Der Theil von ihr, welcher frei geworden ist, darf das Gefühl einer reinen Zurückbeziehung auf sich selbst genießen. Daher ist das Gefühl der Helligkeit des Geistes, der Freiheit der Entschließung, der Aufgelegtheit zu allen Beschäftigungen, wie dasselbe am Morgen kurz nach dem Erwachen Statt findet, von so reiner Art. Die Seele empfindet hier weder Lust noch Schmerz, sondern eine aus ungefesselter Thätigkeit entspringende Freiheit, gleich dem kräftigenden Morgenhauch eines Gebirges oder dem Gefühle der Stärke und Helligkeit, mit welchem ein wohlgelungenes, mit Anstrengung und Selbstüberwindung vollbrachtes Werk erfüllt. Diese Reinheit der psychischen Selbstempfindung weicht nothwendig im Verlauf des Tages in dem Grade, als die Anforderungen des Leibes an die Seele wachsen und sich steigern. Die nöthig werdende Mahlzeit erregt die Verdauung, die Verdauung reizt zum Schlummer, der Schlummer ist eine Anleihe des Leibes bei der Seele. Wir arbeiten am Nachmittag mit größerer Anstrengung, als am Morgen, also schon mit minder freier Seele, am Abend schon mit Müdigkeit, d. h. mit getheilter Seelenkraft. Dieselbe hat zur Sicherstellung des Leibes schon herleihen müssen, und ein Theil desselben Wesens, welches am Morgen wachte und arbeitete, schläft schon und wird bereits zur Erzeugung elektrischer Quellen verwendet. Zuletzt legen wir uns lieber hin, und leihen das ganze Vermögen aus, um am anderen Morgen dafür aufs neue ein desto größeres Capital frei und disponibel zu bekommen. Zwar kann das heitere Selbstgefühl der beweglichsten Seelenthätigkeit beim Erwachen am Morgen uns nur ein *annäherndes* Bild für das Selbstgefühl einer gänzlich in ihren Tiefen erwachenden Seele sein. Denn der Unterschied ist der des Theiles vom Ganzen. Das Ganze der Seelenkraft in seiner Entfesselung wird stärkere Wirkungen hervorbringen, als der Theil. Aber der Theil wird, so klein er auch ist, wenn er nur im Zustande der möglichst ungehemmten Entwicklung seiner Thätigkeit beobachtet wird, im Kleinen schon dieselben Wirkungen zeigen müssen, welche im Großen von einem Erwachen des Ganzen zu erwarten sind. Es wird sich der befreite Theil zum befreieten Ganzen nur verhalten können etwa wie das Licht einer Gaslampe zum Sonnenlicht oder wie der Funke aus einer Elektrisirmaschine zu den Blitzen eines Gewitters.

Ein anderes Bild, welches uns zu Gebote steht, um von der ursprünglichen Natur der Seele eine annähernde Anschauung zu geben, ist das Jugendalter des Menschen, wenn wir dasselbe in seinem Verhältnisse zu der ihm vorangegangenen Kindheit betrachten. In der Kindheit werden zwar nicht mehr alle Kräfte der elektrischen Gundquellen zur Bildung und zum Wachsthum des Leibes verwandt, wie dies geschah zu der Zeit, als der Organismus seine Glieder erst hervorbrachte. Vielmehr beginnt der frei werdende Geist in der Kindheit bereits seine höchsten Thätigkeiten zu entwickeln, aber mit Maß und höchst langsam. Denn der Ueberschuß, dessen die leibliche Ernährung ohne Schaden entbehren kann, ist erst ein geringer, weil das fortdauernde Wachsthum des Leibes fortwährend große elektrische Kraftsummen in Anspruch nimmt. Sobald das Wachsthum des Leibes vollendet ist, tritt ein anderer Zustand ein. Die Summe elektrischer Kraft, welche bisher fortwährend für dasselbe verbraucht wurde, wird nun frei und anderweitig disponibel. Der Leib braucht sie nicht mehr zum Wachsthum; sie wird entlassen, und sieht sich nun zum Erstaunen ihrer selbst auf erhöhete innere Thätigkeiten angewiesen. Wie gähren und brausen nun die geistigen Kräfte, welche zum ersten Male die bisher noch nicht gekostete Freiheit fühlen! Zu welchem Gefühle von Kraft, Muth und Thätigkeit heben sie sich empor! Wie fühlt sich da der ganze Mensch umgewandelt und wie neu geboren! Und doch ist es nur erst ein kleiner Theil der physiologischen Kraft, welcher sich hier plötzlich aus seinem elektrischen in seinen befreiten Zustand hinaufgehoben sieht. Wie muß es erst sein, wenn der ganze physiologische Kraftquell aus dem Zustande des Erscheinens in den Zustand der Latenz übergeleitet wird!

Zwischen dem Erwachen der Seele am Morgen eines jeden Tages, und dem Erwachen des Bewußtseins zu seiner vollen Thätigkeit in der Zeit des Jünglingsalters ist der Unterschied, daß der am Morgen vom Schlaf erwachende Theil nur eine Zeit lang eingeschlafen war, während der in der Jugend hinzuerwachende Theil das ganze bisherige Leben hindurch schlief, und nun zum ersten Male wach wird. Wir behalten dabei freilich immer noch viele schlafende Theile übrig, welche das ganze Leben hindurch im Schlafe bleiben, und nicht eher zum Freiwerden oder zum Erwachen gelangen, als beim völligen Aufhören ihrer physiologischen Verwendung. In Beziehung auf diese steht also erst in einer künftigen Periode unseres Daseins dasselbe in einem größeren Maßstabe bevor, was in Beziehung auf einen kleineren Theil als das Gefühl der sich aus den engen Gängelbändern ihrer Kindheit befreienden Seele ins Leben trat.

Im Uebrigen finden dann beim sinkenden Leben wieder Erscheinungen Statt, welche mit denen des sinkenden Tages große Aehnlichkeit haben. In dem Maß, als der Leib bei zunehmendem Alter abgenutzt und hinfällig wird, ist er gezwungen, beim freien Geiste Anleihen der elektrischen Quellen zu machen. Das Bewußtsein kann daher eben so wenig fortdauernd die volle Frische seiner Jugend bewahren, als dasselbe am Abend eines arbeitsamen und angestrengten Tages die Helligkeit und Frische des Morgens beibehält. Das Alter ist der Abend des Lebens, an welchem eine unterspielende Müdigkeit die frei gewordene Seele wieder stärker in den Dienst des Leibes abwärts zieht, ähnlich wie sie in der Kindheit abwärts gezogen war. Kein Wunder daher, daß das hohe Alter aufs neue kindisch werden kann. Es kann sogar zu ununterbrochenem bewußtlosen Schlummer herabsinken. Aber hierbei ist doch wieder der wesentliche Unterschied, daß diese Altersmüdigkeit nicht, wie die Müdigkeit des Abends, einer gänzlichen Versenkung der Seele in den Organismus entgegenführt, sondern im Gegentheil zu einer völligen Befreiung der Seele aus ihrem elektrischen Zustande der Anlauf ist.

Demnach bewegt sich das Leben gleichsam kreisförmig in seinen verschiedenen Zuständen, vom Wachen sinkend in den Schlaf, vom Schlaf zum neuen und erhöheten Wachen emporsteigend. Morgen und Jugend die Höhepunkte des Bewußtseins und der Helligkeit; Nacht und Alter die Senkungen in die Dunkelheit; und das ganze Leben wiederum, mit seinen unzähligen Morgenden und Abenden, mit Kindheit, Jugend und Alter aufsteigend als der erste kleine Anfang eines größeren Kreislaufs, welcher einer neuen Jugendstärke, einem helleren Erwachen die Bahn bereitet. So wälzt sich Alles wie Räder. Nirgends ist Stillstand oder Aufhören, und dieselbe Bewegung, welche hier in die Schatten der Nacht hinabsenkt, hebt dort auch wieder eben so im Verlaufe ihres Umschwungs in das Licht des Tages empor.

Druck von Fischer & Wittig in Leipzig

FSC
www.fsc.org
MIX
Papier aus verantwortungsvollen Quellen
Paper from responsible sources
FSC® C141904

Druck:
Customized Business Services GmbH
im Auftrag der KNV-Gruppe
Ferdinand-Jühlke-Str. 7
99095 Erfurt